유도은
S+감정평가실무

유도은 편저

2차 | 기본서 1권 제13판

박문각 감정평가사

이 책으로 공부하는 모든 수험생의 감정평가사 최종합격을 진심으로 기원합니다.

《S+감정평가실무》는 감정평가실무 기본서로서 감정평가실무를 최초로 접근하는 수험생에게 가장 적합한 교재입니다.
저자가 본 교재를 출간하는 궁극적인 목적은 감정평가실무 과목을 처음 시작하는 수험생들에게 감정평가실무에 흥미를 느끼게 하고 단권화된 기본서를 제공하여 학습에 도움을 주고자 함에 있습니다.
따라서 본 교재는 기존의 실무 기본서의 방대한 분량을 가장 효율적으로 이해할 수 있도록 구성하였고, 저자가 그동안의 강의에서 많은 수험생들이 요구하는 사항을 최대한 반영하여 이해를 돕고자 하였습니다.

감정평가실무 과목은 다른 어떤 자격시험에도 없는 고유한 형태의 시험입니다.
사실 감정평가이론이나 감정평가 및 보상법규 과목은 다른 자격시험이나 공무원 공채시험에 유사한 유형의 시험이 있습니다. 하지만 감정평가실무 과목의 경우 과목의 내용은 물론이고 그 출제유형부터가 매우 독특합니다. 감정평가실무를 "감정평가사 시험의 꽃"이라고 부르는 이유입니다.
또한 최근 감정평가사 제2차 시험은 감정평가실무 과목의 과락률이 최대 70~80%의 수준을 보이는 등 난이도가 높은 편이기 때문에 수험생들은 감정평가실무 과목에 대한 철저한 준비가 필요하다고 할 수 있겠습니다.

이런 감정평가실무 과목을 효율적으로 학습하는 데에는 몇 가지 팁이 있습니다.

하나, 감정평가실무 과목은 절대 암기과목이 아니라 "이해 위주의 과목"입니다. 처음 공부를 시작할 때 단순한 암기를 위주로 공부하는 수험생들이 있는데, 이해가 뒷받침되지 않는 암기는 의미가 없습니다. 시험에는 절대 암기한 그대로 나오지 않기 때문입니다.

둘, 역설적인 이야기로 들릴지 모르지만 "숫자감각"은 중요하지만 절대적이지는 않습니다. 숫자감각이라는 것은 수학을 잘하는 것과는 다르며, 사칙연산이면 충분합니다.

셋, 감정평가실무는 충분한 문제풀이가 매우 중요합니다. 특히 감정평가실무 기본서에서 여러 기본예제, 퀴즈, 3방식 연습, 종합문제, 기출문제 등 다양한 문제를 접하고 스스로 해결해 나가는 능력을 배양해야 하겠습니다. 매 강의가 종료되면 해당 진도에 따른 연습문제를 반드시 풀어보시기 바랍니다.

《S+감정평가실무 기본서》 제13판에서는 「감정평가 및 감정평가사에 관한 법률」, 「부동산 가격공시에 관한 법률」, 「공익사업을 위한 토지 등의 취득 및 보상에 관한 법률」, 「감정평가에 관한 규칙」 등 감정평가와 관련된 법령의 개정을 모두 반영하였습니다. 또한 수험생들의 편의를 위하여 「감정평가 실무기준」과 최대한 그 편제를 유사하게 하여 법전과의 상호적인 학습도 가능하도록 구성하였습니다. 그리고 각 실무이론에 대하여 적재적소에 배치된 기본예제는 독자들의 이해도를 높일 수 있을 것이라 생각합니다.

일부 기본예제는 문제해설 및 풀이영상을 첨부하여 놓았으며 도움이 되기를 바랍니다.

저자는 본 교재를 통해 감정평가사 수험생들과 같이 호흡하고자 합니다. 많은 수험생들이 수험과정 중 어려운 점을 겪을 시 언제든지 본 교재 표지에 기재된 "감정평가사 합격카페"를 통하여 저자에게 문의할 수 있기를 바랍니다. 또한 소소한 오탈자나 출간 이후 개정되는 사항들에 대해서는 "감정평가사 합격카페"를 통하여 수험생들에게 최대한 빨리 제공할 것을 약속드립니다.

본 교재의 출간을 위하여 저자의 까다로운 부탁에도 최선을 다해주신 박문각출판 관계자 분들께 고마움을 전합니다.
다시 한 번 본 교재를 통해 공부하는 수험생들의 감정평가사 최종합격 및 감정평가사로서의 무궁한 발전을 진심으로 기원합니다.

연구실에서
감정평가사 유도은

차례

CONTENTS | PREFACE |

각 차시별 세부 진행계획

CONTENTS | PREFACE |

차시	진행내용	기본서 진도
1	오리엔테이션: 교재의 특징 및 선택, 펜·계산기 선택 등 기타 공부방법론 – 감정평가의 개관(윤리, 관련법령, 부동산가격형성 등) – 감정평가실무의 기초(감정평가, 실무의 기본사항) – 화폐의 시간가치(Time Value of Money)	PART 01 감정평가 기초
2	– 화폐의 시간가치(Time Value of Money) – 화폐의 시간가치 연습 – 감정평가 3방식의 개관	
3	– 공시지가기준방법, 거래사례비교법	PART 02 감정평가 3방식
4	– 거래사례비교법, 원가법	
5	– 원가법 – 기타 평가방법: 노선가식평가, 통계적 방법 등	
6	– 수익환원법: 순수익의 산정 – 수익환원법: 환원 및 할인모델	
7	– 수익환원법: 환원 및 할인모델 – 수익환원법: 수익환원법에서의 개별평가논리(잔여환원법)	
8	– 구분소유권의 감정평가	
9	– 임대료의 평가: 임대사례비교법, 적산법, 수익분석법, 임대차평가	
10	– 유형별 평가(1): 토지, 건물의 유형별 감정평가, 기계기구의 감정평가, 공장재단 및 광업재단의 감정평가, 산림(입목)의 감정평가 등	PART 03 평가방법 적용과 의사결정
11	– 유형별 평가(2): 무형자산, 유가증권의 감정평가, 기업가치의 감정평가	

12	– 유형별 평가(3): 의제부동산 및 동산의 감정평가, 구분지상권의 감정평가,
	  권리금의 감정평가, 소음 등으로 인한 대상물건의 가치하락분에 대한
	  감정평가	

13	– 부동산투자의 타당성 분석: 투자의사결정의 개관 및 방법, 투자위험분석, 매후환대차의 타당성 분석	
14	– 부동산감정평가와 최고최선의 이용분석	
15	– 목적별 평가(1): 담보평가, 경매평가, 소송평가, 국·공유재산의 감정평가	
16	– 목적별 평가(2): 도시정비사업 감정평가, 택지비 감정평가	

PART
01
감정평가실무의
개관 및 기초

감정평가실무의 개관

01 감정평가의 개념 등

1. 감정평가의 개념

감정평가란 토지 등의 경제적 가치를 판정하여 그 결과를 가액(價額)으로 표시하는 것을 말한다.[1]

2. 감정평가업 및 감정평가법인등 [2]

① 감정평가업이란 타인의 의뢰에 따라 일정한 보수를 받고 토지 등의 감정평가를 업(業)으로 행하는 것을 말한다.

② 감정평가법인등이란 제21조에 따라 사무소를 개설한 감정평가사와 제29조에 따라 인가를 받은 감정평가법인을 말한다.

3. 감정평가 대상물건

① "토지 등"이란 토지 및 그 정착물, 동산, 그 밖에 대통령령으로 정하는 재산과 이들에 관한 소유권 외의 권리를 말한다.[3]

② 「감정평가 및 감정평가사에 관한 법률」(이하 "법"이라 한다) 제2조 제1호에서 "대통령령으로 정하는 재산"이란 다음 각 호의 재산을 말한다.[4]

    ㉠ 저작권·산업재산권·어업권·양식업권·광업권 및 그 밖의 물권에 준하는 권리

    ㉡ 「공장 및 광업재단 저당법」에 따른 공장재단과 광업재단

    ㉢ 「입목에 관한 법률」에 따른 입목

    ㉣ 자동차·건설기계·선박·항공기 등 관계 법령에 따라 등기하거나 등록하는 재산

    ㉤ 유가증권

---

1) 감정평가 및 감정평가사에 관한 법률 제2조(정의)
2) 감정평가사에 대한 이미지를 향상하고 위상을 제고할 수 있도록 감정평가법인등을 지칭하고 있는 감정평가업자 용어를 정비하였음(감정평가 및 감정평가사에 관한 법률 일부개정, 시행 2020.7.8.).
3) 감정평가 및 감정평가사에 관한 법률 제2조(정의)
4) 감정평가 및 감정평가사에 관한 법률 시행령 제2조(기타 재산)

02 감정평가업무의 범위

1. 감정평가 및 감정평가사에 관한 법률에 의한 업무범위

감정평가법인등은 다음 각 호의 업무를 행한다.

> **감정평가 및 감정평가사에 관한 법률 제10조**(감정평가법인등의 업무)
>
> 감정평가법인등은 다음 각 호의 업무를 행한다.
> 1. 「부동산 가격공시에 관한 법률」에 따라 감정평가법인등이 수행하는 업무
> 2. 「부동산 가격공시에 관한 법률」 제8조 제2호에 따른 목적을 위한 토지 등의 감정평가
> 3. 「자산재평가법」에 따른 토지 등의 감정평가
> 4. 법원에 계속 중인 소송 또는 경매를 위한 토지 등의 감정평가
> 5. 금융기관·보험회사·신탁회사 등 타인의 의뢰에 따른 토지 등의 감정평가
> 6. 감정평가와 관련된 상담 및 자문
> 7. 토지 등의 이용 및 개발 등에 대한 조언이나 정보 등의 제공
> 8. 다른 법령에 따라 감정평가법인등이 할 수 있는 토지 등의 감정평가
> 9. 제1호부터 제8호까지의 업무에 부수되는 업무

2. 감정평가목적의 구분[5]

1차분류	2차분류	내용
담보	은행담보	시중은행, 지방은행, 특수은행, 외국은행, 기타 은행이 의뢰하는 담보평가
	보험회사담보	생명보험, 손해보험, 해상화재보험회사 등 보험회사가 의뢰하는 담보평가
	제2금융담보	공공기관 제출 목적의 담보평가
	법인담보	일반법인 제출 목적의 담보평가
공정가액평가		기업회계기준의 수정에 따른 기업체 유형자산의 재평가
관리		국가·지방자치단체가 대부료 산정 및 기타 재산의 관리(처분, 매수, 교환은 제외)를 위한 평가
처분	국공유처분	「국유재산법」 또는 「공유재산 및 물품 관리법」에 의한 국·공유재산의 처분평가
	공기업처분	공기업 소유재산의 매각·처분을 위하여 의뢰하는 평가
	공동주택 용지처분	택지개발사업시행자가 택지개발촉진법령에 따라 조성된 공동주택용지의 처분을 위하여 의뢰하는 평가
	금융기관처분	금융기관이 위탁재산, 비업무용 부동산의 처분 등을 목적으로 의뢰하는 평가
매수		국가·지방자치단체 및 공공기관이 재산의 매수를 위하여 의뢰하는 평가
교환		국·공유재산과 공유재산 또는 사유재산과의 교환을 위한 평가
자산재평가		「자산재평가법」 등에 의한 평가

---

5) 한국부동산원 감정평가세부기준 [별표 17] 참조

조세		국세청이 조세의 부과, 징수 및 국세체납처분 등을 위하여 의뢰하는 압류재산의 평가
경매		법원이 임의경매 혹은 강제경매를 목적으로 의뢰하는 평가
보상	협의보상	손실보상을 위하여 사업시행자가 처음으로 의뢰하는 보상감정평가
	재개발관련 협의보상	「도시 및 주거환경정비법」에 의한 자산의 보상감정평가
	재결보상	협의보상이 이루어지지 않아 지방토지수용위원회 또는 중앙토지수용위원회 등이 의뢰하는 수용재결, 중앙토지수용위원회가 의뢰하는 이의재결을 위한 보상감정평가(재개발관련 재결보상 제외)
	재개발관련 재결보상	재개발 및 재건축 등과 관련된 재결보상
	환매	「공익사업을 위한 토지 등의 취득 및 보상에 관한 법률」 제91조에 의한 환매목적의 감정평가
임대차		임대차 목적으로 가격 또는 임대료 산정을 위한 평가
공공기관업무용		인·허가수속, 법인전환 등을 위하여 공공기관에 제출하는 감정평가
법인업무용		법인업무용으로 필요한 감정평가
일반거래	일반거래(매매 등)	개인 간의 재산 거래를 위한 가격참고용으로 의뢰하는 평가
	일반임대차	개인 간의 임대차목적으로 의뢰하는 평가
	일반담보	개인 간의 담보 목적으로 의뢰하는 평가
압류재산 매각		한국자산관리공사가 압류재산의 공매를 목적으로 의뢰하는 평가
도시정비 평가	재개발관리처분	재개발사업의 관리처분계획 수립을 위한 종전자산 및 종후자산의 감정평가
	재개발 기타	재개발사업과 관련된 감정평가 중 관리처분계획수립목적 이외의 평가
	재건축관리처분	재건축사업 관리처분계획수립을 위한 종전자산 및 종후자산의 감정평가
	재건축 기타	재건축사업과 관련된 감정평가 중 관리처분계획수립 목적 이외의 평가
부담금	개발부담금	「개발이익환수에 관한 법률」 제10조에 의한 개발이익 환수를 위한 평가
	기반시설부담금	「기반시설부담금에 관한 법률」 및 동법 시행령에 의한 기반시설부담금의 평가
	기타 부담금	개발부담금, 기반시설부담금 외의 기타 부담금의 평가
표준지공시지가		「부동산 가격공시에 관한 법률」 제3조의 목적을 위한 표준지공시지가의 평가 및 결정·공시된 표준지공시지가의 이의신청에 대한 평가
개별공시지가		개별공시지가 열람 이전의 검증(산정지가검증), 열람 후 의견제출된 지가에 대한 검증(의견제출지가검증), 결정·공시 후 이의신청된 지가에 대한 검증(이의신청지가검증)
지가변동률		지가변동률의 조사를 위하여 의뢰하는 표본지의 조사 및 평가
표준주택가격		「부동산 가격공시에 관한 법률」 제16조의 목적을 위한 표준주택의 조사·평가 및 결정·공시된 표준주택가격의 이의신청에 대한 평가
개별주택가격		개별주택가격 열람 이전의 검증(산정가격검증), 개별주택가격 열람 후 의견제출된 주택가격에 대한 검증(의견제출가격검증), 개별주택가격 결정·공시 후 이의신청된 주택가격에 대한 검증(이의신청가격검증)
쟁송		법원이 소송 등의 수행을 위하여 의뢰하는 평가

이외에도 부동산과 관련된 의사결정에 참고하기 위한 자문 등을 위한 부동산 컨설팅, 타인의 감정평가서를 관련법령 등에 따라 적정하게 평가되었는지 검토하는 업무인 평가검토 등이 감정평가 업무에 포함된다고 볼 수 있다.

03 감정평가사의 윤리 [6]

> **감정평가 및 감정평가사에 관한 법률 제25조**(성실의무 등)
>
> ① 감정평가법인등(감정평가법인 또는 감정평가사사무소의 소속 감정평가사를 포함한다. 이하 이 조에서 같다)은 제10조에 따른 업무를 하는 경우 품위를 유지하여야 하고, 신의와 성실로써 공정하게 하여야 하며, 고의 또는 중대한 과실로 업무를 잘못하여서는 아니 된다.
> ② 감정평가법인등은 자기 또는 친족 소유, 그 밖에 불공정하게 제10조에 따른 업무를 수행할 우려가 있다고 인정되는 토지등에 대해서는 그 업무를 수행하여서는 아니 된다.
> ③ 감정평가법인등은 토지등의 매매업을 직접 하여서는 아니 된다.
> ④ 감정평가법인등이나 그 사무직원은 제23조에 따른 수수료와 실비 외에는 어떠한 명목으로도 그 업무와 관련된 대가를 받아서는 아니 되며, 감정평가 수주의 대가로 금품 또는 재산상의 이익을 제공하거나 제공하기로 약속하여서는 아니 된다.
> ⑤ 감정평가사, 감정평가사가 아닌 사원 또는 이사 및 사무직원은 둘 이상의 감정평가법인(같은 법인의 주·분사무소를 포함한다) 또는 감정평가사사무소에 소속될 수 없으며, 소속된 감정평가법인 이외의 다른 감정평가법인의 주식을 소유할 수 없다.
> ⑥ 감정평가법인등이나 사무직원은 제28조의2에서 정하는 유도 또는 요구에 따라서는 아니 된다.

감정평가법인등은 감정평가제도의 공공성과 사회성을 충분히 이해하고, 전문인으로서 부여된 책임과 역할을 인식하여 행동을 스스로 규율하여야 한다.

현행 「감정평가법」 제25조(성실의무 등)에서도 행위규범을 규정하고 있으나, 사회적으로 전문직업인에 대해 고도의 윤리성 및 구체적인 윤리규정을 필요로 하고 있었던 점 등을 반영하여 「실무기준」에서 윤리규정을 별도의 장으로 새롭게 구성하고 세분화·구체화한 것이다. [7]

1. 윤리의 중요성

(1) 감정평가의 사회성·공공성

감정평가 결과는 개인과 국가의 재산과 직접적으로 관련이 되며, 나아가 개인의 행복과 사회복지에 영향을 미친다. 따라서 감정평가법인등은 가치판정의 전문인으로서 자신의 행위결과가 사회적·경제적으로 미치는 영향을 인식하고 그에 따라 양심적으로 업무를 수행하여야 하므로 감정평가법인등에게는 높은 윤리성이 요구된다.

---

6) 감정평가실무기준, 국토교통부, 국토교통부 고시 제2016-600호(이하 실무기준) 200 감정평가법인등의 윤리
7) 감정평가실무기준 해설서, 한국감정평가사협회·한국부동산원, 2014.2.(이하 실무기준 해설서)

(2) **전문자격사로서의 소양**

감정평가사에게는 전문자격사로서의 윤리적 성찰과 사회적 책임감을 기본적으로 갖추어야 한다.

(3) **외부환경의 변화**

감정평가서비스가 고도화·전문화될수록 감정평가법인등에게는 더 높은 수준의 지식·경험·판단력이 요구되며, 전문가로서 지닌 능력을 올바르게 활용하는 자세가 중요하다.

2. 기본윤리

(1) **품위유지**

감정평가법인등은 감정평가업무를 수행할 때 전문인으로서 사회에서 요구하는 신뢰에 부응하여 품위 있게 행동하여야 한다.

(2) **신의성실**

① **부당한 감정평가의 금지**

감정평가법인등은 신의를 좇아 성실히 업무를 수행하여야 하고, 고의나 중대한 과실로 부당한 감정평가를 해서는 아니 된다.

② **자기계발**

감정평가법인등은 전문인으로서 사회적 요구에 부응하고 감정평가에 관한 전문지식과 윤리성을 함양하기 위해 지속적으로 노력하여야 한다.

③ **자격증 등의 부당한 사용의 금지**

감정평가법인등은 자격증·등록증이나 인가증을 타인에게 양도·대여하거나 이를 부당하게 행사해서는 아니 된다.

(3) **청렴**

① 감정평가법인등은 법 제23조의 규정에 따른 수수료와 실비 외에는 어떠한 명목으로도 그 업무와 관련된 대가를 받아서는 아니 된다.

② 감정평가법인등은 감정평가 의뢰의 대가로 금품·향응, 보수의 부당한 할인, 그 밖의 이익을 제공하거나 제공하기로 약속하여서는 아니 된다.

(4) **보수기준 준수**

감정평가법인등은 법 제23조 제2항에 따른 수수료의 요율 및 실비에 관한 기준을 준수해야 한다.

3. 업무윤리

(1) **의뢰인에 대한 설명 등**

① 감정평가법인등은 감정평가 의뢰를 수임하기 전에 감정평가 목적·감정평가조건·기준시점 및 대상물건 등에 대하여 의뢰인의 의견을 충분히 듣고 의뢰인에게 다음 각 호의 사항을 설명하여야 한다.

  ㉠ 대상물건에 대한 감정평가업무 수행의 개요

  ㉡ 감정평가 수수료와 실비, 그 밖에 의뢰인에게 부담이 될 내용

② 감정평가법인등은 대상물건에 대한 조사과정에서 의뢰인이 제시한 사항과 다른 내용이 발견된 경우에는 의뢰인에게 이를 설명하고 적절한 조치를 취하여야 한다.

③ 감정평가법인등이 감정평가서를 발급할 때나 발급이 이루어진 후, 의뢰인의 요청이 있는 경우에는 다음 각 호의 사항을 의뢰인에게 설명하여야 한다.

  ㉠ 감정평가액의 산출 과정 및 산출 근거

  ㉡ 감정평가 수수료와 실비, 그 밖에 발생한 비용의 산출 근거

  ㉢ 감정평가 결과에 대한 이의제기 절차 및 방법

  ㉣ 그 밖에 의뢰인이 감정평가 결과에 관해 질의하는 사항

(2) **불공정한 감정평가 회피**

① 감정평가법인등은 객관적으로 보아 불공정한 감정평가를 할 우려가 있다고 인정되는 대상물건에 대해서는 감정평가를 해서는 아니 된다.

② 불공정한 감정평가의 내용에는 다음 각 호의 사항이 포함된다.

  ㉠ 대상물건이 담당 감정평가사 또는 친족의 소유이거나 그 밖에 불공정한 감정평가를 할 우려가 있는 경우

  ㉡ 이해관계 등의 이유로 자기가 감정평가하는 것이 타당하지 않다고 인정되는 경우

(3) **비밀준수 등 타인의 권리보호**

감정평가법인등은 감정평가업무를 수행하면서 알게 된 비밀을 정당한 이유 없이 누설하여서는 아니 된다.

제2절　감정평가와 관련된 법령 등

01　개관

감정평가사는 감정평가 시 적용되는 법령 및 규칙을 명확하게 인식하고 감정평가해야 한다. 법령 및 규칙이 상호 배치되는 경우 우선적으로 적용되는 법령 및 규칙을 인지하고 있어야 한다. 일반적으로 평가목적에 따라 적용되는 법령 및 규칙의 구조가 서로 차이가 있는 바, 이하 각 평가목적별 적용되는 법령 및 규칙을 검토한다.

02　일반거래목적(시가참고용)의 감정평가 시

	법령 및 지침	근거법령	법규성
	감정평가 및 감정평가사에 관한 법률	-	○
→	감정평가에 관한 규칙(감칙)	감정평가법 제3조[8]	○
→	감정평가실무기준	감칙 제28조	×[9]
→	감정평가실무기준 해설서	-	×

각 감정평가목적별 아래의 지침이 적용될 수 있다.

구분	적용되는 법령 및 지침
금융기관의 담보취득을 위한 감정평가 시	• 담보평가지침[10](폐지) • 감정평가실무매뉴얼(담보평가편)
국공유재산 관련 감정평가 시	• 국유재산법 • 공유재산 및 물품 관리법
도시정비 감정평가 시	• 도시 및 주거환경정비법 • 공익사업을 위한 토지 등의 취득 및 보상에 관한 법률 • 재개발·재건축사업 등에 관한 평가지침

---

8) 감정평가 및 감정평가사에 관한 법률 제3조(기준)

　③ 감정평가의 공정성과 합리성을 보장하기 위하여 감정평가법인등(소속 감정평가사를 포함한다)이 준수하여야 할 원칙과 기준은 국토교통부령으로 정한다.

9) 대법원은 "감정평가에 관한 규칙"에 따른 「감정평가실무기준」(2013.10.22, 국토교통부 고시 제2013-620호)은 감정평가의 구체적 기준을 정함으로써 감정평가법인등이 감정평가를 수행할 때 이 기준을 준수하도록 권장하여 감정평가의 공정성과 신뢰성을 제고하는 것을 목적으로 하는 것이고, 한국감정평가업협회가 제정한 '토지보상평가지침'은 단지 한국감정평가업협회가 내부적으로 기준을 정한 것에 불과하여 어느 것도 일반 국민이나 법원을 기속하는 것이 아니라고 판시한 바 있다(대판 2014.6.12, 2013두4620).

10) 각 목적별 감정평가에 있어서 한국감정평가사협회는 감정평가매뉴얼을 제정하는 과정이며, "감정평가실무매뉴얼(담보평가편)"이 공고(2015년 7월)되면서 종전의 "담보평가지침"은 폐지되었다.

공동주택 분양가격 산정관련 감정평가 시	• 주택법 • 공동주택 분양가격의 산정 등에 관한 규칙 • 공동주택 분양가격 산정을 위한 택지평가지침

03 표준지공시지가 등 공시업무 관련 감정평가 시

부동산 가격공시에 관한 법령, 감정평가 및 감정평가사에 관한 법령, 감정평가에 관한 규칙, 감정평가
실무기준이 우선적으로 적용되며, 아래의 지침이 추가로 적용될 수 있다.

① 감정평가실무기준 해설서
② 표준지의 선정 및 관리지침
③ 표준지공시지가 조사·평가기준
④ 표준주택의 선정 및 관리지침
⑤ 표준주택가격 조사·산정기준
⑥ 개별공시지가의 검증업무 처리지침
⑦ 개별주택가격의 검증업무 처리지침
⑧ 지가변동률 조사·평가에 관한 규정

04 공익사업을 위한 보상목적의 감정평가 시

공익사업을 위한 토지 등의 취득 및 보상에 관한 법령, 부동산 가격공시에 관한 법령, 감정평가 및
감정평가사에 관한 법령, 감정평가에 관한 규칙, 감정평가실무기준이 우선적으로 적용되며, 아래의
지침이 추가로 적용될 수 있다.

① 감정평가실무기준 해설서
② 토지보상평가지침
③ 광업권보상평가지침
④ 감정평가실무매뉴얼(어업권 등 보상평가편)[11]
⑤ 수산업법 시행령 [별표 10] 어업보상에 대한 손실액의 산출방법·산출기준 및 손실액산출기관 등
⑥ 영업손실보상평가지침
⑦ 분묘에 대한 보상액 산정지침
⑧ 송전선로부지 등 보상평가지침

---

11) 각 목적별 감정평가에 있어서 한국감정평가사협회는 감정평가매뉴얼을 제정하는 과정이며, "감정평가실무매뉴얼(어업권 등
보상평가편)"이 공고(2016년 6월)되면서 종전의 "어업권 등 보상평가지침"은 폐지되었다(기획팀-1605호, 2016.4.27.).

05 그 밖의 감정평가 시 적용 법령

우선적으로 적용되지 않은 법령이라도 감정평가에 관한 판단 시 준용될 수 있으며, 각 감정평가목적에 따라 감정평가 시 적용할 법령 및 지침에 명확하게 규정되지 않은 부분은 판례(判例), 국토교통부의 유권해석 자료 등을 참작하여 판단할 수 있다. 최종적으로는 일반감정평가이론에 따라 판단해야 할 것이다.

> **주요 법령 약칭**(출처: 법제처)
> - 공익사업을 위한 토지 등의 취득 및 보상에 관한 법률: 토지보상법
> - 부동산 가격공시에 관한 법률: 부동산공시법
> - 감정평가 및 감정평가사에 관한 법률: 감정평가법
> - 개발이익 환수에 관한 법률: 개발이익환수법
> - 개발제한구역의 지정 및 관리에 관한 특별조치법: 개발제한구역법
> - 국토의 계획 및 이용에 관한 법률: 국토계획법
> - 도시 및 주거환경정비법: 도시정비법
> - 도시공원 및 녹지 등에 관한 법률: 공원녹지법
> - 산업입지 및 개발에 관한 법률: 산업입지법
> - 집합건물의 소유 및 관리에 관한 법률: 집합건물법
> - 하천편입토지 보상 등에 관한 특별조치법: 하천편입토지보상법
> - 공유재산 및 물품 관리법: 공유재산법
> - 송·변전설비 주변지역의 보상 및 지원에 관한 법률: 송전설비주변법

제3절 감정평가의 기본적 사항 확정

01 감정평가의 기본적 사항의 확정

1. 감정평가 의뢰와 수임 [12]

(1) 감정평가 수임계약의 성립

① 감정평가법인등은 의뢰인으로부터 업무 수행에 관한 구체적 사항과 보수에 관한 사항 등이 기재된 감정평가 의뢰서(전자문서를 포함한다. 이하 "의뢰서"라 한다)를 제출받아야 한다.

② 감정평가법인등이 감정평가 수임계약의 기본적인 사항의 일부나 전부가 누락된 경우에는 의뢰인에게 이를 보정할 것을 요구하여야 한다.

③ 제1항에도 불구하고 감정평가법인등과 의뢰인이 수임계약서나 업무협약서 등(이하 "계약서"라 한다)을 작성하는 경우에는 그 계약서를 의뢰서로 본다. 이 경우 계약서의 작성에 관해서는 제2항을 준용한다.

(2) 수임제한 이유

감정평가법인등은 다음 각 호의 어느 하나에 해당하는 경우에는 그 업무를 수임해서는 아니 된다. 이 경우 수임할 수 없는 이유를 의뢰인에게 지체 없이 알려야 한다.

1. 이해관계 등으로 인하여 불공정한 감정평가에 해당하는 경우
2. 감정평가의 적정성을 검증하기 위한 목적의 감정평가(쟁송, 토지수용위원회의 재결 등을 위한 감정평가)로서 당초 감정평가를 수행한 감정평가법인등이 다시 의뢰받은 경우
3. 감정평가 의뢰의 내용이 감정평가관계법규나 이 기준에 위배되는 경우
4. 위법 · 부당한 목적으로 감정평가를 의뢰하는 것이 명백한 경우
5. 대상물건에 대한 조사가 불가능하거나 극히 곤란한 경우
6. 의뢰받은 감정평가 수행에 필요한 인력과 전문성을 보유하지 못한 경우

(3) 감정평가 수임계약의 기본적 사항

감정평가 수임계약에는 업무 범위를 확정하고 분쟁을 예방하기 위하여 의뢰인, 대상물건, 감정평가목적, 기준시점, 감정평가조건, 기준가치, 관련 전문가에 대한 자문 또는 용역(이하 "자문 등"이라 한다)에 관한 사항, 감정평가 수수료 및 실비의 청구와 지급에 관한 사항을 포함해야 한다.

---

12) 실무기준 300.1∼300.3

2. 감정평가 시 기본적 사항의 확정

> **감정평가에 관한 규칙 제9조**(기본적 사항의 확정)
>
> ① 감정평가법인등은 감정평가를 의뢰받았을 때에는 의뢰인과 협의하여 다음 각 호의 사항을 확정해야 한다.
>   1. 의뢰인
>   2. 대상물건
>   3. 감정평가 목적
>   4. 기준시점
>   5. 감정평가조건
>   6. 기준가치
>   7. 관련 전문가에 대한 자문 또는 용역(이하 "자문 등"이라 한다)에 관한 사항
>   8. 수수료 및 실비에 관한 사항
> ② 기준시점은 대상물건의 가격조사를 완료한 날짜로 한다. 다만, 기준시점을 미리 정하였을 때에는 그 날짜에 가격조사가 가능한 경우에만 기준시점으로 할 수 있다.
> ③ 감정평가법인등은 필요한 경우 관련 전문가에 대한 자문 등을 거쳐 감정평가할 수 있다.

(1) **정의**

① **기준가치**

"기준가치"란 감정평가의 기준이 되는 가치를 말한다.[13]

② **시장가치**

"시장가치"란 감정평가의 대상이 되는 토지 등(이하 "대상물건"이라 한다)이 통상적인 시장에서 충분한 기간 동안 거래를 위하여 공개된 후 그 대상물건의 내용에 정통한 당사자 사이에 신중하고 자발적인 거래가 있을 경우 성립될 가능성이 가장 높다고 인정되는 대상물건의 가액(價額)을 말한다.[14]

(2) **시장가치기준 원칙**

> **감정평가에 관한 규칙 제5조**(시장가치기준 원칙)
>
> ① 대상물건에 대한 감정평가액은 시장가치를 기준으로 결정한다.
> ② 감정평가법인등은 제1항에도 불구하고 다음 각 호의 어느 하나에 해당하는 경우에는 대상물건의 감정평가액을 시장가치 외의 가치를 기준으로 결정할 수 있다.
>   1. 법령에 다른 규정이 있는 경우
>   2. 감정평가 의뢰인(이하 "의뢰인"이라 한다)이 요청하는 경우
>   3. 감정평가의 목적이나 대상물건의 특성에 비추어 사회통념상 필요하다고 인정되는 경우

---

13) 감정평가에 관한 규칙 제2조
14) 감정평가에 관한 규칙 제2조

③ 감정평가법인등은 제2항에 따라 시장가치 외의 가치를 기준으로 감정평가할 때에는 다음 각 호의 사항
을 검토해야 한다. 다만, 제2항 제1호의 경우에는 그렇지 않다.
1. 해당 시장가치 외의 가치의 성격과 특징
2. 시장가치 외의 가치를 기준으로 하는 감정평가의 합리성 및 적법성
④ 감정평가법인등은 시장가치 외의 가치를 기준으로 하는 감정평가의 합리성 및 적법성이 결여(缺如)되었다
고 판단할 때에는 의뢰를 거부하거나 수임(受任)을 철회할 수 있다.

(3) 현황기준 원칙

감정평가에 관한 규칙 제6조(현황기준 원칙)

① 감정평가는 기준시점에서의 대상물건의 이용상황(불법적이거나 일시적인 이용은 제외한다) 및 공법상
제한을 받는 상태를 기준으로 한다.
② 감정평가법인등은 제1항에도 불구하고 다음 각 호의 어느 하나에 해당하는 경우에는 기준시점의 가치
형성요인 등을 실제와 다르게 가정하거나 특수한 경우로 한정하는 조건(이하 "감정평가조건"이라 한다)을
붙여 감정평가할 수 있다.
1. 법령에 다른 규정이 있는 경우
2. 의뢰인이 요청하는 경우
3. 감정평가의 목적이나 대상물건의 특성에 비추어 사회통념상 필요하다고 인정되는 경우
③ 감정평가법인등은 제2항에 따라 감정평가조건을 붙일 때에는 감정평가조건의 합리성, 적법성 및 실현가
능성을 검토해야 한다. 다만, 제2항 제1호의 경우에는 그러치 않다.
④ 감정평가법인등은 감정평가조건의 합리성, 적법성이 결여되거나 사실상 실현 불가능하다고 판단할 때에
는 의뢰를 거부하거나 수임을 철회할 수 있다.

감정평가는 기준시점 당시 대상물건의 이용상황과 공법상 제한상태를 기준으로 감정평가한다는
원칙을 규정하고 있다. 즉, 현황기준 원칙은 대상물건의 상태·구조·이용방법, 제한물권의 부착과
환경·점유 등의 현황대로 평가하는 것이다.

(4) 개별물건기준 원칙

감정평가에 관한 규칙 제7조(개별물건기준 원칙 등)

① 감정평가는 대상물건마다 개별로 하여야 한다.
② 둘 이상의 대상물건이 일체로 거래되거나 대상물건 상호 간에 용도상 불가분의 관계가 있는 경우에는 일괄
하여 감정평가할 수 있다.
③ 하나의 대상물건이라도 가치를 달리하는 부분은 이를 구분하여 감정평가할 수 있다.
④ 일체로 이용되고 있는 대상물건의 일부분에 대하여 감정평가하여야 할 특수한 목적이나 합리적인 이유가 있
는 경우에는 그 부분에 대하여 감정평가할 수 있다.

① 개별 감정평가 원칙

감정평가는 대상물건을 각각 독립된 개별 물건으로 취급하고 이에 대한 경제적 가치를 평가하는 것을 원칙으로 한다. 우리나라는 토지와 건물을 각각의 부동산으로 보는 법과 제도로 인하여 실제 관행상으로는 일체로 거래됨에도 토지와 건물을 별개의 부동산으로 감정평가하는 것을 기본원칙으로 하고 있다.

② 개별 감정평가 원칙의 예외 등

   ㉠ **일괄평가** : 평가는 대상물건마다 개별로 행하여야 한다. 다만, 2개 이상의 대상물건이 일체로 거래되거나 대상물건 상호 간에 용도상 불가분의 관계가 있는 경우에는 일괄하여 평가할 수 있다. 일괄감정평가의 대표적인 예로는 ⅰ) 둘 이상의 획지 또는 필지를 일단지로 평가할 필요가 있는 경우, ⅱ) 대지와 지상물이 일체로 거래되는 경우, ⅲ) 용도상 불가분의 관계에 있는 아파트, 다세대 연립주택, 아파트형공장, 주거용 오피스텔 등의 평가를 행하는 경우, ⅳ) 임지와 입목을 일체로 하는 임야, ⅴ) 토지·건물의 복합부동산 등이 있다. 이 경우 평가 의뢰인의 필요에 따라[15] 일괄감정평가된 감정평가액을 합리적인 기준에 따라 토지가액 및 건물가액으로 구분하여 표시할 수 있다.

   ㉡ **구분평가** : 구분감정평가는 1개의 물건이라도 가치를 달리하여 서로 다르게 가치가 형성되는 경우에는 이를 구분하여 감정평가하는 것을 말한다. 가치를 서로 달리하는 부분을 구별하는 점에서 부분감정평가와 차이가 있고, 가치를 달리 하더라도 면적 등이 과소하여 그 영향이 미미한 경우에는 주된 가치를 기준으로 감정평가해야 한다. 한 필지의 토지라도 용도지역, 이용상황 등이 서로 달라 가치를 달리하는 경우에는 구분감정평가를 할 수 있다.

   ㉢ **부분평가** : 부분감정평가는 본래 대상물건의 일부만을 감정평가하는 것을 말한다. 부분감정평가를 하지 않는 것이 원칙이지만, 특수한 목적 또는 합리적인 이유가 있어 부분감정평가의 필요성이 인정되는 경우 대상물건의 일부만을 감정평가할 수 있다. 예를 들면, 토지의 보상감정평가 시 1개 필지의 일부만이 편입되어 그 편입부분만을 평가하는 경우나 토지·건물 일체로 구성된 복합부동산 그 상태에서 토지만의 가액을 구하는 경우가 이에 해당한다.

3. 기준시점

> **감정평가에 관한 규칙 제9조**(기본적 사항의 확정)
>
> ② 기준시점은 대상물건의 가격조사를 완료한 날짜로 한다. 다만, 기준시점을 미리 정하였을 때에는 그 날짜에 가격조사가 가능한 경우에만 기준시점으로 할 수 있다.

---

15) 금융기관 또는 법원 등에서 토지 및 건물로 구분하여 감정평가액을 제시하도록 요구하는 경우나 과세 목적상 토지, 건물의 구분 가액이 필요한 경우 등을 말한다.

(1) **기준시점은 대상물건의 가격조사를 완료한 날짜로 한다.**

'가격조사를 완료한 날짜'라 함은 감정평가의 구체적인 공부조사와 실지조사 및 시장조사 등이 완료된 날짜를 말하며, 여기서의 "가격"이란 실거래가격, 비용 및 임대료 등 대상물건의 가치를 판단하는 데 필요한 시장에서 획득할 수 있는 자료를 말한다. 결국 기준시점은 감정평가를 하기 위해 필요한 모든 자료수집이 완료되고 이에 대한 분석이 행해진 시점을 말한다.

(2) **제1항에도 불구하고 기준시점을 미리 정하였을 때에는 그 날짜에 가격조사가 가능한 경우에만 그 날짜를 기준시점으로 할 수 있다.**

통상적인 감정평가는 가격조사를 완료한 날짜가 기준시점이 되나, 의뢰인이 기준시점을 미리 정하여 그 날짜를 기준으로 감정평가하도록 요청하는 경우가 있다.

소송에서와 같이 소급평가가 필요한 경우나 보상감정평가와 같이 장래시점을 기준으로 감정평가가 이루어져야 하는 경우가 그러한 예이다.

(3) **제2항에 따라 기준시점을 정한 경우에는 감정평가서에 그 이유를 기재하여야 한다.**

02 감정평가의 조건 등

1. 감정평가의 조건

(1) **감정평가조건의 부가**

감정평가법인등은 기준시점의 가치형성요인 등을 실제와 다르게 가정하거나 특수한 경우로 한정하는 조건(이하 "감정평가조건"이라 한다)을 붙여 감정평가할 수 있다.

(2) **감정평가조건의 부가요건**

① **감정평가관계법규에 감정평가조건의 부가에 관한 규정이 있는 경우**

「토지보상법」이나 개별법 등의 규정에 따라 감정평가를 하여야 하는 경우가 이에 해당한다. 따라서 해당 법률에 의해 감정평가를 행하는 경우에는 그 법률에서 정하고 있는 방법으로 감정평가를 해야 한다. 예를 들면, 「토지보상법」 제70조에서 개발이익배제 등을 목적으로 규정하고 있는 공시지가 선정의 방법에 따라 감정평가를 해야 하는 경우는 개발이익 배제를 조건으로 하는 감정평가인 것이다.

② **의뢰인이 감정평가조건의 부가를 요청하는 경우**

의뢰인이 감정평가조건을 제시하고, 제시된 조건의 실현을 가정하여 감정평가할 것을 요청한 경우가 이에 해당한다. 예를 들어 도시계획의 실시 여부, 택지조성 및 수면매립의 전제, 불법점유의 해제, 환경의 개량, 건물의 증·개축을 상정하는 것과 같은 불확실한 상황에 대한 의뢰인의 요구를 검토하고, 합당한 감정평가조건이라면 해당 감정평가조건을 고려한 가치로 감정평가해야 한다.

③ **감정평가의 목적이나 대상물건의 특성에 비추어 사회통념상 당연히 감정평가조건의 부가가 필요하다고 인정되는 경우**

감정평가의 목적이나 대상물건의 특성에 따라 당연히 감정평가조건이 부가되는 경우를 말한다. 감정평가액 도출을 위하여 불확실한 상황에 대한 판단이 필요한 경우 이에 대한 판단을 감정평가조건으로 부가하는 것이다. 이러한 상황판단은 감정평가목적에 따라 달라지기도 한다. 예를 들면, 감정평가목적과 관련하여 국·공유지 처분 평가의 경우에는 지목 및 이용상황이 구거 또는 도로부지인 토지를 인접 토지소유자 등에게 매각할 때, 현실적인 이용상황 등이 아닌 용도폐지를 전제로 하여 감정평가하는 경우가 이에 해당된다.

⑶ **감정평가조건의 검토사항**

감정평가조건을 붙일 때에는 감정평가조건의 합리성, 적법성 및 실현가능성을 검토해야 한다. 다만, 제2항 제1호(감정평가관계법규에 감정평가조건의 부가에 관한 규정이 있는 경우)의 경우에는 그러하지 아니하다. 즉, 예외적으로 부가되는 감정평가조건의 경우에도 사회적 타당성이 요청되며, 이들을 검토한 결과 감정평가조건 자체가 타당하다고 인정되어도 현실적인 자료 수집 등이 곤란한 경우 받아들이기 어려운 조건으로 봐야 할 것이다.

감정평가조건은 합리성과 적법성을 갖추어야 하며, 공법, 사법을 불문하고 법률상 내용에 위배되지 않고 아울러 사회통념상 합리성을 갖추었는지를 확인해야 한다. 또한 사회적·경제적·물리적 관점에서 실현가능성이 검토되어야 하며, 실제 현실성이 희박한 경우는 감정평가조건으로 부가하기 어려울 것이다. 국토교통부 유권해석에서도 용도지역의 변경을 전제로 한 조건부 감정평가가 가능한지와 관련해서 조건의 합리성, 합법성 및 실현가능성 등을 검토하여 결정할 수 있는 사항으로 보고 있으므로 감정평가조건에 대한 사항을 면밀히 검토해야 할 것이다.

⑷ **감정평가조건의 표시**

감정평가조건이 부가된 감정평가를 할 때에는 다음 각 호의 사항을 감정평가서에 적어야 한다.
① 감정평가조건의 내용
② 감정평가조건을 부가한 이유
③ 감정평가조건의 합리성, 적법성 및 실현가능성의 검토사항
④ 해당 감정평가가 감정평가조건을 전제로 할 때에만 성립될 수 있다는 사실

2. 관련 전문가의 활용

① 감정평가를 수행할 때 필요한 경우에는 관련 전문가의 자문 등을 거쳐 감정평가할 수 있다.
② 감정평가법인등이 관련 전문가에게 자문 등을 하려는 경우에는 필요성, 비용 및 기간 등에 관해 의뢰인에게 설명하고 동의를 얻어야 한다.
③ 감정평가법인등은 자문 등의 결과가 감정평가절차, 감정평가방법 등과 일관성이 있고 합리적인지를 충실히 검토해야 한다. 이 경우 자문 등의 결과가 적절하지 않다고 판단될 경우에는 해당 자문 등의 결과를 감정평가에 고려하지 않거나, 수정하여 적용할 수 있다.

④ 제3항에 따라 자문 등의 결과를 감정평가에 고려하지 않거나 수정하여 적용한 경우에는 그 이유를 감정평가서에 적어야 한다.

3. 감정평가 수임계약의 철회 등

① 감정평가법인등은 감정평가 수임계약이 성립하였으나 감정평가서가 발송되기 전에 수임제한 이유에 해당하는 것을 알게 된 경우에는 수임계약을 철회하여야 한다.

② 감정평가법인등은 의뢰서에 기재된 대상물건의 내용과 대상물건에 대한 실지조사 결과가 상호 동일성이 인정되지 아니한 경우에는 의뢰인에게 감정평가 수임계약의 기본적 사항을 보정할 것을 요구하고, 의뢰인이 보정하지 아니한 경우에는 수임계약을 철회할 수 있다.

③ 감정평가법인등은 감정평가조건의 합리성, 적법성이 결여(缺如)되거나 실현이 사실상 불가능하다고 판단할 때에는 의뢰를 거부하거나 수임(受任)을 철회할 수 있다.

제4절 부동산가격의 형성과정

01 부동산가격의 형성요인

1. 부동산가격의 발생요인

(1) 효용

재화의 사용 수익을 통하여 인간의 필요와 욕망을 만족시킬 수 있는 능력을 말한다.

(2) 상대적 희소성

존재량이 욕구에 비해 한정되어 있고, 용도 간에 있어 상대적으로 희소함을 말한다.

(3) 유효수요

특정재화의 구입욕망과 그에 따른 구매력이 더하여진 것을 말한다.

2. 부동산가격의 형성요인

"가치형성요인"이란 대상물건의 경제적 가치에 영향을 미치는 일반요인, 지역요인 및 개별요인 등을 말한다.[16]

---

16) 감정평가에 관한 규칙 제2조

02 지역분석 및 개별분석

1. 지역분석

① 광역적, 추상적인 일반 요인이 지역의 자연적 조건과 결합하여 지역 범위로 축소되어 지역 내 부동산의 상태 및 가격수준에 영향을 주는 요인을 말한다.

② 주택지대, 상업지대, 공업지대, 농경지대, 임야지대, 택지후보지와 같은 이용상황별로 분석될 수 있다.

③ 지역분석을 통하여 표준적 사용과 가격수준이 형성된다.
부동산의 지역성에 의한 일반적 요인의 지역지향성으로 일반적 요인이 지역적 차원으로 축소되고, 자연적 조건과 결합하여 형성된 지역요인은 지역특성을 나타내게 되고, 이 결과 표준적 사용과 가격수준이 형성된다.

④ 인근지역별로 분석이 된다.

2. 개별분석

① 부동산의 개별적 특성을 반영하는 가격을 개별화, 구체화시키는 요인으로, 해당 토지가 속하는 지역의 표준적 사용을 전제로 하는 토지의 가격수준과 비교하여 개별적 차이를 발생케 하는 요인을 말한다.

② 법률적, 행정적, 경제적, 물리적 요인으로 분석되어질 수 있다.

③ 개별분석을 통하여 구체적 가격이 결정된다.
부동산의 표준적 사용과 가격수준은 개개 부동산의 개별적 요인과 결합하여 최유효이용을 결정하게 되고, 이에 의해 가격수준은 개별화, 구체화되어 구체적 가격을 형성하게 된다.

3. 인근지역, 유사지역 및 동일수급권

① 인근지역이란 감정평가의 대상이 된 부동산(이하 "대상 부동산"이라 한다)이 속한 지역으로서 부동산의 이용이 동질적이고 가치형성요인 중 지역요인을 공유하는 지역을 말한다.[17]

② 유사지역이란 대상 부동산이 속하지 아니하는 지역으로서 인근지역과 유사한 특성을 갖는 지역을 말한다. 동일수급권(同一需給圈)이란 일반적으로 대상 부동산과 대체・경쟁관계가 성립하고 가치형성에 서로 영향을 미치는 관계에 있는 다른 부동산이 존재하는 권역을 말하며, 인근지역과 유사지역을 포함한다.[18]

---

17) 감정평가에 관한 규칙 제2조
18) 감정평가에 관한 규칙 제2조

감정평가실무의 기초

 감정평가실무의 기초 및 감정평가 절차

01 감정평가실무의 기초사항

1. 도량형

(1) 길이

① meter법

km	m	cm
1,000m	100cm	1/100m

② 척관법

리	정	장	간	자척	치
36정	36장 ≒ 109.08m	10자 ≒ 3.03m	6자 ≒ 1.818m	10치 ≒ 0.303m	3.03cm

(2) 면적

① meter법

km^2	ha	a	m^2	cm^2
100ha ≒ 1,000,000m^2	100a ≒ 10,000m^2	100m^2	10,000cm^2	1/10,000m^2

② 척관법

구분	임야 단위				토지 단위			meter법
	정	단	무	보	평	홉	작	m^2
정	1	10	100	3,000	3,000	30,000	300,000	
단		1	10	300	300	3,000	30,000	
무			1	30	30	300	3,000	
보(평)				1	1	10	100	400/121
홉						1	10	
작							1	

» 1평 ≒ 3.3058m^2, 1m^2 = 0.3025평

기 본예제

01 감정평가사 甲 씨는 등기사항전부증명서상 아래와 같은 사항을 확인하였다. 해당 건물의 면적을 m^2로 표시하시오.

【표 제 부】 (건물의 표시)				
표시번호	접수	소재지번 및 건물번호	건물내역	등기원인 및 기타사항
1	1980년 5월 2일	서울특별시 ○구 ○동 100	연와조 기와지붕 1층 주택 45평	

예시답안

45평 ÷ 0.3025 (= ×400/121) ≒ 148.76m²

02 토지대장상 아래 토지의 면적을 평으로 환산하시오.

지목	면적(m^2)	사유
(08) 대	*1093.3*	(52) 1992년 8월 9일 구획정리 완료

예시답안

1,093.3 × 0.3025 (= ×121/400) ≒ 330.72평

2. 지수와 로그함수

(1) 지수

$$a^x \times a^y = a^{x+y} \quad / \quad a^{1/n} = \sqrt[n]{a}$$

(2) 로그

$$\log a \times b = \log a + \log b \quad / \quad \log a^n = n \times \log a$$

3. 지목, 이용상황, 주변환경

(1) 공부상 지목

"지목"이라 함은 「공간정보의 구축 및 관리 등에 관한 법률」에 근거하여 토지의 주된 용도에 따라 토지의 종류를 구분하여 지적공부에 등록한 것을 말한다.[1]

번호	지목/약어		번호	지목/약어		번호	지목/약어		번호	지목/약어	
1	전	전	8	대	대	15	철도용지	철	22	공원	공
2	답	답	9	공장용지	장	16	제방	제	23	체육용지	체
3	과수원	과	10	학교용지	학	17	하천	천	24	유원지	원

---

[1] 「공간정보의 구축 및 관리 등에 관한 법률」 제2조 제24호

4	목장용지	목	11	주차장	차	18	구거	구	25	종교용지	종
5	임야	임	12	주유소용지	주	19	유지	유	26	사적지	사
6	광천지	광	13	창고용지	창	20	양어장	양	27	묘지	묘
7	염전	염	14	도로	도	21	수도용지	수	28	잡종지	잡

(2) 실제이용상황[2]

구분	기재방법	범위
주거용		
단독주택 용지	단독	단독주택, 다중주택, 다가구주택 등
연립주택 용지	연립	주택으로 쓰는 1개 동의 바닥면적(2개 이상의 동을 지하주차장으로 연결하는 경우에는 각각의 동으로 봄)의 합계가 660m²를 초과하고, 층수가 4개층 이하인 공동주택용지
다세대주택 용지	다세대	동당 바닥면적 합계가 660m² 이하인 4층 이하의 공동주택용지
아파트 용지	아파트	주택으로 쓰이는 층수가 5개 층 이상인 공동주택용지
주거용 나지	주거나지	주변의 토지이용상황이 주택지대로서 그 토지에 건축물이 없거나 일시적으로 타용도로 이용되고 있으나, 가까운 장래에 주택용지로 이용·개발될 가능성이 높은 토지 예 전, 답, 조경수목재배지, 벽돌공장 등
주거용 기타	주거기타	주변의 토지이용상황이 주택지대로서 관공서, 교육시설(학교, 공공도서관, 전시관 등), 종교시설 또는 창고 등으로 이용되고 있는 토지
상업·업무용		
상업용지	상업용	상가나 시장, 서비스업 등의 영업을 목적으로 하고 있는 건물부지
업무용지	업무용	은행, 사무실 등 업무용으로 이용하고 있는 건물부지
상업·업무용 나지	상업나지	주변의 토지이용상황이 상업·업무지대로서 그 토지에 건축물이 없거나 일시적으로 타용도로 이용되고 있으나, 가까운 장래에 상업용 또는 업무용으로 이용·개발될 가능성이 높은 토지 예 전, 답, 조경수목재배지, 야적장 등
상업·업무용 기타	상업기타	주변의 토지이용상황이 상업·업무지대로서 관공서, 교육시설(학교·공공도서관·전시관 등), 종교시설 또는 주거용건물, 주상용건물, 창고 등으로 이용되고 있는 토지
주·상복합용		
주·상 복합용지	주상용	단일 건물이 주거용과 상업용으로 이용되고 주·부용도의 구분이 용이하지 않은 건물부지
주·상 복합용 나지	주상나지	주변의 토지이용상황이 주택 및 상가혼용지대로서 그 토지에 건축물이 없거나 일시적으로 타용도로 이용되고 있으나, 가까운 장래에 주상복합용으로 이용·개발될 가능성이 높은 토지 예 전, 답, 조경수목재배지, 야적장 등

---

2) 표준지공시지가 조사평가업무요령, 국토교통부, 2025년

주·상 복합용 기타	주상기타	주변의 토지이용상황이 주택 및 상가혼용지대로서 관공서, 교육시설(학교, 공공도서관, 전시관 등), 종교시설 또는 주거용 건물, 창고 등으로 이용되고 있는 토지
공업용		
공업용지	공업용	제조업 등에 이용되고 있는 토지
공업용 나지	공업나지	주변의 토지이용상황이 공업지대로서 그 토지에 건축물이 없거나 일시적으로 타용도로 이용되고 있으나, 가까운 장래에 공업용으로 이용·개발될 가능성이 높은 토지 🅔 전, 답, 조경수목재배지, 야적장 등
공업용 기타	공업기타	주변의 토지이용상황이 공업지대로서 관공서, 교육시설(학교, 공공도서관, 전시관 등), 종교시설 또는 창고 등으로 이용되고 있는 토지
태양광발전소 부지	태양광	「신에너지 및 재생에너지 개발·이용·보급 촉진법」등에 따른 태양광설비를 설치하여 발전사업 허가를 받은 토지로서, 태양전지로 구성된 모듈과 주변장치 등으로 구성된 일체의 토지 》 공장 등 건물 위에 태양광발전설비를 설치한 경우는 조사 대상에서 제외한다.
전		
전	전	물을 상시적으로 이용하지 아니하고 곡물·원예작물(과수류를 제외한다)·약초·뽕나무·닥나무·묘목·관상수 등의 식물을 주로 재배하는 토지와 식용을 목적으로 죽순을 재배하는 토지
과수원	과수원	사과·배·밤·호도·귤나무 등 과수류를 집단적으로 재배하는 토지와 이에 접속된 저장고 등 부속시설물 부지
전 기타	전기타	주변의 토지이용상황이 "전"으로서 관공서, 교육시설(학교, 공공도서관, 전시관 등), 종교시설 등으로 이용되고 있는 토지
농업용 창고	전창고	주변의 토지이용상황이 "전"으로서 농업·축산업·수산업용 창고 등으로 이용되고 있는 토지
축사	전축사	주변의 토지이용상황이 "전"으로서 돈사·계사·우사 등으로 이용되고 있는 토지
답		
답	답	물을 상시적으로 직접 이용하여 벼·연·미나리·왕골 등의 식물을 주로 재배하는 토지
답 기타	답기타	주변의 토지이용상황이 "답"으로서 관공서, 교육시설(학교, 공공도서관, 전시관 등), 종교시설 등으로 이용되고 있는 토지
농업용 창고	답창고	주변의 토지이용상황이 "답"으로서 농업·축산업·수산업용 창고 등으로 이용되고 있는 토지
축사	답축사	주변의 토지이용상황이 "답"으로서 돈사·계사·우사 등으로 이용되고 있는 토지
임야		
조림	조림	계획조림지로 조성된 임야
자연림	자연림	자연상태의 임야

토지임야(토림)	토지임야	주변의 토지이용상황으로 보아 순수임야와 구분되며, 주로 경작지 또는 도시(마을)주변에 위치해 있는 구릉지와 같은 임야
목장용지	목장용지	축산업 및 낙농업을 하기 위하여 초지를 조성한 토지, 「축산법」에 의한 가축을 사육하는 축사 등의 부지와 그 부속시설물의 부지. 다만, 주거용 건축물의 부지는 "주거용"으로 한다.
임야 기타	임야기타	주변의 토지이용상황이 임야로서 관공서, 교육시설(학교, 공공도서관, 전시관 등), 종교시설 또는 창고 등으로 이용되고 있는 토지
특수토지	–	광천지, 광업용지, 염전, 양어장, 양식장, 유원지, 공원묘지, 골프장, 스키장, 경마장, 승마장, 여객자동차터미널, 콘도미니엄, 공항, 고속도로 휴게소, 발전소, 물류터미널, 특수토지 기타
공공공지 등*	–	
도로 등	도로 등	도로(사도 포함), 철도, 녹지, 수도, 공동구
하천 등	하천 등	하천 및 부속토지, 제방, 구거, 유지(댐, 저수지, 소류지, 호수, 연못 등)
공원 등	공원 등	공원(묘지공원 및 도시자연공원을 제외한 도시공원), 사적지
운동장 등	운동장 등	운동장, 체육시설, 광장
주차장 등	주차장 등	주차장, 자동차정류장
위험시설	위험시설	위험시설(변전시설, 송전탑, 유류저장 및 송유설비 등) » 일반주유소(가스충전소를 포함한다)는 제외한다.
유해 및 혐오시설	유해·혐오시설	화장장, 공동묘지(「도시공원 및 녹지 등에 관한 법률」상의 공설묘지공원 포함), 납골시설, 쓰레기처리장, 폐기물처리시설, 도축장 등

* (도시)계획시설로 고시된 토지로서 사업이 착공 내지 완료된 경우나 영리목적이 아닌 공공성격이 강한 토지

토지의 용도별 분류

일반적으로 토지를 용도별로 택지, 농지, 임지, 예정지(후보지)와 이행지 등으로 분류하고 있으며, 이에 대한 내용은 다음과 같다.

1. **택지**(宅地)

   주택, 점포, 공장 기타 여러 가지 건물 및 구축물의 부지로 쓰이고 있거나 쓰일 것이 사회적·경제적·행정적으로 합리적이라고 인정되는 토지를 말한다. 택지는 그 용도에 따라 주거용지, 상업·업무용지, 공업용지 등으로 구분된다.

2. **농지**(農地)

   농지라 함은 법적 지목 여하에 불구하고 실제의 토지현황이 농경지 또는 다년생식물 재배지로 이용되는 토지와 그 개량시설의 부지를 말하며, 농경지라 함은 농작물을 경작하는 토지를 말한다.

3. **임지**(林地)

   임지란 입목 등이 집단적으로 생육되고 있는 토지이다.

4. 예정지(후보지)와 이행지

예정지(후보지)라 함은 인근지역의 주위환경 등의 사정으로 보아 현재의 용도에서 장래 택지 등 다른 용도로의 전환이 객관적으로 예상되는 토지로서 상기 용도별 분류에 따른 유형 간의 변화가 일어나고 있는 토지를 말한다. 예를 들어 농지나 임지가 택지로 전환되는 경우에는 택지예정지, 농지 이외의 종류가 농지로 전환되고 있는 경우는 농지예정지라 할 수 있다. 이행지란 대분류 내의 세분된 종류에서 다른 세분된 종류로 바뀌는 토지를 말하며, 택지 내에서 주택지가 상업지로, 농지 내에서 답이 전으로 바뀌는 것을 이행지의 예로 들 수 있다.

(3) 주변환경 [3]

용도지대		세부 주위환경
상가지대		기존 상가지대, 일반 상가지대, 중심 상가지대, 번화한 상가지대, 고밀도 상가지대, 도심 상가지대, 후면 상가지대, 역주변 상가지대, 노선 상가지대, 성숙 중인 상가지대, 미성숙 상가지대, 정비된 상가지대, 시장주변 상가지대, 주택 및 상가혼용지대, 시장지대, 아파트단지주변 상가지대, 국도변 상가지대, 지방도변 상가지대, 해안 상가지대
주택지대	도시지역	기존 주택지대, 신흥 주택지대, 일반 주택지대, 고급 주택지대, 성숙 중인 주택지대, 미성숙 주택지대, 정비된 주택지대, 연립 주택지대, 공동 주택지대, 전원 주택지대, 고속국도주변 주택지대, 한옥지대, 아파트지대, 신·구옥 혼성지대, 주택재개발 예정지대, 도심재개발 예정지대, 미개발지대, 개발예정지대
	농어촌지역	읍소재지내 주택지대, 면소재지내 주택지대, 읍소재지내 농촌지대, 면소재지내 농촌지대, 근교 농촌지대, 국도주변 농촌지대, 지방도변 농촌지대, 순수 농촌지대, 산간 농촌지대, 해안 농촌지대, 농어촌지대, 해안 어촌지대, 농촌취락지대, 산간 취락지대, 해안 취락지대, 취락구조 개선마을, 해안 주택지대, 관광단지
공장지대		산업단지, 기존 공장지대, 농공단지, 시가지주변 공장지대, 소규모 공장지대
업무지대		도심 업무지대, 일반 업무지대, 상가 및 업무지대, 공장 및 업무지대
농경지대	자연농경지대	순수 농경지대, 산간 농경지대, 국도주변 농경지대, 지방도주변 농경지대, 마을주변 농경지대, 근교 농경지대, 시가지주변 농경지대, 읍소재지내 농경지대, 면소재지 농경지대, 해안 농경지대
	경지정리지대	순수 경지정리지대, 국도주변 경지정리지대, 지방도주변 경지정리지대, 마을주변 경지정리지대, 근교 경지정리지대, 시가지주변 경지정리지대, 읍소재지내 경지정리지대, 면소재지내 경지정리지대, 해안 경지정리지대
임야지대	야산지대	마을주변 야산지대, 순수 야산지대, 국도주변 야산지대, 지방도주변 야산지대, 해안 야산지대, 시가지주변 야산지대
	산림지대	마을주변 산림지대, 순수 산림지대, 국도주변 산림지대, 지방도주변 산림지대, 해안 산림지대, 공원 산림지대, 시가지주변 산림지대

---

3) 표준지공시지가 조사평가업무요령, 국토교통부, 2018년

목장지대	순수 목장지대, 해안 목장지대, 산간 목장지대
유원지지대	산간 유원지대, 계곡 유원지대, 도시 유원지대, 관광 유원지대
온천지대	온천지대, 온천 휴양지대, 온천 관광지대
기타	기타

4. 도로, 형상, 지세

(1) 도로

감정평가상 도로는 차도와 인도의 너비를 기준으로 판단하며, 현황도로 및 공사 중인 도로를 포함한다. 감정평가상 도로는 도로가 접해있는 토지가치에 직접적인 효용의 증감에 영향을 주는 만큼의 도로를 의미하기 때문에 차도와 인도를 도로로서 판단하여 실제로 각지의 판단 등 구체적인 도로의 판단에 있어서는 대상토지 가치에 직접적인 효용 증가에 영향을 주는지를 판단해야 한다.

① 감정평가에서의 도로의 개념

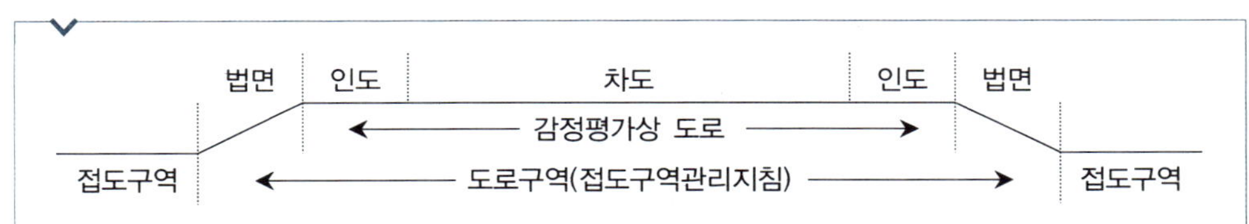

② 도로의 유형(도로조건의 판단)

구분	기재방법	내용
광대로한면	광대한면	폭 25m 이상의 도로에 한면이 접하고 있는 토지
광대로-광대로 광대로-중로 광대로-소로	광대소각	광대로에 한면이 접하고 소로(폭 8m 이상 12m 미만) 이상의 도로에 한면 이상 접하고 있는 토지
광대로-세로(가)	광대세각	광대로에 한면이 접하면서 자동차 통행이 가능한 세로(가)에 한면 이상 접하고 있는 토지
중로한면	중로한면	폭 12m 이상 25m 미만 도로에 한면이 접하고 있는 토지
중로-중로 중로-소로 중로-세로(가)	중로각지	중로에 한면이 접하면서 중로, 소로, 자동차 통행이 가능한 세로(가)에 한면 이상 접하고 있는 토지
소로한면	소로한면	폭 8m 이상 12m 미만의 도로에 한면이 접하고 있는 토지
소로-소로 소로-세로(가)	소로각지	소로에 한면이 접하면서 소로, 자동차 통행이 가능한 세로(가)에 한면 이상 접하고 있는 토지
세로한면(가)	세로(가)	자동차 통행이 가능한 폭 8m 미만의 도로에 한면이 접하고 있는 토지
세로(가)-세로(가)	세각(가)	자동차 통행이 가능한 세로에 두면 이상이 접하고 있는 토지
세로한면(불)	세로(불)	자동차 통행이 불가능하나 이륜자동차의 통행이 가능한 세로에 한면이 접하고 있는 토지

세로(불)-세로(불)	세각(불)	자동차 통행이 불가능하나 이륜자동차의 통행이 가능한 세로에 두면 이상 접하고 있는 토지
맹지	맹지	이륜자동차의 통행이 불가능한 도로에 접한 토지와 도로에 접하지 아니한 토지

≫ 각지(角地)

2개 이상의 가로각(街路角)에 해당하는 부분에 접하는 획지(劃地)를 말한다. 접면하는 각의 수에 따라 2면각지 · 3면각지 · 4면각지 등으로 불린다.

◦ 도시 · 군계획시설의 결정 · 구조 및 설치에 관한 규칙상 세부 분류

구분	1류	2류	3류
광로	폭 70m 이상	50m 이상 70m 미만	40m 이상 50m 미만
대로	35m 이상 40m 미만	30m 이상 35m 미만	25m 이상 30m 미만
중로	20m 이상 25m 미만	15m 이상 20m 미만	12m 이상 15m 미만
소로	10m 이상 12m 미만	8m 이상 10m 미만	폭 8m 미만

≫ 소로3류는 감정평가상 "세로(가)"에 해당함에 주의한다.

③ **특수한 상황의 도로조건 판단**

㉠ 이면가로획지는 각지로 판단한다.

㉡ 준각지(準角地)는 각지로 보지 아니하고 한 면으로 판단한다. 다만, 접면도로폭이 승용차가 원활하게 교차할 수 있는 정도인 경우에는 각지로 판단한다.

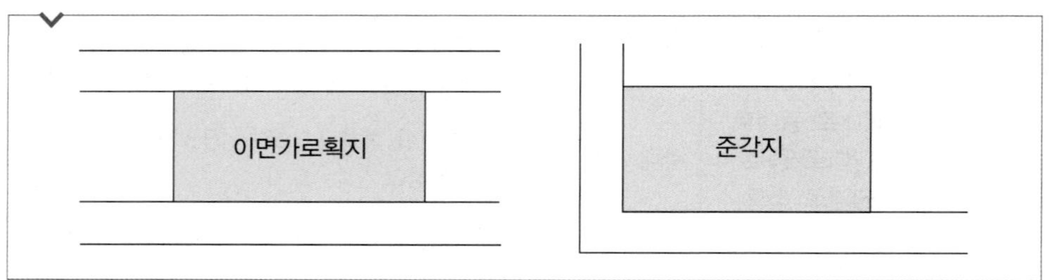

㉢ 동일노선의 도로폭이 일정하지 않는 경우에는 그 도로의 많은 부분을 차지하는 도로폭을 기준으로 판단한다.

㉣ 소로에 한 면이 접하면서 세로(불)에 접하는 토지는 소로한면으로 판단한다.

㉤ 세로(불)의 경우, 현실적으로 자동차(리어카, 경운기 제외)가 통행할 수 있는지 여부를 판단해야 한다[인위적으로 막아놓은 세로는 세로(불)에 속함].

㉥ 세로한면(가)에 한 면이 접하면서 세로한면(불)에 접하는 토지는 세로한면(가)로 조사한다.

㉦ 계단도로는 통상적인 도로에 비해 그 기능이 저하됨을 감안하여 해당 도로보다 한 단계 낮은 도로로 조사한다. 즉, 세로인 계단도로는 세로(불)로, 소로인 계단도로는 세로로 판단한다.

> **참고**
>
> 간선도로란 대중교통수단이 통행하는 지방도, 국도(자동차 전용도로, 고속도로 제외)를 말한다.

④ **막다른 도로** [4]

지형적 조건으로 차량통행을 위한 도로의 설치가 곤란하다고 인정하여 시·군·구청장이 그 위치를 지정·공고하는 구간 안의 너비 3미터 이상인 도로(단, 길이가 10미터 미만인 막다른 도로인 경우에는 너비 2미터 이상)

막다른 도로의 길이	10m 미만	10~35m	35m 이상
도로의 너비	2m	3m	6m(도시지역 아닌 읍·면: 4m)

막다른 도로에서의 도로조건 판단 [5]

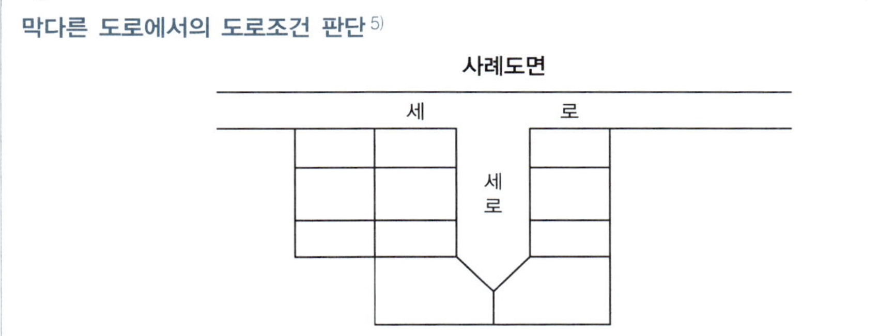

- 막다른 도로는 통상적인 도로에 비해 양쪽 방향의 교차통행에 제한을 받게 된다.
- 위 사례의 경우에 막다른 도로의 도로폭이 "세로"에 해당하더라도 도로폭이 4m 이하라면 통상적으로 차량이 진입하여 U턴하는 것이 곤란하게 되므로 통상적인 도로에 비해 기능이 저하되며, 따라서 "세로" 보다 한 단계 낮은 "세로(불)"로 구분하게 된다.

⑵ **형상**

도로에 접한 경우에는 주된 도로의 방향을 기준으로, 도로에 접하지 않은 경우에는 인접도로 방향을 기준으로 판단한다.

구분	내용
정방형	정사각형 모양의 토지로서 양변의 길이 비율이 1:1.1 내외인 토지
가로장방형	장방형의 토지로 넓은 면이 도로에 접하거나 도로를 향하고 있는 토지
세로장방형	장방형의 토지로 좁은 면이 도로에 접하거나 도로를 향하고 있는 토지
사다리형	사다리형(변형사다리형 포함) 모양의 토지
부정형	불규칙한 형상의 토지 또는 삼각형 모양의 토지 중 최소외접직사각형 기준 1/3 이상의 면적손실이 발생한 토지

---

4) 건축법 시행령 제3조의3
5) 표준지공시지가 조사평가업무요령, 국토교통부 외, 2017년

자루형	출입구가 자루처럼 좁게 생겼거나 역삼각형이 토지(역사다리형을 포함)로 꼭지점 부분이 도로에 접하거나 도로를 향하고 있는 토지

» 구체적으로 형상의 판단이 어려운 경우 인근의 토지의 형상에 따른 가치형성요인 및 대상토지의 개별적인 특징을 종합적으로 고려하여 판단해야 한다.

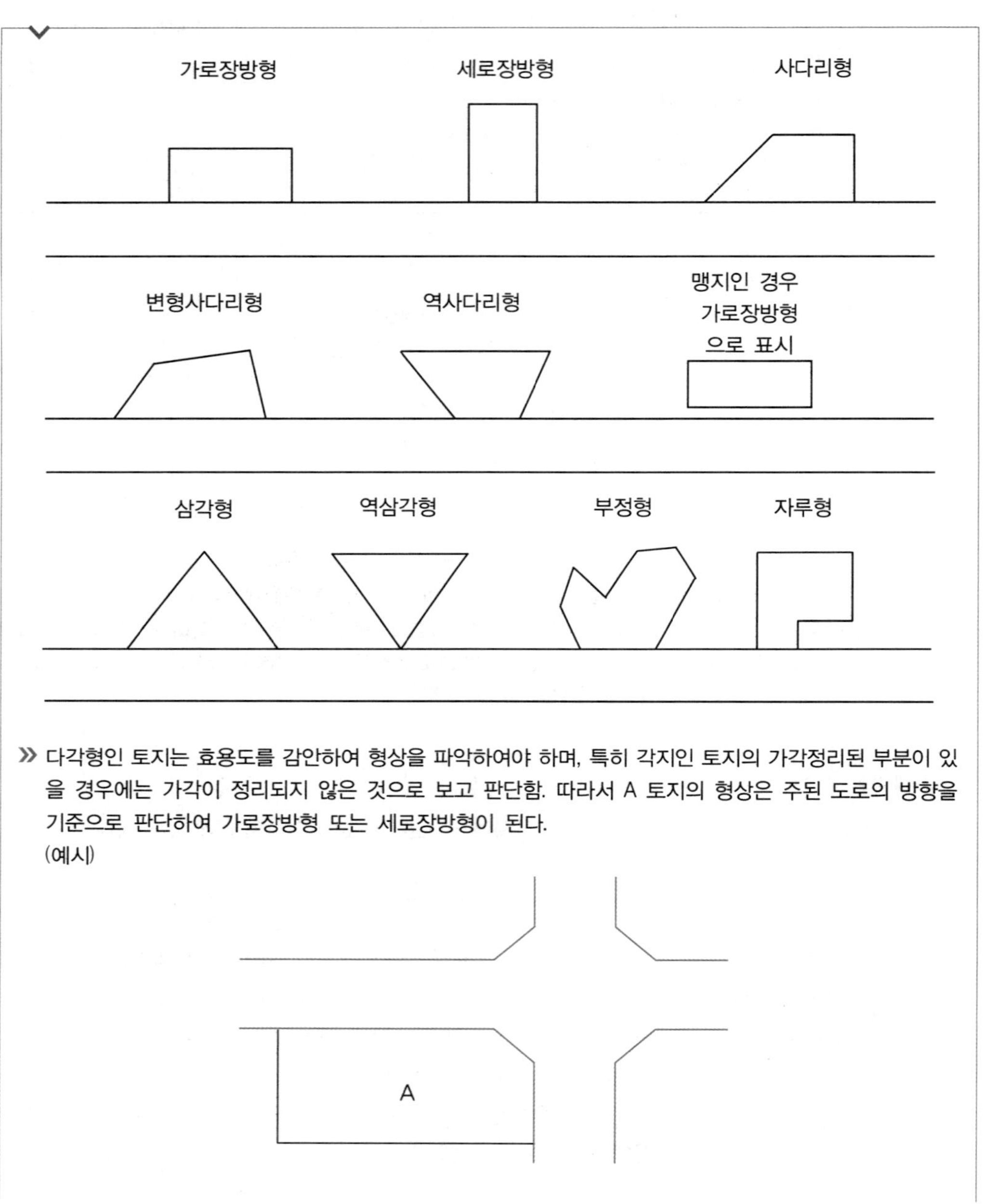

» 다각형인 토지는 효용도를 감안하여 형상을 파악하여야 하며, 특히 각지인 토지의 가각정리된 부분이 있을 경우에는 가각이 정리되지 않은 것으로 보고 판단함. 따라서 A 토지의 형상은 주된 도로의 방향을 기준으로 판단하여 가로장방형 또는 세로장방형이 된다.
(예시)

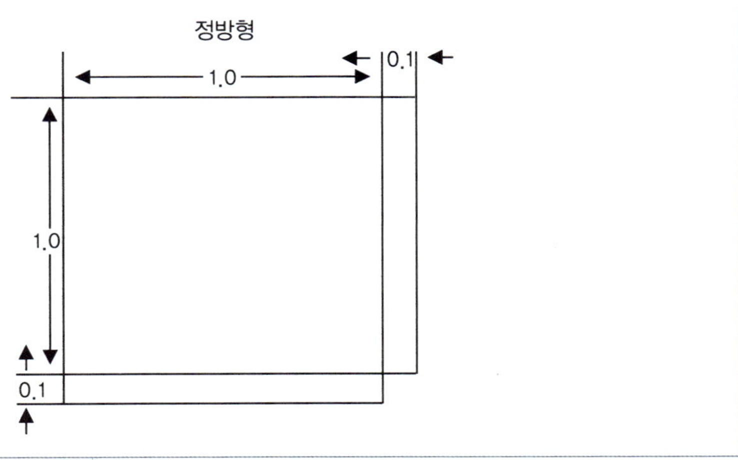

사다리형과 부정형의 구분

- 유효면적비율을 참고할 수 있으며, 유효면적비율이란 해당 필지에서 최소외접직사각형을 씌운 후 전체면적(최소외접직사각형 면적) 대비 해당 필지의 면적비율을 의미한다.
- 최소외접직사각형 : 아래 그림을 예로 들면 외곽 선을 말하며, 형상의 각 꼭지점을 직사각형으로 잇는 형태를 말한다.
- 유효면적비율이 70% 이상이면 사다리형으로, 미만이면 부정형으로 판단할 수 있으며, 주변 토지 형상 및 가격 균형성 등을 고려하여 결정할 수 있다.

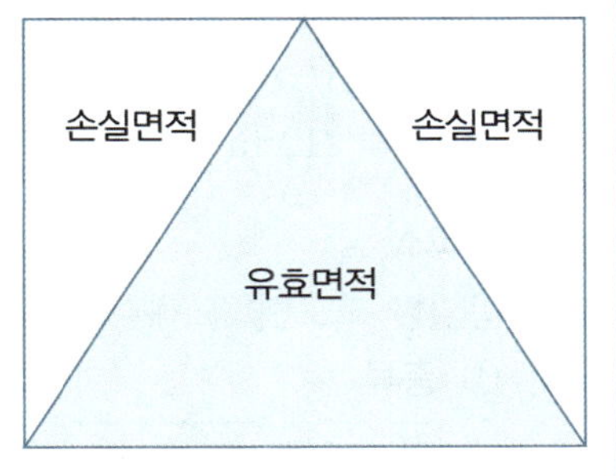

(3) 지세

구분	내용
저지	간선도로 또는 주위의 지형지세보다 현저히 낮은 지대의 토지
평지	간선도로 또는 주위의 지형지세와 높이가 비슷하거나 경사도가 미미한 토지
완경사	간선도로 또는 주위의 지형지세보다 높고 경사도가 15° 이하인 지대의 토지
급경사	간선도로 또는 주위의 지형지세보다 높고 경사도가 15°를 초과하는 토지
고지	간선도로 또는 주위의 지형지세보다 현저히 높은 지대의 토지

» 대상토지의 지형 및 지세(고저)를 주위의 지형지세를 기준으로 판단한다. 지형지세(고저)는 간선도로를 기준으로 판단하되, 주변토지들의 지형지세를 고려하여 조사하고 특히 비교표준지와 인근토지들의 지형지세(고저)구분이 상호 일치되도록 일관성 있게 조사해야 한다.

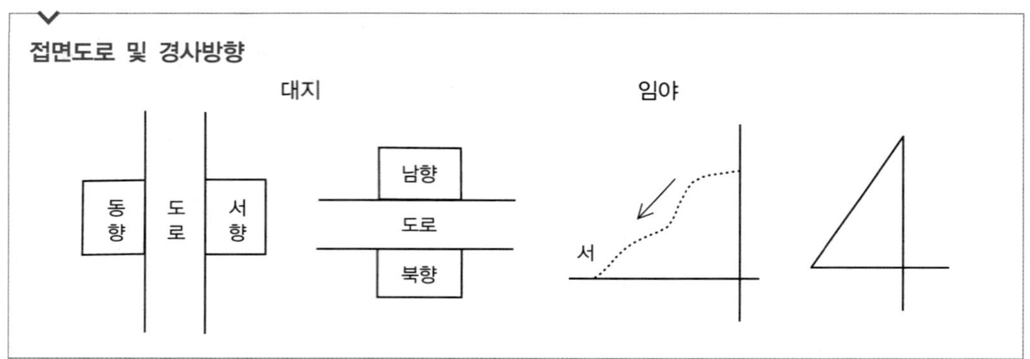

5. 축척 및 등고선

(1) 축척

도면상의 길이와 실제거리와의 비율(1 : n)

[eg1] 1/25,000 도면상의 1cm : 실제의 25,000cm

[eg2] 1/25,000 도면상의 10cm × 10cm = 100cm²

: 실제의 (10cm × 25,000) × (10cm × 25,000) = 2,500m × 2,500m = 6.25km²(6,250,000m²)

(2) 등고선

동일한 고도(평균 해수면으로부터의 높이)의 점을 연결한 가상선

① 종류

종류	내용
계곡선	매 다섯 번째 등고선마다 있는 굵은 실선(1/50,000의 경우 100m 간격)
주곡선	계곡선과 계곡선 사이에 있는 4개의 실선(1/50,000의 경우 20m 간격)
간곡선	주곡선 간격이 너무 넓은 경우, 그 중간의 점선(1/50,000의 경우 10m 간격)

② 성질

㉠ **폐쇄곡선**: 지도상에 나타난 등고선을 따라 가면 다시 원점으로 돌아오게 된다는 성질. 다만 간곡선 등은 반드시 합치하지 않을 수도 있다.

㉡ **등고선의 결합과 교차**: 지형이 돌출되거나 절벽이 아니면 서로 합치지 않고 교차하지도 않는다.

㉢ **급경사와 완경사**: 등고선의 간격이 좁으면 경사가 급하고, 등고선의 간격이 넓으면 경사가 완만하다.

㉣ **능선과 계곡**: 능선은 정상에서 볼 때 ∩자형, 계곡은 ∪자형이 된다.

6. 공법상 제한(국토의 계획 및 이용에 관한 법률)

(1) 개요

「국토의 계획 및 이용에 관한 법률」(이하 "국토계획법")은 용도지역, 용도지구, 용도구역을 규정하고 있으며, 감정평가와 관련, 국토계획법상의 용도지역·지구·구역 등과 함께 부동산의 가치를 결정하는 데 있어서 가장 기본적인 법률이다.

(2) 국토계획법상 용도지역, 용도지구, 용도구역

① 용도지역

토지의 이용 및 건축물의 용도, 건폐율(「건축법」 제55조의 건폐율), 용적률(「건축법」 제56조의 용적률), 높이 등을 제한함으로써 토지를 경제적·효율적으로 이용하고 공공복리의 증진을 도모하기 위하여 서로 중복되지 아니하게 도시관리계획으로 결정하는 지역[6]이다. 토지의 유형을 결정하는 데 큰 역할을 한다.

◦ 용도지역의 지정 및 지정목적[7]

구분	용도지역		지정목적	건폐율 (%)	용적률 (%)
도시 지역	주거 지역	전용주거지역	양호한 주거환경을 보호하기 위하여 필요한 지역	–	–
		제1종 전용주거지역	단독주택 중심의 양호한 주거환경을 보호하기 위하여 필요한 지역	50	50~100
		제2종 전용주거지역	공동주택 중심의 양호한 주거환경을 보호하기 위하여 필요한 지역	50	50~150
		일반주거지역	편리한 주거환경을 조성하기 위하여 필요한 지역	–	–
		제1종 일반주거지역	저층주택을 중심으로 편리한 주거환경을 조성하기 위하여 필요한 지역	60	100~200
		제2종 일반주거지역	중층주택을 중심으로 편리한 주거환경을 조성하기 위하여 필요한 지역	60	100~250
		제3종 일반주거지역	중고층주택을 중심으로 편리한 주거환경을 조성하기 위하여 필요한 지역	50	100~300
		준주거지역	주거기능을 위주로 이를 지원하는 일부 상업·업무기능을 보완하기 위하여 필요한 지역	70	200~500
도시 지역	상업 지역	중심상업지역	도심·부도심의 업무 및 상업기능의 확충을 위하여 필요한 지역	90	200~1,500
		일반상업지역	일반적인 상업 및 업무기능을 담당하게 하기 위하여 필요한 지역	80	200~1,300
		근린상업지역	근린지역에서의 일용품 및 서비스의 공급을 위하여 필요한 지역	70	200~900
		유통상업지역	도시 내 및 지역 간 유통기능의 증진을 위하여 필요한 지역	80	200~1,100

---

6) 국토계획법 제2조(정의)

	공업 지역	전용공업지역	주로 중화학공업·공해성 공업 등을 수용하기 위하여 필요한 지역	70	150~300
		일반공업지역	환경을 저해하지 아니하는 공업의 배치를 위하여 필요한 지역	70	150~350
		준공업지역	경공업 그 밖의 공업을 수용하되, 주거·상업·업무기능의 보완이 필요한 지역	70	150~400
	녹지 지역	보전녹지지역	도시의 자연환경·경관·산림 및 녹지공간을 보전할 필요가 있는 지역	20	50~80
		생산녹지지역	주로 농업적 생산을 위하여 개발을 유보할 필요가 있는 지역	20	50~100
		자연녹지지역	도시의 녹지공간의 확보, 도시 확산의 방지, 장래 도시용지의 공급 등을 위하여 보전할 필요가 있는 지역으로서 불가피한 경우에 한하여 제한적인 개발이 허용되는 지역	20	50~100
비도시 지역	관리 지역	보전관리지역	자연환경보호, 산림보호, 수질오염 방지, 녹지공간 확보 및 생태계 보전 등을 위하여 보전이 필요하나, 주변 용도지역과의 관계 등을 고려할 때 자연환경보전지역으로 지정하여 관리하기가 곤란한 지역	20	50~80
		생산관리지역	농업·임업·어업생산 등을 위하여 관리가 필요하나, 주변 용도지역과의 관계 등을 고려할 때 농림지역으로 지정하여 관리하기가 곤란한 지역	20	50~80
		계획관리지역	도시지역으로의 편입이 예상되는 지역이나 자연환경을 고려하여 제한적인 이용·개발을 하려는 지역으로서 계획적·체계적인 관리가 필요한 지역	40	50~100
	농림지역		도시지역에 속하지 아니하는 농지법에 의한 농업진흥지역 또는 산지관리법에 의한 보전임지 등으로서 농림업의 진흥과 산림의 보전을 위하여 필요한 지역	20	50~80
	자연환경보전지역		자연환경·수자원·해안·생태계·상수원 및 국가유산의 보전과 수산자원의 보호·육성 등을 위하여 필요한 지역	20	50~80

---

7) 국토계획법 제37조(용도지구의 지정)

② **용도지구**

토지의 이용 및 건축물의 용도·건폐율·용적률·높이 등에 대한 용도지역의 제한을 강화하거나 완화하여 적용함으로써 용도지역의 기능을 증진시키고 미관·경관·안전 등을 도모하기 위하여 도시관리계획으로 결정하는 지역[8]이다. 최유효이용방법 결정에 큰 역할을 한다.

용도지구의 지정 및 지정목적[9]

구분	용도지구	용도지구의 지정목적
경관지구	자연경관지구, 시가지경관지구, 특화경관지구 등	경관의 보전, 관리 및 형성을 위하여 필요한 지구
고도지구	고도지구	쾌적한 환경 조성 및 토지의 효율적 이용을 위하여 건축물 높이의 최저한도 또는 최고한도를 규제할 필요가 있는 지구
방화지구	방화지구	화재의 위험을 예방하기 위하여 필요한 지구
방재지구	방재지구	풍수해, 산사태, 지반의 붕괴, 그 밖의 재해를 예방하기 위하여 필요한 지구
보호지구	역사문화환경보호지구, 중요 시설물(항만, 공항, 공용시설, 교정군사)보호지구, 생태계보호지구	국가유산, 중요 시설물(항만, 공항 등 대통령령으로 정하는 시설물을 말한다) 및 문화적·생태적으로 보존가치가 큰 지역의 보호와 보존을 위하여 필요한 지구
취락지구	자연취락지구, 집단취락지구, 보호취락지구	녹지지역·관리지역·농림지역·자연환경보전지역·개발제한구역 또는 도시자연공원구역의 취락을 정비하기 위한 지구
개발진흥지구	주거개발진흥지구, 산업유통개발진흥지구, 관광휴양개발진흥지구, 복합개발진흥지구, 특정개발진흥지구	주거기능·상업기능·공업기능·유통물류기능·관광기능·휴양기능 등을 집중적으로 개발·정비할 필요가 있는 지구
특정용도제한지구	특정용도제한지구	주거 및 교육 환경 보호나 청소년 보호 등의 목적으로 오염물질 배출시설, 청소년 유해시설 등 특정시설의 입지를 제한할 필요가 있는 지구
복합용도지구	복합용도지구	지역의 토지이용 상황, 개발 수요 및 주변 여건 등을 고려하여 효율적이고 복합적인 토지이용을 도모하기 위하여 특정시설의 입지를 완화할 필요가 있는 지구
그 밖에 대통령령으로 정하는 지구		

---

8) 국토계획법 제2조(정의)
9) 국토계획법 제37조(용도지구의 지정)

③ **용도구역**

토지의 이용 및 건축물의 용도·건폐율·용적률·높이 등에 대한 용도지역 및 용도지구의 제
한을 강화하거나 완화하여 따로 정함으로써 시가지의 무질서한 확산방지, 계획적이고 단계적인
토지이용의 도모, 토지이용의 종합적 조정·관리 등을 위하여 도시관리계획으로 결정하는 지
역10)이다.

용도구역	지정목적	관련 법률
개발제한구역11)	도시의 무질서한 확산을 방지하고 도시주변의 자연환경을 보전하여 도시민의 건전한 생활환경을 확보하기 위하여 도시의 개발을 제한할 필요가 있거나 국방부장관의 요청이 있어 보안상 도시의 개발을 제한할 필요가 있다고 인정되는 지역	개발제한구역의 지정 및 관리에 관한 특별법
도시자연공원구역12)	도시의 자연환경 및 경관을 보호하고 도시민에게 건전한 여가·휴식공간을 제공하기 위하여 도시지역 안에서 식생(植生)이 양호한 산지(山地)의 개발을 제한할 필요가 있다고 인정되는 지역	도시공원 및 녹지 등에 관한 법률
시가화조정구역	도시지역과 그 주변지역의 무질서한 시가화를 방지하고 계획적·단계적인 개발을 도모하기 위하여 대통령령으로 정하는 기간 동안 시가화를 유보할 필요가 있다고 인정되는 지역	국토의 계획 및 이용에 관한 법률
수산자원보호구역	수산자원을 보호·육성하기 위하여 필요한 공유수면이나 그에 인접한 토지	수산자원관리법

》 개발제한구역의 지정: 개발제한구역은 다른 용도지역이 중복되어 지정되며,
실무에서는 개발제한구역의 경우 개발제한구역만 기재하고 중복되는 용도
지역은 별도로 기재한다.

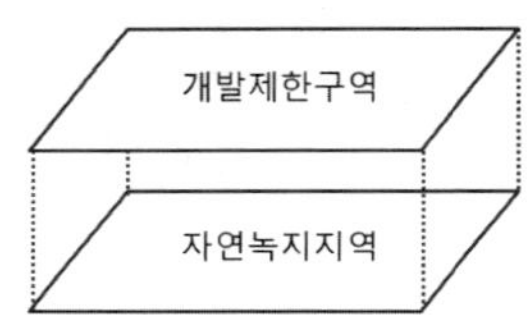

(3) **용도지역 등에서의 행위제한** 13)

「국토의 계획 및 이용에 관한 법률」 제76조(용도지역 및 용도지구에서의 건축물의 건축 제한 등),
제77조(용도지역의 건폐율), 제78조(용도지역에서의 용적률), 제79조(용도지역 미지정 또는 미세분
지역에서의 행위 제한 등), 제80조(개발제한구역에서의 행위 제한 등), 제80조의2(도시자연공원구
역에서의 행위 제한 등), 제80조의3(입지규제최소구역에서의 행위 제한), 제81조(시가화조정구역
에서의 행위 제한 등), 제82조(기존 건축물에 대한 특례), 제83조(도시지역에서의 다른 법률의 적용
배제), 제83조의2(입지규제최소구역에서의 다른 법률의 적용 특례), 제84조(둘 이상의 용도지역·
용도지구·용도구역에 걸치는 대지에 대한 적용 기준)

---

10) 국토계획법 제2조(정의)
11) 국토계획법 제38조(개발제한구역의 지정)
12) 국토계획법 제38조의2(도시자연공원구역의 지정)
13) 국토계획법 제6장 용도지역·용도지구 및 용도구역에서의 행위 제한

⑷ **기반시설 및 도시 · 군계획시설**

7. 공법상 제한 – 건축법

⑴ 건축물의 개념 및 면적

① 건축물

토지에 정착하는 공작물 중 지붕과 기둥 또는 벽이 있는 것과 이에 부수되는 시설물, 지하 또는 고가의 시설물에 설치하는 사무소 · 공연장 · 점포 · 차고 · 창고 등을 말한다.[14]

② 면적

　㉠ **건축면적** : 건폐율 산정 시 적용되는 면적으로, 건축물의 수평투영면적으로 산정. 지상부분의 건축물의 대지점유부분으로, 차양 · 처마 등은 길이 1m까지는 면적에서 제외

　㉡ **바닥면적** : 건축물의 각 층 또는 그 일부로서 벽 · 기둥 기타 이와 유사한 구획의 중심선으로 둘러싸인 부분의 수평투영면적

　　ⓐ 층고 1.5m 이하의 다락 제외

　　ⓑ 승강기탑, 계단탑, 장식탑 등 : 규모와 관계없이 제외(다만, 높이, 층수 등의 산정 시에는 규모에 따라 산입 여부 결정)

　　ⓒ 물탱크, 정화조 등으로서 옥상, 옥외 또는 지하에 설치하는 것 : 제외

　　ⓓ 공동주택의 지상층 기계실, 놀이터, 조경시설 등 : 제외

　　ⓔ 필로티부분으로 ⅰ) 공중의 통행에 전용되는 경우, ⅱ) 차량의 통 · 주차에 전용되는 경우, ⅲ) 공동주택의 경우 : 제외

③ 연면적

하나의 건축물의 각 층의 바닥면적의 합계. 다만, 용적률 산정 시에는 지하층 및 지상층의 주차용으로 사용되는 면적 제외

---

14) 건축법 제2조(정의) 제2호

(2) 건축법상 "대지"와 지적법상 "대"

① 건축법상 "대지"

「공간정보의 구축 및 관리 등에 관한 법률」상의 "대"를 포함, 다른 지목이라 할지라도 토지형질변경 등의 절차를 거쳐 "대지"로서 인정받을 수 있는 토지를 말한다.

② 공간정보의 구축 및 관리 등에 관한 법률상 "대"

영구적 건축물 중 주거 · 사무실 · 점포와 박물관 · 극장 · 미술관 등 문화시설과 이에 접속된 정원 및 부속시설물의 부지/ 국계법 등 관계법령에 의한 택지조성공사가 준공된 토지를 말한다.

(3) 대지면적 산정방법

토지대장에 등재된 토지면적(현황면적)과 달리, 건축법상의 대지조건에 충족되어 대지면적 산정기준에 의거한 건축가능면적으로서, 건폐율, 용적률 등의 기준면적이 된다.

① 원칙

대지의 수평투영면적으로 한다.

② 대지 안에 건축선이 정하여진 경우

㉠ 전면도로가 소요폭 이상인 경우 : 토지면적과 일치, 건축허가상 일부 제외될 수 있음(예 법면 등).

㉡ 전면도로가 소요폭 미달인 경우

ⓐ 도로 양측이 대지인 경우 : 미달 분의 1/2씩 건축선 후퇴

ⓑ 한 면이 하천 · 철도 · 경사지 등에 면한 경우 : 미달 분만큼 건축선 후퇴

건축법 제2조(정의)

11. 도로란 보행과 자동차 통행이 가능한 너비 4미터 이상의 도로(지형적으로 자동차 통행이 불가능한 경우와 막다른 도로의 경우에는 대통령령으로 정하는 구조와 너비의 도로)로서 다음 각 목의 어느 하나에 해당하는 도로나 그 예정도로를 말한다.

가. 「국토의 계획 및 이용에 관한 법률」, 「도로법」, 「사도법」, 그 밖의 관계법령에 따라 신설 또는 변경에 관한 고시가 된 도로

나. 건축허가 또는 신고 시에 특별시장 · 광역시장 · 특별자치시장 · 도지사 · 특별자치도지사(이하 "시 · 도지사"라 한다) 또는 시장 · 군수 · 구청장(자치구의 구청장을 말한다)이 위치를 지정하여 공고한 도로

동법 제46조(건축선의 지정)

① 도로와 접한 부분에 건축물을 건축할 수 있는 선[이하 "건축선(建築線)"이라 한다]은 대지와 도로의 경계선으로 한다. 다만, 제2조 제1항 제11호에 따른 소요 너비(4미터)에 못 미치는 너비의 도로인 경우에는 그 중심선으로부터 그 소요 너비의 2분의 1의 수평거리만큼 물러난 선을 건축선으로 하되, 그 도로의 반대쪽에 경사지, 하천, 철도, 선로부지, 그 밖에 이와 유사한 것이 있는 경우에는 그 경사지 등이 있는 쪽의 도로경계선에서 소요 너비에 해당하는 수평거리의 선을 건축선으로 하며, 도로의 모퉁이에서는 대통령령으로 정하는 선을 건축선으로 한다.

> ② 특별자치시장·특별자치도지사 또는 시장·군수·구청장은 시가지 안에서 건축물의 위치나 환경을 정비하기 위하여 필요하다고 인정하면 제1항에도 불구하고 대통령령으로 정하는 범위에서 건축선을 따로 지정할 수 있다.
>
> ③ 특별자치시장·특별자치도지사 또는 시장·군수·구청장은 제2항에 따라 건축선을 지정하면 지체 없이 이를 고시하여야 한다.

③ 건축한계선, 건축지정선 관련 대지면적 산출 시 유의사항

건축한계선(도로폭 미달)의 경우에는 대지면적 산정 시 고려하여야 하나, 건축지정선(통상 도로와 무관)의 경우에는 대지면적 산정 시 고려할 필요가 없다.

기본예제

다음 토지 (1), (2)의 대지면적을 산정하시오.

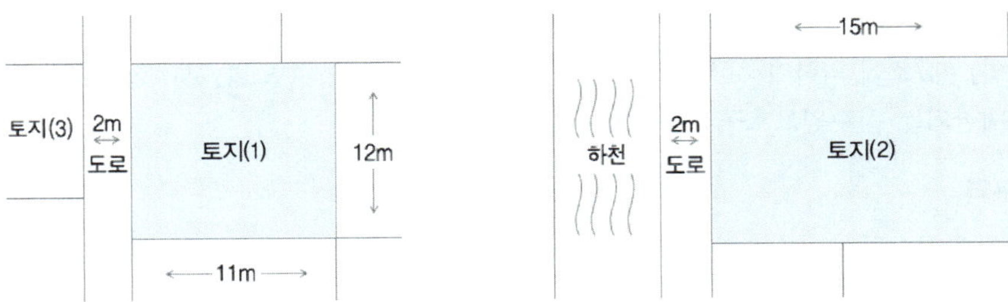

예시답안

1. 토지 (1)

$11 \times 12 - (1 \times 12) = 120\text{m}^2$

2. 토지 (2)

$15 \times 10 - (2 \times 10) = 130\text{m}^2$

④ 도로모퉁이 건축선 제한

8미터 미만인 도로의 모퉁이에 위치한 대지의 도로모퉁이 부분의 건축선은 그 대지에 접한 도로경계선의 교차점으로부터 도로경계선에 따라 다음의 표에 따른 거리를 각각 후퇴한 두 점을 연결한 선으로 한다.

도로의 교차각	해당 도로의 너비		교차되는 도로의 너비
	6m 이상 8m 미만	4m 이상 6m 미만	
90° 미만	4m	3m	6m 이상 8m 미만
	3m	2m	4m 이상 6m 미만
90° 이상 120° 미만	3m	2m	6m 이상 8m 미만
	2m	2m	4m 이상 6m 미만

8. 기타 공법상 제한

(1) 공원구역

「자연공원법」 제4조에 의하여 자연공원으로 지정된 구역(공원자연보존지구, 공원자연환경지구, 공원문화유산지구, 공원마을지구)

(2) 접도구역

고속접도구역(「도로법」 제11조에 의한 고속국토 및 제48조에 의한 자동차전용도로에 지정된 접도구역), 일반접도구역(「도로법」 제12조, 제15조 및 고속접도구역 외 지정된 접도구역)

(3) 하천구역

「하천법」 제10조에 의거 지정·고시된 구역(「소하천정비법」 제3조에 의하여 지정된 소하천구역을 포함함), 홍수관리구역(「하천법」 제12조에 의하여 지정된 구역)

(4) 상수원보호구역

「수도법」 제7조에 의하여 지정된 구역, 상수원보호구역 기타(「수도법」 제7조의2에 의하여 공장설립이 제한되는 상수원보호구역 외의 구역)

(5) 수변구역

「한강수계 상수원수질개선 및 주민지원 등에 관한 법률」 제4조, 「낙동강수계 물관리 및 주민지원 등에 관한 법률」 제4조, 「금강수계 물관리 및 주민지원 등에 관한 법률」 제4조 및 「영산강·섬진강수계 물관리 및 주민지원 등에 관한 법률」 제4조에 의거 지정·고시된 구역

(6) 특별대책지역

「환경정책기본법」 제38조에 의하여 지정된 구역

(7) 문화유산보호구역

「문화유산법」 제27조, 제13조 및 「고도 육성 및 보존에 관한 특별법」 제10조에 의하여 지정된 구역

(8) 군사기지 및 군사시설보호구역, 비행안정구역

「군사시설 및 군사시설보호법」 제3조 내지 제6조에 의한 군사기지 및 군사시설 보호구역, 비행안전구역(예비항공작전기지는 제외)으로 설정된 구역

⦂ 군사기지 및 군사시설보호법에 의한 세분

	구분	실적용례(토지이용계획확인서)
1	군사기지 및 군사시설 보호구역	• 통제보호구역 • 제한보호구역
2	비행안전구역	• 전술항공작전기지(1구역~2구역) • 지원항공작전기지(1구역~2구역) • 헬기전용작전기지(1구역~2구역)

(9) **전원개발사업구역**

「전원개발촉진법」 제5조에 의하여 지정·고시된 구역(「전원개발촉진법」 제11조에 의한 전원개발사업예정구역을 포함함)

(10) **농공단지**

「산업입지 및 개발에 관한 법률」 제8조에 의하여 지정된 구역(「산업입지 및 개발에 관한 법률」 제2조 제1호에 따른 농어촌 지역에 지정된 일반산업단지 또는 도시첨단산업단지를 포함함)

(11) **토지거래허가구역**

「부동산 거래신고 등에 관한 법률」 제10조에 의하여 지정된 구역

(12) **교육환경보호구역**

「교육환경 보호에 관한 법률」 제8조 제1항에 의해 지정된 구역

(13) **친수구역**

「친수구역 활용에 관한 특별법」 제8조에 의하여 지정된 구역

(14) **공항소음대책지역**

「공항소음 방지 및 소음대책지역 지원에 관한 법률」 제5조 제1항에 의해 지정된 소음대책지역 중 제1종 지역

(15) **비오톱**

각 지방자치단체가 조례에 의하여 "비오톱"으로 지정한 구역으로서 토지이용계획확인서에 등재된 구역

02 감정평가의 절차

> **감정평가에 관한 규칙 제8조**(감정평가의 절차)
>
> 감정평가법인등은 다음 각 호의 순서에 따라 감정평가를 해야 한다. 다만, 합리적이고 능률적인 감정평가를 위하여 필요할 때에는 순서를 조정할 수 있다.
> 1. 기본적 사항의 확정
> 2. 처리계획 수립
> 3. 대상물건 확인
> 4. 자료수집 및 정리
> 5. 자료검토 및 가치형성요인의 분석
> 6. 감정평가방법의 선정 및 적용
> 7. 감정평가액의 결정 및 표시

1. 기본적 사항의 확정

(1) 대상 부동산의 확정

물적관계, 법적관계 등의 기본적 조건과 사실관계에 기인한 부가조건을 확정하는 단계이다. 기본적 사항의 확정은 감정평가의 기초가 되는 제반 사항을 결정하는 것으로서 확실한 자료 및 실지조사 결과에 기초하며, 의뢰인의 합법적이고 객관적인 요구에 따라 이행하여야 한다. 또한 대상물건에 대한 자료와 의뢰인이 제시한 감정평가의 내용에 관련된 사항이므로 구체적이고 명확하게 확인해야 한다.

(2) 기준시점의 확정

① 원칙

감정평가에 관한 규칙 제9조(기본적 사항의 확정)

② 기준시점은 대상물건의 가격조사를 완료한 날짜로 한다. 다만, 기준시점을 미리 정하였을 때에는 그 날짜에 가격조사가 가능한 경우에만 기준시점으로 할 수 있다.

공익사업을 위한 토지 등의 취득 및 보상에 관한 법률 제67조(보상액의 가격시점 등)

① 보상액의 산정은 협의에 의한 경우에는 협의 성립 당시의 가격을, 재결에 의한 경우에는 수용 또는 사용의 재결 당시의 가격을 기준으로 한다.

토지보상평가지침 제10조의2(가격시점의 결정)

평가의뢰인이 가격시점을 정하여 의뢰한 경우는 그 날짜를 가격시점으로 함이 원칙이며, 정하지 않거나 가격시점을 "평가일"로 기재하여 의뢰한 경우 예외적으로 가격조사를 완료한 날을 가격시점으로 한다.

② 기한부평가, 소급평가

의뢰인이 과거나 미래시점으로 기준시점을 의뢰한 경우로서 가격조사 가능 시 수행할 수 있다.

(3) 가격의 종류 확정(기준가치)

① 시장가치기준 원칙

시장가치는 대상물건이 통상적인 시장에서 충분한 기간 동안 공개된 후, 대상물건의 내용에 정통한 당사자 사이에 신중하고 자발적인 거래가 있을 경우 성립될 가능성이 가장 높다고 인정되는 대상물건의 가액을 말한다.

감정평가에 관한 규칙 제5조(시장가치기준 원칙)

① 대상물건에 대한 감정평가액은 시장가치를 기준으로 결정한다.
② 감정평가법인등은 제1항에도 불구하고 다음 각 호의 어느 하나에 해당하는 경우에는 대상물건의 감정평가액을 시장가치 외의 가치를 기준으로 결정할 수 있다.
  1. 법령에 다른 규정이 있는 경우
  2. 감정평가 의뢰인(이하 "의뢰인"이라 한다)이 요청하는 경우

> 3. 감정평가의 목적이나 대상물건의 특성에 비추어 사회통념상 필요하다고 인정되는 경우
> ③ 감정평가법인등은 제2항에 따라 시장가치 외의 가치를 기준으로 감정평가할 때에는 다음 각 호의
> 　사항을 검토해야 한다. 다만, 제2항 제1호의 경우에는 그렇지 않다.
> 　1. 해당 시장가치 외의 가치의 성격과 특징
> 　2. 시장가치 외의 가치를 기준으로 하는 감정평가의 합리성 및 적법성
> ④ 감정평가법인등은 시장가치 외의 가치를 기준으로 하는 감정평가의 합리성 및 적법성이 결여(缺如)
> 　되었다고 판단할 때에는 의뢰를 거부하거나 수임(受任)을 철회할 수 있다.

② 시장가치 외 가치

대상물건의 성격, 감정평가조건의 특수성, 감정평가 목적 등으로 시장가치 외의 가치를 기준으로 채택할 수 있다. 시장가치 외의 가치를 기준으로 감정평가할 때에는 가치의 성격과 특징뿐만 아니라 사회적으로도 합리성이 충족되어야 하고, 아울러 감정평가관계법규에도 위배되지 않아야 한다(시장가치 외 가치의 예로서 공정가치는 시장에서 시장성과 교환거래를 전제로하나, 특수 당사자 간의 한정된 시장에서 형성되는 가치라는 특징을 갖는다. 그리고 투자가치의 경우 시장성은 있으나 통상 교환거래를 전제하지 않는다는 특징이 있으며, 특수가치의 경우 통상 시장성이 없는 것으로 현재의 용도와 이용상태를 전제로 경제적 가치를 판단하는 특징이 있다).

(4) 현황평가원칙 – 평가조건 여부 검토

① 현황평가원칙

현황의 변화는 감정평가액은 물론 감정평가방법의 적용에도 영향을 미칠 수 있다. 이 감정평가실무기준에서는 '현황'을 대상물건의 이용상황과 공법상 제한상태 등을 포괄하는 의미로 보고있다.

> **감정평가에 관한 규칙 제6조**(현황기준 원칙)
>
> ① 감정평가는 기준시점에서의 대상물건의 이용상황(불법적이거나 일시적인 이용은 제외한다) 및 공법
> 　상 제한을 받는 상태를 기준으로 한다.
> ② 감정평가법인등은 제1항에도 불구하고 다음 각 호의 어느 하나에 해당하는 경우에는 기준시점의
> 　가치형성요인 등을 실제와 다르게 가정하거나 특수한 경우로 한정하는 조건(이하 "감정평가조건"이
> 　라 한다)을 붙여 감정평가할 수 있다.
> 　1. 법령에 다른 규정이 있는 경우
> 　2. 의뢰인이 요청하는 경우
> 　3. 감정평가의 목적이나 대상물건의 특성에 비추어 사회통념상 필요하다고 인정되는 경우
> ③ 감정평가법인등은 제2항에 따라 감정평가조건을 붙일 때에는 감정평가조건의 합리성, 적법성 및 실
> 　현가능성을 검토해야 한다. 다만, 제2항 제1호의 경우에는 그렇지 않다.
> ④ 감정평가법인등은 감정평가조건의 합리성, 적법성이 결여되거나 사실상 실현 불가능하다고 판단할
> 　때에는 의뢰를 거부하거나 수임을 철회할 수 있다.

② **조건부평가 가능**

조건부평가 시 조건의 합리성·적법성, 실현가능성을 고려한 후 평가할 수 있다.

> **Check Point!**
>
> ▶ **감정평가조건의 예시**(감정평가서 기재요령, 공장용지 조성완료 조건)
>
> 본 감정평가에서는 「감정평가에 관한 규칙」 제6조 제2항에 근거하여 의뢰인이 제시한 사업계획서 및 공장설립승인조건에 따른 공장용지가 완성된 상태를 조건으로 평가하였으며, 이러한 조건에 대한 검토내역은 아래와 같습니다.
>
> **1. 합리성**
>
> 본건 및 인근의 표준적인 이용상황이 농경지에서 공장용지로 전환되고 있어 최유효이용의 관점에서 해당 토지를 공장용지로 평가하는 것에 대한 합리성이 인정되는 것으로 판단됩니다.
>
> **2. 적법성**
>
> 현재 ○○시청으로부터 공장설립에 대한 승인을 득한 상태이며, 이에 따라 산지전용 등이 이루어지고 있는 점으로 보았을 때 제시된 조건은 적법성을 충족하는 것으로 판단됩니다.
>
> **3. 실현가능성**
>
> 본건은 현재 토지조성공사가 진행되고 있는 점, 향후 공사에 있어 물리적인 어려움이 크지 않을 것으로 예상되어 제시된 조건의 실현가능성은 충족하는 것으로 판단됩니다.
>
> 지상건물은 현재 이용이 중단되었고 내부시설 중 일부는 철거되어 있는 상태로서 철거가 물리적으로 가능하며 건축물의 멸실은 실현가능성을 충족하는 것으로 판단됩니다.
>
> **4. 종합판단**
>
> 전반적으로 합리성, 적법성, 실현가능성을 충족하여 제시된 조건을 수용하여 감정평가하되, 향후 예상치 못한 설계변경, 시장상황 변경 등이 있을 경우 가액의 변동이 있을 수 있습니다.

⑸ **개별물건 평가원칙**

① **개별 감정평가 원칙**

우리나라는 토지와 건물을 각각의 부동산으로 보는 법과 제도로 인하여 실제 관행상으로는 일체로 거래됨에도 토지와 건물을 별개의 부동산으로 감정평가하는 것을 기본원칙으로 하고 있다.

② **개별 감정평가 원칙의 예외 등**

㉠ **일괄감정평가**: 둘 이상의 대상물건이 일체로 거래되거나 대상물건 상호 간에 용도상 불가분의 관계가 있는 경우에는 둘 이상의 대상물건에 대하여 하나의 감정평가액을 산정하는 일괄감정평가를 할 수 있다.

㉡ **구분감정평가**: 하나의 대상물건이라도 가치를 달리하는 부분이 있는 경우에는 각각의 감정평가액을 별도로 산정하는 구분감정평가를 할 수 있다.

㉢ **부분감정평가**: 일체로 이용되고 있는 대상물건의 일부분에 대하여 감정평가하여야 할 특수한 목적이나 합리적인 이유가 있는 경우에는 부분감정평가를 할 수 있다.

2. 처리계획의 수립

대상물건의 확인에서 감정평가액의 결정 및 표시에 이르기까지 일련의 작업과정에 대한 계획을 수립하여야 한다. 사전조사, 실지조사, 가격조사, 감정평가서 기재사항조사 등에 대한 계획을 수립한다.

3. 대상물건의 확인

> **감정평가에 관한 규칙 제10조**(대상물건의 확인)
>
> ① 감정평가법인등이 감정평가를 할 때에는 실지조사를 하여 대상물건을 확인해야 한다.
> ② 감정평가법인등은 제1항에도 불구하고 다음 각 호의 어느 하나에 해당하는 경우로서 실지조사를 하지 않고도 객관적이고 신뢰할 수 있는 자료를 충분히 확보할 수 있는 경우에는 실지조사를 하지 않을 수 있다.
>   1. 천재지변, 전시·사변, 법령에 따른 제한 및 물리적인 접근 곤란 등으로 실지조사가 불가능하거나 매우 곤란한 경우
>   2. 유가증권 등 대상물건의 특성상 실지조사가 불가능하거나 불필요한 경우

대상물건을 감정평가할 때에는 실지조사를 하기 전에 사전조사를 통해 필요한 사항을 조사해야 하며, 물적사항(대상물건의 공부와의 부합 여부 등을 점검하는 것으로, 물건의 존재 여부, 동일성 여부에 대한 확인과 대상물건이 존재하는 경우 개별적인 상황을 각각 확인하는 과정) 및 권리관계(대상물건에 대한 소유권 및 기타 소유권 이외의 권리의 존부와 그 내용을 조사·확인하는 과정)를 확인해야 한다.

(1) 사전조사

사전조사는 실지조사 전에 감정평가 관련 구비서류의 완비 여부 등을 확인하고, 대상물건의 공부 등을 통해 토지 등의 물리적 조건, 권리상태, 위치, 면적 및 공법상의 제한내용과 그 제한정도 등을 조사하는 절차이다.

(2) 실지조사

실지조사는 대상물건이 있는 곳에서 대상물건의 현황 등을 직접 확인하는 절차이다.

Check Point!

▶ 사실관계는 지적공부를 기준, 권리관계는 등기사항전부증명서를 기준한다.

▶ 확정과 확인의 관계

부동산 평가에 있어서 평가의 신뢰와 능률을 확보하고 책임소재를 분명히 하는 것이 필요하다.

1. 확정

대상 부동산의 물적, 법적관계 및 의뢰목적에 부응하는 사실적 제 관계를 확정하는 것으로, 기본조건에 대한 확정(종류, 수량, 평가범위, 권리관계 등)과 부가적 조건의 확정(현황평가, 조건부평가 등)이 있다.

2. 확인

확정에서 정하여진 대상물건의 물리적, 권리관계가 실질적으로 부합하는가에 대한 확인으로서, 물적사항에 대한 확인(지목, 면적, 소재, 구조 등), 권리태양에 대한 확인(등기부권리와 현실이용에 따른 권리)이 있다.

4. 자료의 수집 및 정리

대상물건의 물적사항·권리관계·이용상황에 대한 분석 및 감정평가액 산정을 위해 필요한 확인자료·요인자료·사례자료 등을 수집하고 정리하는 절차이다.

(1) 자료 종류(공부자료 포함)

① 확인자료

대상물건의 확인 및 권리관계의 확인에 필요한 자료로서 토지(임야)대장, 지적도(임야도), 건축물관리대장/등기사항전부증명서/토지이용계획확인서 등(하단 참조)이 있다.

② 요인자료

대상물건의 가치형성에 영향을 주는 자연적·사회적·경제적·행정적 제 요인의 분석에 필요한 일반자료와 대상물건이 속해 있는 지역의 분석에 필요한 지역자료 및 대상물건의 개별요인 분석에 필요한 개별자료로 구분된다.

③ 사례자료

매매사례, 임대차사례, 건설사례, 수익사례 등과 같이 감정평가 3방식의 적용에 필요한 자료이다.

(2) 자료의 정리

자료정리는 확인자료의 경우 물적인 것과 법적인 것으로 나누어 정리한다. 그리고 요인자료의 경우 일반자료, 지역자료 및 개별자료별로 체계적으로 정리하고, 사례자료는 감정평가방법에 적절하게 활용될 수 있도록 구분하여 정리한다.

5. 자료의 검토 및 가격형성요인 분석

(1) 일반요인

일반요인은 대상물건이 속한 전체 사회에서 대상물건의 이용과 가격수준 형성에 전반적으로 영향을 미치는 일반적인 요인이다.

(2) 지역요인

지역요인은 대상물건이 속한 지역의 가격수준 형성에 영향을 미치는 자연적·사회적·경제적·행정적 요인이다.

(3) 개별요인

개별요인은 대상물건의 구체적 가치에 영향을 미치는 대상물건의 고유한 개별적 요인이다.

6. 감정평가방법의 선정 및 적용

(1) 적정한 방법의 적용

감정평가방법은 「감정평가에 관한 규칙」에서 물건별로 감정평가방법을 정하고 있으므로, 기본적으로는 「감정평가에 관한 규칙」에서 정한 방법을 따르면 될 것이다. 그러나 주된 방법을 적용하는 것이 곤란하거나 부적절한 경우에는 감정평가방식의 특징을 충분히 파악한 후, 대상물건의 성격, 감정평가 목적, 감정평가조건 등을 고려하여 각 물건별로 적용할 감정평가방법이 적절한지, 정확성이 있는지 그리고 자료를 시장에서 구할 수 있는지 등의 현실적 상황을 고려하여 가장 적정한 방법을 적용해야 한다.

(2) 합리성 검토

주된 방식으로 구한 시산가액을 다른 감정평가방식에 속하는 하나 이상의 감정평가방법으로 산정한 시산가액과 비교하여 합리성을 검토하도록 하고 있다.

합리성을 검토한 결과 합리성이 인정되는 경우에는 주된 방식으로 구한 시산가액으로 최종적인 감정평가액을 결정하면 된다. 그러나 대상물건의 특성 등으로 인하여 다른 감정평가방법을 적용하는 것이 곤란하거나 불필요한 경우에는 합리성을 검토하는 절차를 생략할 수 있다.

(3) 시산가액 조정

① 시산가액 조정의 이유

부동산시장은 본질적으로 불완전한 특성을 지니고 있으며, 시대적 상황은 언제든지 변할 수 있기 때문에 가장 적정한 감정평가방법이라 판단하고 산정한 시산가액이라도 합리성이 없을 수 있다. 또한 감정평가방식은 저마다의 특징과 유용성, 한계 등을 지니고 있고, 상관, 조정의 원리에 따라 상관성을 가지고 있으므로, 다양한 방법을 적용하여 조정함으로써 보다 정확하고 객관적인 감정평가액을 도출할 수 있다.

② **시산가액 조정방법**

시산가액을 조정할 때에는 시산가액의 산술평균으로 단순하게 적용해서는 안 된다. 감정평가 목적, 대상물건의 특성, 수집한 자료의 신뢰성, 시장상황 등을 판단의 기준으로 삼아야 한다. 대상물건의 특성이나 시장상황을 기초로 하여 감정평가 목적에 부합하는 감정평가방법은 어떤 것인지, 수집한 자료 중 어떠한 것이 더 높은 신뢰성이 있는지 등을 검토해야 한다. 감정평가 법인등은 시산가액의 조정과정에서 감정평가액의 객관성과 신뢰성을 높이기 위해서 가능한 한 다양한 방법을 적용함으로써 논리적 근거를 제시할 수 있도록 해야 한다.

시산가액의 조정의 판단기준에 따라 각 시산가액에 대한 평가과정의 검토가 이루어진 후 최종적인 감정평가액을 도출하는 절차가 필요하다. 최종적으로 감정평가액을 도출하는 방법은 정량적인 방법, 정성적인 방법 등 다양한 방법이 존재하나, 「실무기준」에서는 정량적인 방법 중 각 시산가액에 적절한 가중치를 부여하는 방법을 채택하고 있다. 그러나 가중치의 결정은 전문가적인 판단과 경험, 지식 등이 중요하게 작용하므로 정성적인 방법 또한 중요한 고려사항이 된다.

③ **시산가액 조정 과정** [15)]

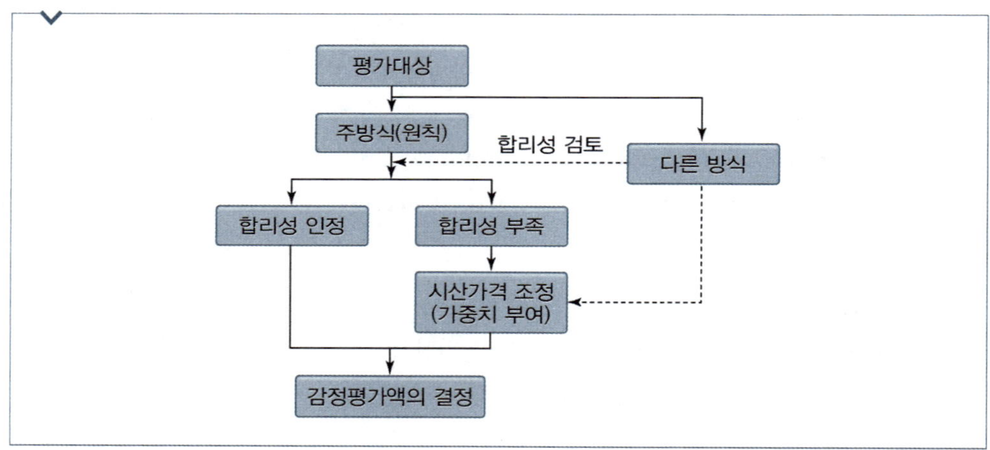

7. 감정평가액의 결정 및 표시

시산가액 조정 과정에서 도출된 감정평가액을 감정평가서에 표시하는 과정이다.

감정평가액의 표시는 반드시 하나의 수치가 대상물건의 가액을 정확하게 반영한다고 볼 수는 없기 때문에 업무의 성격 또는 의뢰인의 요구 등 합리적이라고 인정되는 경우에는 구간추정치를 감정평가액으로 표시할 수 있다.

---

15) 감정평가실무기준 해설서(Ⅰ) 총론편, 한국감정평가사협회 등, 2014.02, p.190

8. 감정평가의 절차 요약 [16)

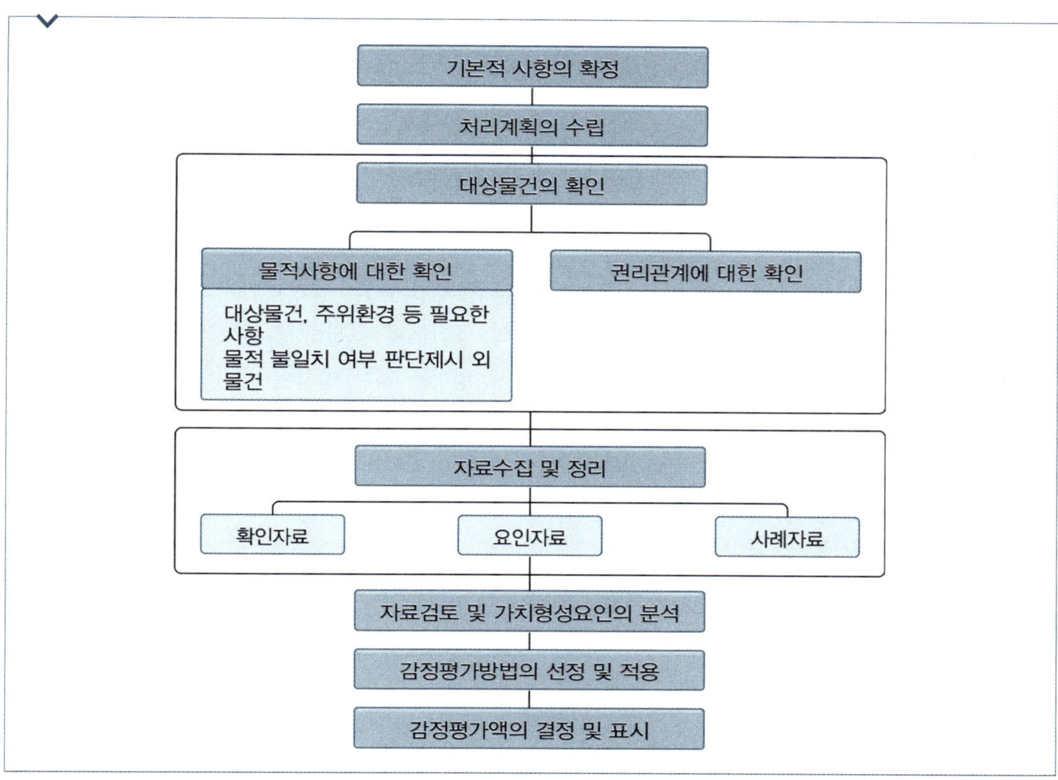

03 감정평가서의 작성·심사 및 기재사항

1. 감정평가서[17)

① 감정평가법인등은 감정평가를 의뢰받은 때에는 지체 없이 감정평가를 실시한 후 국토교통부령으로 정하는 바에 따라 감정평가 의뢰인에게 감정평가서(「전자문서 및 전자거래기본법」 제2조에 따른 전자문서로 된 감정평가서를 포함한다)를 발급하여야 한다.

② 감정평가서에는 감정평가법인등의 사무소 또는 법인의 명칭을 적고, 감정평가를 한 감정평가사가 그 자격을 표시한 후 서명과 날인을 하여야 한다. 이 경우 감정평가법인의 경우에는 그 대표사원 또는 대표이사도 서명이나 날인을 하여야 한다.

③ 감정평가법인등은 감정평가서의 원본과 그 관련 서류를 국토교통부령으로 정하는 기간 이상 보존하여야 하며, 해산하거나 폐업하는 경우에도 대통령령으로 정하는 바에 따라 보존하여야 한다.

---

16) 감정평가실무매뉴얼(담보평가편), 2015.07, 한국감정평가사협회
17) 감정평가 및 감정평가사에 관한 법률 제6조(감정평가서)

이 경우 감정평가법인등은 감정평가서의 원본과 그 관련 서류를 이동식 저장장치 등 전자적 기록 매체에 수록하여 보존할 수 있다.

2. 감정평가서의 심사 등[18]

① 감정평가법인은 제6조에 따라 감정평가서를 의뢰인에게 발급하기 전에 감정평가를 한 소속 감정평가사가 작성한 감정평가서의 적정성을 같은 법인 소속의 다른 감정평가사에게 심사하게 하고, 그 적정성을 심사한 감정평가사로 하여금 감정평가서에 그 심사사실을 표시하고 서명과 날인을 하게 하여야 한다.

② 제1항에 따라 감정평가서의 적정성을 심사하는 감정평가사는 감정평가서가 제3조에 따른 원칙과 기준을 준수하여 작성되었는지 여부를 신의와 성실로써 공정하게 심사하여야 한다.

③ 감정평가 의뢰인 및 관계 기관 등 대통령령으로 정하는 자는 발급된 감정평가서의 적정성에 대한 검토를 대통령령으로 정하는 기준을 충족하는 감정평가법인등(해당 감정평가서를 발급한 감정평가법인등은 제외한다)에게 의뢰할 수 있다.

④ 제1항에 따른 심사대상·절차·기준 및 제3항에 따른 검토절차·기준 등에 관하여 필요한 사항은 대통령령으로 정한다.

3. 감정평가서의 기재사항

> **감정평가에 관한 규칙 제13조**(감정평가서 작성)
>
> ① 감정평가법인등은 법 제6조에 따른 감정평가서(「전자문서 및 전자거래기본법」에 따른 전자문서로 된 감정평가서를 포함한다. 이하 같다)를 의뢰인과 이해관계자가 이해할 수 있도록 명확하고 일관성 있게 작성해야 한다.
>
> ② 감정평가서에는 다음 각 호의 사항이 포함돼야 한다.
> 1. 감정평가법인등의 명칭
> 2. 의뢰인의 성명 또는 명칭
> 3. 대상물건(소재지, 종류, 수량, 그 밖에 필요한 사항)
> 4. 대상물건 목록의 표시근거
> 5. 감정평가 목적
> 6. 기준시점, 조사기간 및 감정평가서 작성일
> 7. 실지조사를 하지 않은 경우에는 그 이유
> 8. 시장가치 외의 가치를 기준으로 감정평가한 경우에는 제5조 제3항 각 호의 사항. 다만, 같은 조 제2항 제1호의 경우에는 해당 법령을 적는 것으로 갈음할 수 있다.
> 9. 감정평가조건을 붙인 경우에는 그 이유 및 제6조 제3항의 검토사항. 다만, 같은 조 제2항 제1호의 경우에는 해당 법령을 적는 것으로 갈음할 수 있다.
> 10. 감정평가액
> 11. 감정평가액의 산출근거 및 결정 의견

---

18) 감정평가 및 감정평가사에 관한 법률 제7조(감정평가서의 심사 등)

12. 전문가의 자문등을 거쳐 감정평가한 경우 그 자문 등의 내용

13. 그 밖에 이 규칙이나 다른 법령에 따른 기재사항

③ 제2항 제11호의 내용에는 다음 각 호의 사항을 포함해야 한다. 다만, 부득이한 경우에는 그 이유를 적고 일부를 포함하지 아니할 수 있다.

1. 적용한 감정평가방법 및 시산가액 조정 등 감정평가액 결정 과정(제12조 제1항 단서 또는 제2항 단서에 해당하는 경우 그 이유를 포함한다)

1의2. 거래사례비교법으로 감정평가한 경우 비교거래사례의 선정 내용, 사정보정한 경우 그 내용 및 가치형성요인을 비교한 경우 그 내용

2. 공시지가기준법으로 토지를 감정평가한 경우 비교표준지의 선정 내용, 비교표준지와 대상토지를 비교한 내용 및 제14조 제2항 제5호에 따라 그 밖의 요인을 보정한 경우 그 내용

3. 재조달원가 산정 및 감가수정 등의 내용

4. 적산법이나 수익환원법으로 감정평가한 경우 기대이율 또는 환원율(할인율)의 산출근거

5. 제7조 제2항부터 제4항까지의 규정에 따라 일괄감정평가, 구분감정평가 또는 부분감정평가를 한 경우 그 이유

6. 감정평가액 결정에 참고한 자료가 있는 경우 그 자료의 명칭, 출처와 내용

7. 대상물건 중 일부를 감정평가에서 제외한 경우 그 이유

④ 감정평가법인등은 법 제6조에 따라 감정평가서를 발급하는 경우 그 표지에 감정평가서라는 제목을 명확하게 적어야 한다.

⑤ 감정평가법인등은 감정평가서를 작성하는 경우 법 제33조 제1항에 따른 한국감정평가사협회가 정하는 감정평가서 표준 서식을 사용할 수 있다.

감정평가에 관한 규칙 제13조의2(전자문서로 된 감정평가서의 발급 등)

① 감정평가법인등이 법 제6조 제1항에 따라 전자문서로 된 감정평가서를 발급하는 경우 같은 조 제2항에 따른 감정평가사의 서명과 날인은 「전자서명법」에 따른 전자서명의 방법으로 해야 한다.

② 감정평가법인등은 전자문서로 된 감정평가서의 위조·변조·훼손 등을 방지하기 위하여 감정평가 정보에 대한 접근 권한자 지정, 방화벽의 설치·운영 등의 조치를 해야 한다.

③ 감정평가법인등은 의뢰인이나 이해관계자가 전자문서로 된 감정평가서의 진본성(眞本性)에 대한 확인을 요청한 경우에는 이를 확인해 줘야 한다.

④ 제2항 및 제3항에 따른 전자문서로 된 감정평가서의 위조·변조·훼손 등의 방지조치와 진본성 확인에 필요한 세부사항은 국토교통부장관이 정하여 고시한다.

04 감정평가서 표준서식 작성 업무처리 요령[19]

1. 기본사항

- 해당 서식은 감정평가서 작성 시 참고할 수 있는 표준서식으로 감정평가서의 사용용도 및 의뢰인의 요청, 감정평가사의 필요 및 판단 등에 따라 수정·보완하여 작성할 수 있음.
- 해당 서식은 감정평가서 작성 시에만 적용되며, 컨설팅보고서 등 감정평가서가 아닌 경우에는 적용되지 아니함.
- 감정평가서 작성 시 사용되는 용어는 관계법령에서 정하고 있는 경우를 제외하고는 「감정평가 및 감정평가사에 관한 법률」 및 「감정평가에 관한 규칙」, 「감정평가 실무기준」에 따라 통일하여 기재하여야 함.

2. 감정평가 목적별 작성사항

- 감정평가서는 법령에서 정한 서식이 있거나 의뢰인이 별도로 요청하는 경우를 제외하고는 [별지 서식]에 따르는 것을 원칙으로 하며, 의뢰인의 요구가 있는 사항에 대하여 추가 반영 가능함. 다만, 이러한 경우에도 「감정평가에 관한 규칙」 제13조 제2항 및 제3항에 따른 필수적 기재사항을 포함하여야 함.
- 법원 소송 감정평가의 경우 법원과 협의된 서식 또는 해당 소송의 내용에 적합한 서식에 따르되, 「감정평가에 관한 규칙」에서 규정한 내용을 모두 기재함.
- 담보 목적 감정평가의 경우 의뢰인의 요구사항 및 감정평가 목적 등을 고려하여 추가사항(채무자 등)을 별도로 기재할 수 있음.
- 법원 경매 감정평가 및 그 밖의 목적에 따른 감정평가의 경우 [별지 1]서식을 따름.
- 보상 감정평가의 경우 [별지 2]서식을 따름.

---

19) 「감정평가에 관한 규칙」별지서식 폐지에 따른 협회 표준서식 제공 알림, 한국감정평가사협회, 감정평가기준센터 2022-00233 (2022.02.09. 시행)

[별지 서식]

1. **표지**

(제1쪽)

감 정 평 가 서

APPRAISAL REPORT

건　　명 :

의 뢰 인 :

감정평가서 번호 :

감정평가법인등의 명칭

2.1 (　　)감정평가표(감정평가법인용)

(제2쪽)

본인은 감정평가에 관한 법규를 준수하고 감정평가이론에 따라 성실하고 공정하게 이 감정평가서를 작성하였기에 서명날인합니다.

감 정 평 가 사　　　　　　　　　　　(인)

㈜ ○○감정평가법인
대 표 이 사　　　　　　　　　　　(인)

감정평가액			
의 뢰 인		감정평가 목적	
제 출 처		기준가치	
소 유 자 (대상업체명)		감정평가조건	

목록표시 근거		기준시점	조사기간	작성일
(기타 참고사항)[20]				

감정평가내용	공부(公簿)(의뢰)		사정		감정평가액	
	종류	면적 또는 수량	종류	면적 또는 수량	단가	금액(원)
	합계					

심사확인	본인은 이 감정평가서에 제시된 자료를 기준으로 성실하고 공정하게 심사한 결과 이 감정평가 내용이 타당하다고 인정하므로 이에 서명날인합니다. 심사자 : 감정평가사　　　　　　　　　(인)

---

20) 담보 감정평가의 경우 참고사항란에 채무자를 기재한다.

2.2 (　　　)감정평가표(감정평가사사무소용)

(제2쪽)

본인은 감정평가에 관한 법규를 준수하고 감정평가이론에 따라 성실하고 공정하게 이 감정평가서를 작성하였기에 서명날인합니다.

감 정 평 가 사　　　　　　　　　　　　　　　　(인)

감정평가액					
의 뢰 인		감정평가 목적			
제 출 처		기준가치			
소 유 자 (대상업체명)		감정평가조건			
목록표시 근거		기준시점	조사기간		작성일
(기타 참고사항)					

감정평가내용	공부(公簿)(의뢰)		사정		감정평가액	
	종류	면적 또는 수량	종류	면적 또는 수량	단가	금액(원)
합계						

심사확인	본인은 이 감정평가서에 제시된 자료를 기준으로 성실하고 공정하게 심사한 결과 이 감정평가 내용이 타당하다고 인정하므로 이에 서명날인합니다. 심사자 : 감정평가사　　　　　　　　　　　(인)

3. 감정평가액의 산출근거 및 결정의견 (제3쪽)

가. 대상물건 개요
- 대상물건의 형상, 이용상황, 공법상 제한사항 등

나. 감정평가 개요
- 감정평가 목적
- 감정평가 기준 및 근거
- 감정평가 기준시점
- 기준가치 및 감정평가조건
- 실지조사 여부 등

다. 감정평가액 산출근거
(1) 감정평가방법의 적용

(2) 감정평가액 산출과정

(3) 그 밖의 사항

라. 감정평가액 결정 의견

4. (   )감정평가 명세표

4.1 부동산

(제4쪽)

일련 번호	소재지	지번	지목 또는 용도	용도지역 및 구조	면적(m²)		감정평가액		비고
					공부	사정	단가 (원/m²)	금액 (원)	

4.2 기계기구(공작물)

(제4쪽)

일련 번호	명칭(종류) 구조, 규격, 형식, 용량	제작자 제작번호 제작(취득)일자 수입신고일자	수량		감정평가액(원)		비고
			의뢰	사정	단가	금액	

4.3 의제부동산

(1) 자동차, 건설기계 등

(제4쪽)

일련 번호	차명 (차종)	등록 번호	차체	연식/형식	적재량(정원)	차대번호	제작자	감정평가액 (원)	비고
			기관	출력	연료/기통수	원동기형식	제작일자		

4.3 의제부동산

(2) 선박

(제4쪽)

선박명칭		선박번호		선적항	

구분	적재용량 및 수량	감정평가액(원)		산출근거	
		단가	금액		
선체	G/T				
기관	HP				
의장품	점				
합계					

선박의 내용

선체	종류		선형		주요치수	
	용도		총톤수	G/T	길이	M
	등급		순톤수	N/T	너비	M
	선질		적화톤수	DWT	길이	M
	선창		조선소		비고	
	객실		건조년월일			
	승무원실					
	조선지		진수년월일			

기관	종류		기통수	CYL	제작소	
	실마력	HP	회전수	RPM		
	공칭마력	HP	기통경		제조일자 및 번호	
	형식		행정	m/m		
	속력	Knots	보조기계 및 기관의 종류와 수량		비고	
	추진기의 종류 및 수량					

4.3 의제부동산

(2-1) 선박의장품

(제5쪽)

일련 번호	명칭(종류) 구조, 규격, 형식, 용량	제작자 제작번호 제작(취득)일자	수량	감정평가액(원)		비고
				단가	금액	

4.4 권리 등

(제4쪽)

일련 번호	명칭	종류	수량	감정평가액(원)		비고
				단가	금액	

4.5 동산

(제4쪽)

일련 번호	명칭(종류) 구조, 규격, 형식, 용량	제작자 제작일자	수량		감정평가액(원)		비고
			의뢰	사정	단가	금액	

※ 구체적 작성방법

1. 표지

가. 건명

1) 담보목적의 감정평가는 "○○○(채무자명) 담보물"이라 적는다.
2) 법원의뢰 감정평가는 "○○○(소유자명) 소유물건"이라 적고, 괄호를 사용하여 사건번호를 아래쪽에 적는다.

> 홍길동 소유물건
> (2020타경1111)

3) 그 외의 경우에는 대상물건의 대표소재지를 적고, 그 끝부분에 「감정평가 실무기준」에서 규정한 물건의 종류를 기준으로 적는다. 다만, 「감정평가 실무기준」에서 물건의 종류를 규정하고 있지 않은 경우 법령상의 명칭 또는 통상적인 물건의 명칭을 기재하며, 재단 또는 사업체인 경우에는 재단 또는 사업체의 명칭을 적을 수 있다. 또한, 물건의 종류가 둘 이상인 경우 "○○(대표물건명) 등"이라 적을 수 있다.
4) 자동차, 동산과 같이 이동이 가능한 물건이나 권리에 대한 감정평가와 같이 특정 소재지를 적는 것이 곤란하거나 불합리한 경우에는 이를 생략하고 물건의 종류 또는 업체의 명칭을 적을 수 있다.

나. 의뢰인: 감정평가의뢰서상의 의뢰인을 적는다.

다. 감정평가서 번호: 접수번호를 적는다.

라. 감정평가법인등의 명칭: 감정평가사사무소 또는 감정평가법인의 명칭을 적고 대표전화번호, 팩스번호 등을 적는다.

2. 감정평가표

가. ( ) 감정평가표: 괄호 안에는 「감정평가 실무기준」에서 규정한 물건의 종류를 기준으로 적는다. 다만, 「감정평가 실무기준」에서 물건의 종류를 규정하고 있지 않은 경우 법령상의 명칭 또는 통상적인 물건의 명칭을 기재한다.

나. 감정평가사: 감정평가에 참여한 감정평가사가 그 자격을 표시한 후 서명과 날인을 한다. 「전자문서 및 전자거래기본법」 제2조에 따른 전자문서로 된 감정평가서를 작성하는 경우 서명과 날인은 「전자서명법」에 따른 전자서명으로 대신할 수 있다.

다. 감정평가법인: 감정평가법인의 명칭(법인의 분사무소의 경우 분사무소 명칭)을 적고, 그 대표사원 또는 대표이사(법인의 분사무소는 상법상 대리인도 가능)가 서명이나 날인을 한다. 감정평가사사무소인 경우에는 생략하되, 합동사무소로서 대표 감정평가사를 두고 있는 경우 이를 준용하여 서명과 날인을 한다.

라. 감정평가액 : 감정평가액은 한글로 적고, 괄호 안에 아라비아 숫자를 함께 적는다.

마. 의뢰인 : 감정평가의뢰서상의 의뢰인을 적는다.

바. 감정평가 목적 : 감정평가서의 사용목적을 적는다. 아래 표[21]를 참고하여 기재하되 이는 대표적인 목적을 기재한 것이므로 아래 표에 제시되지 않은 목적의 경우에는 해당 감정평가의 사용목적에 맞게 별도로 기재한다.

대분류	감정평가 목적		내용
국·공유 재산 감정평가	매수		국·공유재산의 매입 또는 매수를 위한 감정평가
	처분	(매각) (교환) (양여) (신탁) (현물출자)	「국유재산법」 및 「공유재산 및 물품 관리법」에 따라 국·공유재산을 처분(매각 또는 교환, 양여, 신탁, 현물출자)하기 위한 감정평가
	대부료 또는 사용료		국·공유재산의 대부료 또는 사용료 산정을 위한 감정평가
담보 감정평가	담보		채권기관에서 채권설정을 위해 의뢰하는 평가
	동산담보		「동산채권 등의 담보에 관한 법률」에 의한 기계기구, 재고자산, 농축수산물 등에 대한 담보 목적의 감정평가
법원 감정평가	경매		경매 목적으로 법원에서 의뢰하는 감정평가
	소송		소송 목적으로 수행하는 감정평가
도시정비 관련 감정평가	관리처분계획수립 (종전자산)		「도시 및 주거환경정비법」 및 같은 법이 준용되는 사업의 관리처분계획 수립을 위한 종전자산평가
	관리처분계획수립 (종후자산)		「도시 및 주거환경정비법」 및 같은 법이 준용되는 사업의 관리처분계획 수립을 위한 종후자산평가
	무상귀속(신설)		「도시 및 주거환경정비법」에 따른 정비기반시설 관련 감정평가
	무상양도 (용도폐지)		
기업 관련 감정평가	유형자산재평가		「자산재평가법」 또는 「주식회사 등의 외부감사에 관한 법률」에 따른 K-IFRS 등에 의한 자산재평가
일반거래 목적 감정평가	일반거래 (세무서제출용 또는 관할 지자체 제출용)		국세, 지방세 산정 부과 및 이의신청 관련 등을 위한 감정평가(상속세, 증여세, 부가세 등)
	일반거래 (시가참고용)		시가참고가액 산정 목적의 감정평가
	임대료		임대료 산정을 위한 감정평가

---

21) ( )감정평가표에 기재하는 감정평가 목적은 감정평가 사용목적에 따라 기재하는 것으로 해당 표는 협회 업무실적보고를 위한 평가목적별 분류체계와는 상이함에 유의한다.

그 밖의 감정평가	공매	공매 목적으로 한국자산관리공사 등에서 의뢰하는 감정평가
	임대주택 분양전환	「공공주택 특별법」 및 「민간임대주택에 관한 특별법」에 따른 임대주택 분양전환가액 산정을 위한 감정평가
	개발부담금	「개발이익 환수에 관한 법률」에 따라 개발부담금 산정 및 부과를 목적으로 개시시점 또는 종료시점 지가를 산정하기 위한 감정평가
	택지비(공공)	「택지개발촉진법」 등에 따른 공공택지비 산정을 위한 감정평가
	택지비(민간)	「주택법」에 따라 분양가상한제 적용주택의 분양가격 산정을 위한 택지의 감정평가

사. 제출처 : 감정평가서의 구체적인 사용처(담보감정평가인 경우는 채권기관명, 소송감정평가 또는 경매감정평가인 경우는 법원명 등)를 적는다.

아. 기준가치 : 시장가치를 기준으로 감정평가한 경우 "시장가치"라고 적고, 시장가치 외의 가치로 감정평가한 경우에는 해당 가치의 명칭이 있는 경우 그 명칭을 적고, 명칭이 없는 경우에는 "시장가치 외의 가치"라고 적는다.

자. 소유자(대상업체명) : 해당 물건의 소유자명 또는 업체명을 적는다.

차. 감정평가조건 : 감정평가조건이 있는 경우 "감정평가액의 산출근거 및 결정의견"을 참조할 것을 적고, 감정평가조건이 없는 경우 횡선(-)을 긋는다.

카. 목록표시 근거 : 감정평가명세표의 목록표시 근거 자료명을 적는다.

타. 기준시점 : 대상물건의 가격조사를 완료한 날짜를 적는다. 다만, 소급감정평가 등 기준시점이 미리 정해져 있을 때에는 그 날짜를 적는다.

파. 조사기간 : 가격조사 착수일부터 완료일까지의 기간을 적는다.

하. 작성일 : 감정평가서 작성 완료일을 적는다.

거. (기타 참고사항) : 감정평가의뢰인이 요청한 사항 또는 해당 서식에서 정한 사항 외에 필요한 사항을 기재한다(**예** 담보 목적의 감정평가 시 채무자명). 기재 시 "(기타 참고사항)"은 삭제한 뒤 필요한 제목을 기재하고, 우측 공란에는 관련 내용을 적는다. 만일 별도의 요청사항 또는 삽입사항이 없는 경우 해당란은 삭제한다.

예 담보 목적 감정평가의 경우

목록표시 근거	등기사항전부증명서	기준시점	조사기간	작성일
채무자	홍길동	2026.1.20.	2026.1.18.~20.	2026.1.20.

너. 감정평가내용 : 감정평가명세표상의 감정평가 내용을 종류로 분류하여 합산해서 적되, 다음 요령에 따른다.

1) **토지** : 종류란에 "토지"라 적고, 면적란에 공부 또는 사정 총면적을 적는다. 다만, 사정면적은 제곱미터($㎡$)로 적는다(이하 같다).

2) **건물** : 종류란에 "건물"이라 적고, 면적란에 공부 또는 사정 총면적을 적는다. 다만, 미등기건물 또는 제시외 건물은 종류란에 "미등기건물(또는 제시외 건물)"이라 적고, 면적란에 사정 총면적을 적는다. 사정면적은 제곱미터($㎡$)로 적는다.

3) **구분소유부동산** : 종류란에 "구분건물"이라 적고, 수량란에 주거용의 경우 "○세대", 비주거용의 경우 "○개"라 적는다.

4) **그 밖의 물건** : 기계기구, 의제부동산, 권리, 동산, 임대료 등은 종류란에 해당 종류명칭을 적고, 수량란에 "○개" 또는 "○식"이라 적는다.

5) **단가** : 유효숫자 둘째자리까지 표시함을 원칙으로 하되, 제곱미터($㎡$)당 가격이 100,000원 이상인 경우에는 유효숫자 셋째자리까지 표시할 수 있다. 다만, 의뢰인으로부터 다른 요청이 있거나 적정한 감정평가가액 산정을 위하여 필요하다고 인정하는 경우에는 유효숫자를 늘릴 수 있다. 적용 단가가 산출되지 않은 경우와 대상물건이 멸실 또는 소재불명인 경우 등에는 횡선(-)을 긋는다.

6) 기계기구 및 공작물 등 단가를 적는 것이 불합리한 종류는 단가란에 횡선(-)을 긋는다.

더. 심사확인

1) 감정평가법인의 경우에는 같은 법인 소속의 다른 감정평가사가 감정평가서의 적정성을 심사하고, 심사자는 그 심사사실을 표시하고 서명과 날인을 한다.

2) 감정평가사사무소의 경우에는 다른 감정평가사가 감정평가서의 적정성을 심사할 수 있고, 심사자는 그 심사사실을 표시하고 서명과 날인을 하되, 심사를 생략한 경우 해당란을 삭제하여 사용한다.

3. 감정평가액의 산출근거 및 결정 의견

가. 대상물건의 개요

1) 대상물건의 형상, 이용상황 또는 용도, 공법상 제한사항 및 감정평가 시 고려할 필요가 있는 주변 상황 등을 적는다.

2) 사업체에 대한 감정평가의 경우 대상업체의 명칭 및 업종명, 규모, 연혁, 재무 및 손익현황 등을 적는다.

3) 공부와 실제가 상이한 경우 및 그 내용, 대상물건이 멸실 또는 소재불명이거나 대상물건을 감정평가에서 제외하는 경우 및 그 내용 등을 적는다.

나. 감정평가 개요

1) 감정평가의 목적을 적는다.

2) 감정평가 기준 및 근거가 되는 관계법령 또는 관련 규정을 적는다.

3) 대상물건의 감정평가 기준시점과 해당 시점을 결정한 이유를 적는다.

4) 실지조사를 실시한 기간과 내용을 적고, 실지조사를 하지 않은 경우에는 그 이유를 적는다.

5) 시장가치를 기준으로 감정평가액을 결정한 경우 기준가치를 "시장가치"라고 적고, 시장가치 외의 가치를 기준으로 감정평가액을 결정한 경우 해당 시장가치 외의 가치의 명칭, 성격과 특징, 시장가치 외의 가치로 감정평가를 하는 이유를 적는다.

6) 「감정평가에 관한 규칙」 제6조 제2항 제2호 및 제3호에 따라 의뢰인이 요청하는 경우 및 감정 평가의 목적이나 대상물건의 특성에 비추어 사회통념상 필요하다고 인정되어 감정평가조건을 붙인 경우 그 이유와 감정평가조건의 합리성, 적법성 및 실현가능성에 대한 검토사항을 적는다.

7) 전문가의 자문 등을 거쳐 감정평가한 경우 자문 등을 했다는 내용 등을 적는다.

8) 그 밖에 「감정평가에 관한 규칙」이나 다른 법령에 따른 기재사항 및 추가로 필요한 사항을 적는다.

다. 감정평가액 산출근거

1) 감정평가방법의 적용

① 대상물건의 감정평가를 위해 적용한 감정평가방법의 관련 규정을 적는다.

② 대상물건을 감정평가하는 주된 방법의 내용과 채택이유를 기재하고, 주된 방법을 적용하는 것이 곤란하거나 부적절하여 다른 방법을 적용한 경우 그 이유와 내용을 적는다.

③ 감정평가 시 하나의 대상물건에 대하여 하나의 감정평가액을 산출하는 것을 원칙으로 하되, 예외적으로 일괄감정평가, 구분감정평가 또는 부분감정평가를 하는 경우에는 그 이유와 내용을 적는다.

2) 감정평가액 산출과정

① 대상물건을 감정평가하는 주된 방법으로 감정평가액을 산출하는 과정을 적는다. 「감정평가에 관한 규칙」 제13조 제3항에서 열거한 사항 외에도 감정평가액 결정에 영향을 미치는 중요한 내용은 모두 적는다.

② 대상물건을 감정평가하는 주된 방법 이외에 다른 방법으로 감정평가액을 산출하는 과정을 적는다.

③ 시산가액을 조정하는 방법 및 산출과정을 기재하고, 대상물건의 특성 등으로 인하여 다른 감정평가방법에 의한 시산가액으로 합리성 검토를 할 수 없는 경우 그 이유와 내용을 적는다.

④ 구분건물의 시점수정은 다음의 지수를 참고하여 산정하되 백분율로서 소수점 이하 셋째 자리까지 표시하고 넷째 자리 이하는 반올림하여 적는다.

3) 그 밖의 사항

① 감정평가액 산출내역에 포함되지 않았으나 산출과정에 참고한 각종 부동산통계지표, 부동산 시황자료 및 그 밖에 대상물건의 감정평가에 미치는 사항 등을 적는다.

② 「감정평가에 관한 규칙」 제13조 제3항에서 열거한 사항 외에 감정평가액 결정에 영향을 미치는 중요한 내용을 적는다.

라. 감정평가액 결정 의견: 감정평가액 산출과정에 대한 종합적인 의견과 최종 감정평가액의 결정에 관한 감정평가사의 의견을 적는다.

4. 감정평가 명세표

가. ( )**감정평가 명세표**: 괄호에는 토지와 건물, 구분건물, 기계기구 및 공작물 등으로 구분하여 작성한다. 물건의 종류에 따라 양식을 구분하여 작성하되, 해당 감정평가대상에 적합한 양식이 없는 경우 유사 양식을 수정·보완하여 적용할 수 있다.

나. 일련번호: 토지는 1, 2, 3, … 등으로 표시하고, 등기된 건물은 가, 나, 다, … 등으로 표시하며, 미등기건물은 ㄱ, ㄴ, ㄷ, … 등으로 표시하되, 건물을 감정평가에서 제외하였을 경우에는 괄호를 사용하여 해당 번호를 표시한다. 기계기구 및 공작물, 의제부동산, 권리, 동산 등의 경우 1, 2, 3, … 등으로 표시한다.

다. 부동산 감정평가명세표는 다음 요령에 따라 적는다.

1) 소재지
공부(의뢰목록) 내용대로 적는다. 다만, 행정구역이 변경되었음에도 공부에 정리되지 않았을 경우에는 변경된 행정구역 소재지를 적을 수 있다.

2) 지번
공부(의뢰목록) 내용대로 적되, 구분건물의 경우에는 다음 요령에 따른다.

① 공부 내용대로 적되, 건물의 명칭과 동수가 표시되어 있는 경우에는 이를 함께 적는다.

② 건물등기사항증명서상 1동의 건물의 표제부(이하 "공통표제부"라 한다)에서 "대지권의 목적인 토지의 표시"란에 기록할 토지가 10필지 이상인 경우에는 "(대표필지의 지번) 외 ○○필지"라고 적고, 그 밖의 필지 지번은 적지 않을 수 있다.

3) 지목 및 용도, 용도지역 및 구조
공부(의뢰물건) 내용대로 적되, 구분건물의 경우에는 다음 요령에 따른다.

① 건물등기사항증명서의 공통표제부 내용을 적은 다음 전유부분 표제부 내용을 적는다. 다만, 아파트의 경우에는 공통표제부의 내용 중 각 층별 표시 및 부속 건축물의 용도, 구조, 층별 표시는 적지 않을 수 있다.

② 1동의 건물 중 구분소유권의 목적이 되는 여러 개의 물건을 감정평가하는 경우에는 최초의 구분건물에만 공통표제부의 지목, 용도 및 구조를 적고, 그 밖의 구분건물에 대하여는 적지 않을 수 있다.

③ 건물등기사항증명서상 공통표제부에서 "대지권의 목적인 토지의 표시"란에 적을 토지가 10필지 이상인 경우에는 "(대표필지의 지목) 외"라 적고, 그 밖의 필지의 지목에 대하여는 적지 않을 수 있다.

4) **면적**(공부면적 및 사정면적)

① 공부란에는 공부(의뢰목록) 내용대로 적고, 사정란에는 사정 면적을 제곱미터(㎡)로 적는다. 이 경우 면적은 아라비아 숫자로 표시한다.

② 면적사정 시 사정단위는 축척이 500분의 1 또는 600분의 1인 지역과 경계점좌표등록부 시행지역의 토지는 소수점 이하 첫째자리까지 사정하고, 이외 지역의 토지는 1㎡까지 사정한다. 건물의 경우 소수점 이하 첫째자리까지 사정한다.

③ 멸실 또는 소재불명의 경우 면적의 사정란에 횡선(-)을 긋는다. 일괄감정평가하는 경우 사정면적에 일괄계산된 면적을 기재하고, 구분감정평가하는 경우 사정면적에 구분한 면적을 기재한다.

라. 부동산 외 감정평가명세표는 다음 요령에 따라 적는다.

1) 기계기구(공작물) 및 동산의 경우 공부(의뢰목록, 수입신고필증 등) 내용대로 적되, 현장조사 시 대상물건의 명판·사양과 관련된 표식에서 확인된 사항으로 의뢰인 또는 관계자의 확인이 있는 경우 이를 기재할 수 있다.

2) 의제부동산의 경우 공부 또는 자동차(건설기계)등록원부에 표기되어 있는 내용대로 적는다. 선박의 경우 물건의 특수성을 고려하여 별도의 서식을 적용한다.

3) 권리의 경우 명칭에는 사업체 등의 명칭을 기재하고, 종류에는 권리의 종류(어업권, 광업권, 영업권 등)을 적는다.

마. 단가 및 금액: 다음 요령에 따라 적는다.

1) **단가**: 감정평가 시 적용할 단가를 산출한 경우 그 적용 단가를 적는다. 적용 단가는 유효숫자 둘째자리까지 표시함을 원칙으로 하되, 제곱미터(㎡)당 가격이 100,000원 이상인 경우에는 유효숫자 셋째자리까지 표시할 수 있다. 다만, 의뢰인으로부터 다른 요청이 있거나 적정한 감정평가가액 산정을 위하여 필요하다고 인정하는 경우에는 유효숫자를 늘릴 수 있다. 적용 단가가 산출되지 않은 경우와 대상물건이 멸실 또는 소재불명인 경우 등에는 횡선(-)을 긋는다.

2) **금액**: 감정평가에서 제외한 경우는 "감정평가 외"라 적고, 대상물건이 멸실 또는 소재불명인 경우 등에는 횡선(-)을 긋는다.

바. 비고: 다음 사항이 있는 경우 그 내용을 적는다.

1) 공부내용과 실제가 다른 경우 그 내용

2) 도시·군계획시설에 저촉되는 경우 그 내용

3) 환지(換地) 및 환권(換權)에 관한 사항

4) 구분감정평가한 경우 구분기호 또는 구분별 현황

5) 일괄감정평가한 경우 그 이유

6) 부분감정평가한 경우 부분기호 또는 부분별 현황

7) 일단지로 감정평가한 경우 일단지 기호 또는 일단지 현황

8) 적산가격으로 감정평가한 경우 감가수정 내용. 다만, 부합물(附合物) 또는 종물(從物)로서 그 가치가 미미한 것은 생략할 수 있다.

9) 멸실 또는 소재불명, 감정평가 제외 여부 및 그 이유

10) 그 밖의 참고사항

05 부동산 감정평가와 공부(公簿)서류

1. 개설

부동산의 공적장부의 종류는 부동산의 유형별로 구분하여 이해하는 것이 좋다. 부동산은 다양한 유형으로 이루어져 있지만 공적 장부의 열람을 위해서는 두 가지 유형으로 구분하여 이해하면 편리할 것이다. 첫째는 일반적인 토지와 그 지상의 건물(일반건축물)로 구성된 유형의 부동산이며, 둘째는 「집합건물의 관리 및 이용에 관한 법률」에 의한 집합건물이 그것이다.

2. 토지, 건물로 구성된 부동산의 경우

(1) 등기사항전부증명서 – 토지, 건물

등기사항전부증명서는 소유권, 지상권, 지역권, 전세권, 저당권 등의 권리관계에 대하여 기록하는 공적 서류를 말하며, 이를 통하여 권리사항 등을 확인할 수 있다.

부동산의 표시	권리관계
부동산에 관한 현황 (소재, 지번, 지목, 면적, 구조 등)	각종 권리(소유권, 지상권, 지역권, 전세권, 저당권, 권리질권, 임차권, 환매권)의 설정, 보존, 이전, 변경, 처분의 제한, 소멸 등

» 기타 매매현황(매매목록), 공동담보목록 등도 확인 가능하다.

(2) 일반건축물관리대장

건물의 소재 · 번호 · 종류 · 구조 · 면적, 소유자의 주소 · 성명 등을 등록하여 건물의 상황을 명확하게 하는 장부이다. 건축물관리대장에 등록된 부동산에 관한 상황은 등기부에 기재되는 부동산의 표시 및 등기명의인 표시의 기초가 된다. 따라서 건물의 상황에 변동이 생긴 때에는 먼저 건축물관리대장을 변경한 뒤에 등기변경을 신청해야 한다. 등기부에 기재한 부동산의 표시가 건축물관리대장과 부합하지 않는 경우에는 그 부동산 소유명의인은 먼저 부동산 표시의 변경등기를 하지 않으면 그 부동산에 관한 다른 등기를 신청할 수 없다.

(3) 지적(임야)도

지적도(임야도)란 토지의 소재, 지번(地番), 지목(地目), 면적, 경계 등을 나타내기 위하여 만든 평면 지도를 말한다. 이를 통해 감정평가 시 토지의 위치, 지번, 토지의 형상, 방위, 접면도로의 폭 등을 확인할 수 있다.

(4) **토지(임야)대장**

토지대장(임야대장)은 토지의 소재, 지번, 지목, 면적 등 토지의 사실관계를 확정할 수 있는 사항이 기재된 공적 서류를 말하며, 이를 통하여 토지의 물적사항 등을 확인할 수 있다.

(5) **토지이용계획확인서**

토지이용계획확인서란 지구, 구역, 권역, 단지, 도시, 군계획시설 등 명칭에 관계없이 개발행위를 제한하거나 토지이용과 관련된 인가 · 허가 등을 받도록 하는 등 토지의 이용 및 보전에 관한 제한과 관련한 지정 내용 등을 확인하는 공적 서류를 말한다. 토지이용계획확인서에서는 「국토계획법」상 용도지역, 용도지구, 용도구역 등 도시 · 군관리계획의 수립 및 해당 여부, 「군사시설보호법」상 군사시설보호구역 등의 해당 여부, 「하천법」상 하천구역, 하천예정지의 해당 여부 등의 다양한 사항을 확인할 수 있다.

3. 집합건물인 부동산의 경우

(1) **등기사항전부증명서 – 집합건물**

일반적으로 「집합건물의 소유 및 관리에 관한 법률」의 적용대상인 건물을 말한다. 집합건물은 동 법률의 적용대상인 1동의 건물 중 구조상 구분된 수 개의 부분이 독립한 건물로서 사용될 수 있는 건물을 말한다. 오피스, 아파트형공장, 오피스텔, 아파트, 연립주택, 다세대주택 등 다양하다. 집합건물에 대해서는 집합건물의 1개 호수별로 별도의 등기사항전부증명서를 발급받을 수 있다.

(2) **집합건축물관리대장 – 전유부, 표제부**

집합건물의 건축물관리대장은 일반건축물관리대장과 그 효력은 같지만 형식이 다르다. 집합건축물관리대장의 경우 1동 전체의 이용상황 등 물적현황을 표시하는 집합건축물관리대장(표제부)이 있으며, 해당 전유부분의 이용상황 등 물적현황을 표시하는 집합건축물관리대장(전유부)이 있다.

(3) **지적도 및 임야도**

토지, 건물의 경우와 동일하다.

(4) **토지대장**

토지, 건물의 경우와 동일하다.

(5) **토지이용계획확인서**

토지, 건물의 경우와 동일하다.

4. 각종 공부서류의 양식

(1) 등기사항전부증명서(토지/건물, 집합건물)

등기사항전부증명서(말소사항 포함)
- 토지 -

고유번호 1103-1996-060633

[토지] 서울특별시 중구 남산동1가 16-6

【 표 제 부 】 (토지의 표시)					
표시번호	접 수	소 재 지 번	지 목	면 적	등기원인 및 기타사항
1 (전 3)	~~1984년5월28일~~	~~서울특별시 중구 남산동1가 16-6~~	~~대~~	~~623.9㎡~~	
					부동산등기법 제177조의 6 제1항의 규정에 의하여 2003년 03월 06일 전산이기
2	2005년7월15일	서울특별시 중구 남산동1가 16-6	대	499.6㎡	분할로 인하여 대 124.3㎡를 서울특별시 중구 남산동1가 16-35에 이기

【 갑 구 】 (소유권에 관한 사항)				
순위번호	등 기 목 적	접 수	등 기 원 인	권리자 및 기타사항
1 (전 12)	소유권이전	1982년4월29일 제16782호	1982년1월12일 매매	~~공유자~~ ~~지분 2분의 1~~ ~~부산시 부산진구~~ ~~지분 2분의 1~~ ~~미합중국 캘리포니아주~~
2 (전 14)	1번소유권일부말소	1982년11월11일 제48179호	1982년9월26일 서울민사지방법원의확정판결	소유자 ~~미합중국 캘리포니아주~~ 공유자 의2분지1지분 말소 부동산등기법 제177조의 6 제1항의 규정에 의하여 1번 내지 2번 등기를 2003년 03월 06일 전산이기

열람일시 : 20XX년12월24일 17시20분38초

[토지] 서울특별시 중구 남산동1가 16-6

순위번호	등 기 목 적	접 수	등 기 원 인	권리자 및 기타사항
2-1	2번등기명의인표시 변경	2005년11월22일 제64592호	2003년4월2일 전거	~~의 주소 서울 중구~~
2-2	2번등기명의인표시 변경	2006년10월13일 제57631호	2006년4월21일 전거	의 주소 서울 중구
~~3~~	~~가압류~~	~~2007년9월14일 제55092호~~	~~2007년9월14일 서울중앙지방법 원의 가압류결정(200 7카단6127)~~	~~청구금액 금1,063,445,205 원 채권자 미합중국 캘리포니아주~~
4	3번가압류등기말소	2008년10월7일 제61037호	2008년10월1일 해제	

【 을 구 】	(소유권 이외의 권리에 관한 사항)			
순위번호	등 기 목 적	접 수	등 기 원 인	권리자 및 기타사항
~~1~~ (전 24)	~~근저당권설정~~	~~1999년12월17일 제64621호~~	~~1999년12월17일 설정계약~~	~~채권최고액 금미법화금오십이만불 채무자 주식회사 미합중국 캘리포니아주 90058~~ ~~근저당권자 주식회사 110111-0023393 서울 중구 남대문로2가 111-1 (회현동지점)~~ ~~공동담보 동소 16-6 토지건물 및 동소 16-31 토지~~
2 (전 25)	1번근저당권말소	2002년12월5일 제76291호	2002년12월5일 해지	
				부동산등기법 제177조의 6 제1항의 규정에 의하여 1번 내지 2번 등기를 2003년 03월 06일 전산이기
~~3~~	~~근저당권설정~~	~~2005년11월22일 제64593호~~	~~2005년11월22일 설정계약~~	~~채권최고액 금960,000,000원 채무자 서울 중구 근저당권자 110135-0000903 서울 중구~~

열람일시 : 20XX년12월24일 17시20분38초

등기사항전부증명서(말소사항 포함)
- 건물 -

고유번호 1103-2006-008614

[건물] 서울특별시 중구 남산동1가 16-6 그랜드필드

【 표 제 부 】 (건물의 표시)				
표시번호	접 수	소재지번 및 건물번호	건 물 내 역	등기원인 및 기타사항
1	2006년9월29일	서울특별시 중구 남산동1가 16-6 그랜드필드	철근콘크리트구조 (철근)콘크리트지붕 5층 제1종근린생활시설 1층 262.26㎡ 2층 262.26㎡ 3층 262.26㎡ 4층 257.5㎡ 5층 254.8㎡ 지하1층 315.48㎡ 지하2층 365.7㎡ 지하3층 398.1㎡ 옥탑 27.14㎡	

【 갑 구 】 (소유권에 관한 사항)				
순위번호	등 기 목 적	접 수	등 기 원 인	권리자 및 기타사항
1	소유권보존	2006년9월29일 제55662호		소유자　　　　460318-******* 미합중국 캘리포니아주
1-1	1번등기명의인표시 경정	2006년10월13일 제57633호	2006년9월29일 신청착오	의 주소　서울 중구
1-2	1번등기명의인표시 변경		2011년10월31일 도로명주소	의 주소　서울특별시 중구 2013년8월2일　부기
~~2~~	~~가압류~~	~~2007년9월14일 제55092호~~	~~2007년9월14일 서울중앙지방법 원의 가압류결정(200 7카단6127)~~	~~청구금액　금1,063,445,205 원 채권자 미합중국 캘리포니아주~~

열람일시 : 20XX년12월24일 17시20분38초

1/5

[건물] 서울특별시 중구 남산동1가 16-6 그랜드필드

순위번호	등 기 목 적	접 수	등 기 원 인	권리자 및 기타사항
3	2번가압류등기말소	2008년10월7일 제61037호	2008년10월1일 해제	

【 을 구 】 (소유권 이외의 권리에 관한 사항)				
순위번호	등 기 목 적	접 수	등 기 원 인	권리자 및 기타사항
~~1~~	~~근저당권설정~~	~~2006년10월13일~~ ~~제57634호~~	~~2006년10월13일~~ ~~추가설정계약~~	~~채권최고액 금960,000,000원~~ ~~채무자~~ ~~서울 중구~~ ~~근저당권자 110135-0000903~~ ~~서울 중구~~ ~~공동담보 토지 서울특별시 중구~~ ~~16-6의 담보물에 추가~~
2	전세권설정	2006년11월13일 제64433호	2006년11월9일 설정계약	전세금 금100,000,000원 범 위 업무용 건물 1층 262.26㎡ 전부 존속기간 200년 11월 9일부터 2008년 4월 30일까지 반환기 2008년 4월 30일 ~~전세권자 주식회사 110111-0220395~~ ~~서울 송파구~~ 도면편철장제2책200호
2-1	2번전세권이전	2008년9월30일 제60214호	2008년9월30일 양도계약	전세권자 화재해상보험주식회사 110111-0016728 서울특별시 종로구
~~3~~	~~근저당권설정~~	~~2006년11월27일~~ ~~제67477호~~	~~2006년11월7일~~ ~~설정계약~~	~~채권최고액 금240,000,000원~~ ~~채무자~~ ~~서울 중구~~ ~~근저당권자 화재해상보험주식회사~~ ~~110111-0016728~~ ~~서울 종로구 도렴동 60~~ ~~공동담보 토지 서울특별시 중구~~
4	3번근저당권설정등 기말소	2007년4월17일 제22767호	2007년4월17일 해지	
5	근저당권설정	2007년5월29일	2007년4월24일	~~채권최고액 금130,000,000원~~

열람일시 : 20XX년12월24일 17시20분38초

2/5

등기사항전부증명서(말소사항 포함)
- 집합건물 -

고유번호 1102-2011-001879

[집합건물] 서울특별시 서초구 방배동 451-6 제3층 제301호

【 표 제 부 】 (1동의 건물의 표시)

표시번호	접 수	소재지번,건물명칭 및 번호	건 물 내 역	등기원인 및 기타사항
1	2011년9월9일	서울특별시 서초구 방배동 451-6	철근콘크리트구조 (철근)콘크리트지붕 5층 제2종 근린생활시설 지1층 166.6㎡ 1층 143.33㎡ 2층 147.52㎡ 3층 126.44㎡ 4층 94.74㎡ 5층 63.09㎡ 옥탑1층 14.75㎡ (연면적제외)	도면 제2011-232호

(대지권의 목적인 토지의 표시)

표시번호	소 재 지 번	지 목	면 적	등기원인 및 기타사항
1	1. 서울특별시 서초구 방배동 451-6	대	270.4㎡	2011년9월9일

【 표 제 부 】 (전유부분의 건물의 표시)

표시번호	접 수	건 물 번 호	건 물 내 역	등기원인 및 기타사항
1	2011년9월9일	제3층 제301호	철근콘크리트구조 16.85㎡	도면 제2011-232호

(대지권의 표시)

표시번호	대지권종류	대지권비율	등기원인 및 기타사항
1	1 소유권대지권	270.4분의 8.1495	2011년8월31일 대지권 2011년9월9일

열람일시 : 20XX년12월24일 17시20분38초

[집합건물] 서울특별시 서초구 방배동 451-6 제3층 제301호

표시번호	대지권종류	대지권비율	등기원인 및 기타사항
2			별도등기 있음 1토지(을구 9번 근저당권설정등기) 2011년9월9일

【 갑 구 】			(소유권에 관한 사항)	
순위번호	등 기 목 적	접 수	등 기 원 인	권리자 및 기타사항

1	소유권보존	2011년9월9일
		제47075호
				공유자
				지분 2분의 1
				    571111-*******
				  서울특별시 서초구
				지분 2분의 1
				    640118-*******
				  서울특별시 서초구

【 을 구 】			(소유권 이외의 권리에 관한 사항)	
순위번호	등 기 목 적	접 수	등 기 원 인	권리자 및 기타사항

1	근저당권설정	2011년9월9일
		제47076호
			2011년9월9일
			추가설정계약
				채권최고액 금2,522,000,000원
				채무자
				  서울특별시 서초구
				근저당권자 주식회사 110111-0012809
				  서울특별시 중구
				
				공동담보목록 제2011-314호

-- 이 하 여 백 --

관할등기소 서울중앙지방법원 등기국

* 실선으로 그어진 부분은 말소사항을 표시함.   * 기록사항 없는 갑구, 을구는 '기록사항 없음' 으로 표시함.
* 증명서는 컬러 또는 흑백으로 출력 가능함.
* 본 등기사항증명서는 열람용이므로 출력하신 등기사항증명서는 법적인 효력이 없습니다.

열람일시 : 20XX년12월24일 17시20분38초

(2) 일반건축물대장

■ 건축물대장의 기재 및 관리 등에 관한 규칙 [별지 제1호서식] <개정 2015.7.7>
문서확인번호   1475-7336-1589-8200

일반건축물대장(갑)

장번호 : 1 - 1

| 고유번호 | 1147010300-1-(005 | 민원24접수번호 | 40018700 | 명칭 | 3동 | 특이사항 |

대지위치	서울특별시 양천구 신월동	지번		도로명주소	서울특별시 양천구
※대지면적 2.464.6㎡	연면적 170㎡	※지 역 일반주거지역	※지구 4층미관지구 외 1	※구 역	
건축면적 762.71㎡	용적률산정용 연면적 122㎡	주구조 철근콘크리트라멘조,철근콘크리트	주용도 근린생활시설	총 수 지하 1층/지상 1층	
※건폐율 30.95%	※용적률 62.92%	높이 7.6m	지붕 평스라브,철근콘크리트	부속건축물	
조경면적 ㎡	공개 공지 또는 공개 공간의 면적 ㎡	건축선 후퇴면적 ㎡	건축선 후퇴거리 m		
지하수위 G.L m	기초형식	설계지내력(지내력기초인 경우) t/㎡	구조설계 해석법		

건 축 물 현 황					소 유 자 현 황			
구분	층별	구조	용도	면적(㎡)	성명(명칭) 주민(법인)등록번호 (부동산등기용등록번호)	주소	소유권 지분	변동일 변동원인
주3	지층	철근콘크리트라멘조	대피소	48		서울시	19/48	2004.09.09
주3	1층	철근콘크리트라멘조	수리점	84	1******			소유권이전
주3	1층	철근콘크리트구조	수리점	38		서울시	3/48	2004.09.09
		- 이하여백 -			1******			소유권이전

이 등(초)본은 건축물대장의 원본내용과 틀림없음을 증명합니다.

발급일자 :   년 10월 06일

담당자 : 부동산정보과

전   화 : 02 -   - 3483

서울특별시 양천구청장

※ 표시 항목은 총괄표제부가 있는 경우에는 기재하지 않습니다.
※ 이 장은 전체 3페이지 중에 1페이지 입니다.

◆ 본 증명서는 인터넷으로 발급되었으며, 민원24(minwon.go.kr)의 인터넷발급문서진위확인 메뉴를 통해 위·변조 여부를 확인할 수 있습니다. (발급일로부터 90일까지)
또한 문서하단의 바코드로도 진위확인(스캐너용 문서확인프로그램 설치)을 하실 수 있습니다.

문서확인번호   1475-7336-1589-8200

장번호 :   2 - 1

| 고유번호 | 1147010300-1-01990005 | 민원24접수번호 | 20161006 - 40018700 |

구분	성명 또는 명칭	면허(등록)번호	※주차장					승강기		허가일 1994.05.25
건축주	! 외 2인	407-1******						승용 대	비상용 대	착공일 1994.05.28
설계자	ㅐ종합건축사 유촌 목		구분	옥내	옥외	인근	면제	※오수정화시설		사용승인일 1994.11.21
공사감리자	ㅐ종합건축사 유촌 목		자주식	대 ㎡	대 ㎡	대 ㎡		형식 콘크리트각형		관련 주소
공사시공자 (현장관리인)	이래종합건설(주) 백이현		기계식	대 ㎡	대 ㎡	대 ㎡	대	용량 30인용		지번

건축물 에너지소비정보 및 그 밖의 인증정보

건축물 에너지효율등급 인증	에너지성능지표(EPI) 점수	녹색건축 인증	지능형건축물 인증	
등급		등급	등급	도로명
에너지절감률 %	점	인증점수 점	인증정수	
유효기간 : . . ~ . .		유효기간 : . . ~ . .	점	

변 동 사 항

변동일	변동내용 및 원인	변동일	변동내용 및 원인	그 밖의 기재사항
1998.01.26	건축58550-65호에 의거 1층 용도변경	2005.05.16	건축과-5595(2005.5.4)호에 의거 지상1층 제2종근린생활시설(수리점)38.00㎡증축	지구: 공항및고도2보위지구
2004.11.19	건축과-15927(2004.11.18)호에 의거 지상1층 수리점 160㎡를 84㎡로 (지상1층76㎡ 철거)부분철거	2011.10.04	건축물대장 기초자료 정비에 의거 (표제부(용적율 산정용 연면적:'0' -> '122')) 직권변경	
2005.05.07	2005년도 건축물대장 정비사업에 의거 관련지번 '199-10'이(가) 직권삭제		- 이하여백 -	

※ 표시 항목은 총괄표제부가 있는 경우에는 기재하지 아니합니다.
※ 이 장은 전체 3페이지 중에 3페이지 입니다.

◆ 본 증명서는 인터넷으로 발급되었으며, 민원24(minwon.go.kr)의 인터넷발급문서진위확인 메뉴를 통해 위·변조 여부를 확인할 수 있습니다. (발급일로부터 90일까지)
또한 문서하단의 바코드로도 진위확인(스캐너용 문서확인프로그램 설치)을 하실 수 있습니다.

■건축물대장의 기재 및 관리 등에 관한 규칙 [별지 제7호서식] <개정 2015.7.7>
문서확인번호 1475-7346-8039-0125

건축물대장 총괄표제부(갑)

장번호 :　1 - 1

고유번호	1147010300-1-　005	민원24 접수번호	- 40026345

대지위치	서울특별시 양천구 신월동	지번	-5	건축물 명칭		특이사항	
✱대지면적　㎡	연면적　1,813.38㎡	지역		지구		구역	
건축면적　1,766.41㎡	용적률산정용연면적　1,512.78㎡	건축물 수	3	주용도			제2종근린생활시설
※건폐율　%	※용적률　%	총 호수　세대/호/가구		총 주차 대 수		부속건축물　동　㎡	
조경면적　㎡	공개 공지 또는 공개 공간의 면적　㎡	건축선 후퇴면적　㎡		건축선 후퇴거리　m			
지하수위　G.L　m	기초형식	설계지내력(지내력기초인 경우)　t/㎡		구조설계 해석법			

건　축　물　현　황

구분	명칭	도로명주소	건축물 주구조	건축물 지붕	층수	용도	연면적(㎡)	변동일	변동원인
주1	1동		철근콘크리트조	스라브	1/4	근린생활시설	1,084.56	1987.01.12	증축
주2	2동		철근콘크리트라멘조	평스라브	1/2	위험물저장 및 처리시설, 자동차관련시설	558.82	1994.11.21	증축
주3	3동		철근콘크리트라멘조,철근콘크리트	평스라브,철근콘크리트	1/1	근린생활시설	170	1998.01.26	용도변경
				- 이하여백 -					

이 등(초)본은 건축물 대장의 원본내용과 틀림없음을 증명합니다.

발급일자 :　10월 06일

담당자 : 부동산정보과
전　화 : 02 -　- 3483

서울특별시 양천구청장

※ 이 장은 전체 2페이지 중에 1페이지 입니다.

◆본 증명서는 인터넷으로 발급되었으며, 민원24(minwon.go.kr)의 인터넷발급문서진위확인 메뉴를 통해 위·변조 여부를 확인할 수 있습니다. (발급일로부터 90일까지)
　또한 문서하단의 바코드로도 진위확인(스캐너용 문서확인프로그램 설치)을 하실 수 있습니다.

(3) 집합건물건축물대장(표제부 및 전유부)

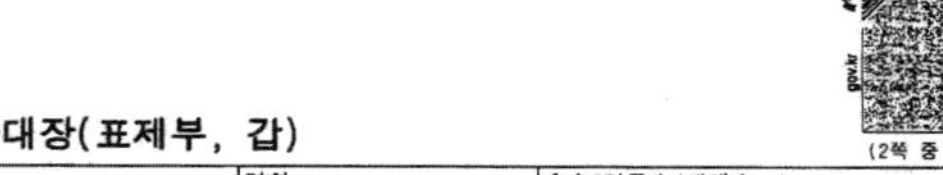

문서확인번호 1576-0580-4861-8727

■ 건축물대장의 기재 및 관리 등에 관한 규칙 [별지 제3호서식] <개정 2018. 12. 4.>

집합건축물대장(표제부, 갑)

(2쪽 중 제1쪽)

고유번호	4117310400-3-05550045	정부24접수번호	20191211-53066034	명칭	호계 데시앙플렉스	호수/가구수/세대수	300호/0가구/0세대
대지위치	경기도 안양시 동안구 호계동	지번	555-45	도로명주소		경기도 안양시 동안구 엘에스로 122	

※대지면적	연면적	※지역	※지구	※구역
6,715.2㎡	41,036.21㎡	준공업지역 외 1		지구단위계획구역
건축면적	용적률 산정용 연면적	주구조	주용도	층수
4,020.35㎡	23,482.71㎡	철근콘크리트구조	공장(지식산업센터),지원시설(근린생활시설),공장(창고)	지하 2층/지상 10층
※건폐율	※용적률	높이	지붕	부속건축물
59.87%	349.69%	47.64m	(철근)콘크리트	동 ㎡
※조경면적	※공개 공지/공간 면적	※건축선 후퇴면적	※건축선 후퇴거리	
1,318.18㎡	㎡	1,113.25㎡	10m	

건축물 현황					건축물 현황				
구분	층별	구조	용도	면적(㎡)	구분	층별	구조	용도	면적(㎡)
주1	지2층	철근콘크리트구조	주차장	3,937.13	주1	지1층	철근콘크리트구조	공장(지식산업센터)	423.16
주1	지2층	철근콘크리트구조	계단실,ELEV,기계실,전기실	882.09	주1	1층	철근콘크리트구조	주차장	1,604.66
주1	지2층	철근콘크리트구조	공장(창고)	859.7	주1	1층	철근콘크리트구조	공장(지원시설-근린생활시설)	1,543.47
주1	지1층	철근콘크리트구조	주차장	3,802.08	주1	1층	철근콘크리트구조	계단실,ELEV,복도,화장실 등	501.87
주1	지1층	철근콘크리트구조	공장(지원시설-근린생활시설)	807.52	주1	2층	철근콘크리트구조	주차장	1,542.53
주1	지1층	철근콘크리트구조	계단실,ELEV,화장실,관리실 등	614.69	주1	2층	철근콘크리트구조	공장(지원시설-근린생활시설)	1,343.08

이 등(초)본은 건축물대장의 원본내용과 틀림없음을 증명합니다.

발급일: 20 년 12월 11일

담당자: 민원봉사과
전 화: 031 - 8045 - 4245

안양시 동안구청장

※ 표시 항목은 총괄표제부가 있는 경우에는 적지 않을 수 있습니다.
297㎜×210㎜[백상지(80g/㎡)]
◆ 본 증명서는 인터넷으로 발급되었으며, 정부24(gov.kr)의 인터넷발급문서진위확인 메뉴를 통해 위·변조 여부를 확인할 수 있습니다. (발급일로부터 90일까지)

문서확인번호 1576-0580-4861-8727

(2쪽 중 제2쪽)

고유번호	4117310400-3-05550045	정부24접수번호	20191211-53066034	명칭	호계 데시앙플렉스	호수/가구수/세대수	300호/0가구/0세대
대지위치	경기도 안양시 동안구 호계동	지번	555-45	도로명주소	경기도 안양시 동안구 엘에스로 122		

구분	성명 또는 명칭	면허(등록)번호	※주차장					승강기		허가일 2017.11.05
건축주	(주)하나자산신탁	110111-1******	구분	옥내	옥외	인근	면제	승용 4대	비상용 2대	착공일 2018.01.02
설계자	(주)한원포럼건축사사무소 (주)한원포럼건축사사무	송파구-건축사사무소-86 4						※하수처리시설		사용승인일 2019.10.30
공사감리자	왕정한외1 (주)건축사사무소 아라그룹	송파구-건축사사무소-98 7	자주식	280대 13,966.34㎡	대 ㎡	대 ㎡		형식 하수종말처리장연결		관련 주소
공사시공자 (현장관리인)	이재규 (주)태명건설	경기도-토목건축공사업- 874	기계식	대 ㎡	대 ㎡	대 ㎡	대	용량 인용		지번

※제로에너지건축물 인증	※건축물 에너지효율등급 인증	※에너지성능지표 (EPI) 점수	※녹색건축 인증	※지능형건축물 인증	
등급	등급	점	등급	등급	
에너지자립률 %	1차에너지 소요량 (또는 에너지절감률) kWh/㎡(%)	※에너지소비총량	인증점수 점	인증점수 점	
유효기간: . . ~ . .	유효기간: . . ~ . .	kWh/㎡	유효기간: . . ~ . .	유효기간: . . ~ . .	도로명

내진설계 적용 여부 적용	내진능력 VII-0.239g	특수구조 건축물	특수구조 건축물 유형	
지하수위 G.L -1.5m	기초형식 지내력기초	설계지내력(지내력기초인 경우) 30t/㎡	구조설계 해석법 동적해석법	

변동사항				
변동일	변동내용 및 원인	변동일	변동내용 및 원인	그 밖의 기재사항
2019.10.30	구 건축과-19418(2019.10.30)호에 의거 신규작성(신축)			지역: 도시지역
2019.11.01	구 민원봉사과-18704(2019.11.01)호에 의거 토지합병으로 관련지번(호계동 555-46,593-9)삭제 [호계동 555-45 외 2필지 → 호계동 555-45]			- 이하여백 -
	- 이하여백 -			

※ 표시 항목은 총괄표제부가 있는 경우에는 적지 않을 수 있습니다.
◆ 본 증명서는 인터넷으로 발급되었으며, 정부24(gov.kr)의 인터넷발급문서진위확인 메뉴를 통해 위·변조 여부를 확인할 수 있습니다. (발급일로부터 90일까지)

문서확인번호 1576-0580-4861-8727

집합건축물대장(표제부, 을) 건축물현황

(1쪽 중 제1쪽)

■ 건축물대장의 기재 및 관리 등에 관한 규칙 [별지 제4호서식] <개정 2017. 1. 20.>

고유번호	4117310400-3-05550045	정부24접수번호	20191211-53066034	명칭	호계 데시앙플렉스	호수/가구수/세대수	300호/0가구/0세대
대지위치	경기도 안양시 동안구 호계동	지번	555-45	도로명주소	경기도 안양시 동안구 엘에스로 122		

건 축 물 현 황					건 축 물 현 황				
구분	층별	구조	용도	면적(㎡)	구분	층별	구조	용도	면적(㎡)
주1	2층	철근콘크리트구조	계단실,ELEV,복도,화장실 등	450.08	주1	8층	철근콘크리트구조	공장(지식산업센터)	1,959.66
주1	2층	철근콘크리트구조	공장(지식산업센터)	355.22	주1	8층	철근콘크리트구조	계단실,ELEV,복도,화장실 등	477.3
주1	3층	철근콘크리트구조	공장(지식산업센터)	1,662.96	주1	9층	철근콘크리트구조	공장(지식산업센터)	1,959.66
주1	3층	철근콘크리트구조	주차장	1,539.97	주1	9층	철근콘크리트구조	계단실,ELEV,복도,화장실 등	477.3
주1	3층	철근콘크리트구조	계단실,ELEV,복도,화장실 등	452.11	주1	10층	철근콘크리트구조	공장(지식산업센터)	1,959.66
주1	4층	철근콘크리트구조	공장(지식산업센터)	1,662.96	주1	10층	철근콘크리트구조	계단실,ELEV,복도,화장실 등	477.3
주1	4층	철근콘크리트구조	주차장	1,539.97	주1	옥탑1층	철근콘크리트구조	계단실,원룸(연면적제외)	210.8
주1	4층	철근콘크리트구조	계단실,ELEV,복도,화장실 등	452.11			- 이하여백 -		
주1	5층	철근콘크리트구조	공장(지식산업센터)	2,113.28					
주1	5층	철근콘크리트구조	계단실,ELEV,복도,화장실 등	469.66					
주1	6층	철근콘크리트구조	공장(지식산업센터)	2,113.28					
주1	6층	철근콘크리트구조	계단실,ELEV,복도,화장실 등	476.66					
주1	7층	철근콘크리트구조	공장(지식산업센터)	2,098.43					
주1	7층	철근콘크리트구조	계단실,ELEV,복도,화장실 등	476.66					

297㎜×210㎜[백상지(80g/㎡)]

◆ 본 증명서는 인터넷으로 발급되었으며, 정부24(gov.kr)의 인터넷발급문서진위확인 메뉴를 통해 위·변조 여부를 확인할 수 있습니다. (발급일로부터 90일까지)

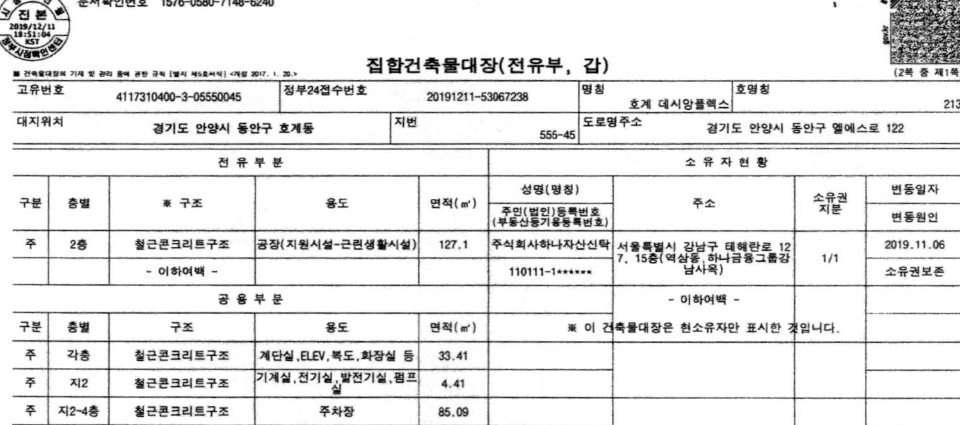

문서확인번호 1576-0580-7148-6240

집합건축물대장(전유부, 갑)

(2쪽 중 제1쪽)

■ 건축물대장의 기재 및 관리 등에 관한 규칙 [별지 제5호서식] <개정 2017. 1. 20.>

고유번호	4117310400-3-05550045	정부24접수번호	20191211-53067238	명칭	호계 데시앙플렉스	호명칭	213
대지위치	경기도 안양시 동안구 호계동	지번	555-45	도로명주소	경기도 안양시 동안구 엘에스로 122		

전 유 부 분					소 유 자 현 황			
구분	층별	※ 구조	용도	면적(㎡)	성명(명칭) 주민(법인)등록번호 (부동산등기용등록번호)	주소	소유권지분	변동일자 변동원인
주	2층	철근콘크리트구조	공장(지원시설-근린생활시설)	127.1	주식회사하나자산신탁 110111-1******	서울특별시 강남구 테헤란로 127, 15층(역삼동, 하나금융그룹강남사옥)	1/1	2019.11.06 소유권보존
		- 이하여백 -				- 이하여백 -		

공 용 부 분					※ 이 건축물대장은 현소유자만 표시한 것입니다.			
구분	층별	구조	용도	면적(㎡)				
주	각층	철근콘크리트구조	계단실,ELEV,복도,화장실 등	33.41				
주	지2	철근콘크리트구조	기계실,전기실,발전기실,펌프실	4.41				
주	지2~4층	철근콘크리트구조	주차장	85.09				
		- 이하여백 -						

이 등(초)본은 건축물대장의 원본내용과 틀림없음을 증명합니다.

발급일: 20 년 12월 11일

담당자: 민원봉사과
전 화: 031 - 8045 - 4245

안양시 동안구청장

※ 경계벽이 없는 구분점포의 경우에는 전유부분 구조란에 경계벽이 없음을 기재합니다.

297㎜×210㎜[백상지(80g/㎡)]

◆ 본 증명서는 인터넷으로 발급되었으며, 정부24(gov.kr)의 인터넷발급문서진위확인 메뉴를 통해 위·변조 여부를 확인할 수 있습니다. (발급일로부터 90일까지)

PART 01

문서확인번호 1576-0580-7148-6240

고유번호	4117310400-3-05550045	정부24접수번호	20191211-53067238	명칭 호계 데시앙플렉스	호명칭 213
대지위치	경기도 안양시 동안구 호계동	지번	555-45	도로명주소	경기도 안양시 동안구 엘에스로 122

공 용 부 분				공동주택(아파트) 가격(단위:원)	
구분	층별	구조	용도	면적(㎡)	기 준 일	공동주택(아파트) 가격

• 「부동산 가격공시 및 감정평가에 관한 법률」 제17조에 따른 공동주택가격만 표시됩니다.

변동사항					그 밖의 기재사항
변동일	변동내용 및 원인	변동일	변동내용 및 원인		
2019.10.30	시 건축과-19418(2019.10.30)호에 의거 신규작성(신축) - 이하여백 -				

297㎜×210㎜[백상지(80g/㎡)]

◆ 본 증명서는 인터넷으로 발급되었으며, 정부24(gov.kr)의 인터넷발급문서진위확인 메뉴를 통해 위·변조 여부를 확인할 수 있습니다. (발급일로부터 90일까지)

(4) 지적도, 임야도 등본

지적도 등본

발급번호	G2012091888152228002	처리시각	20시 18분 06초	작성자	민원24
토지소재	인천광역시 남동구 동	지 번	1475	축 척	원본: 1/500 출력: 1/500

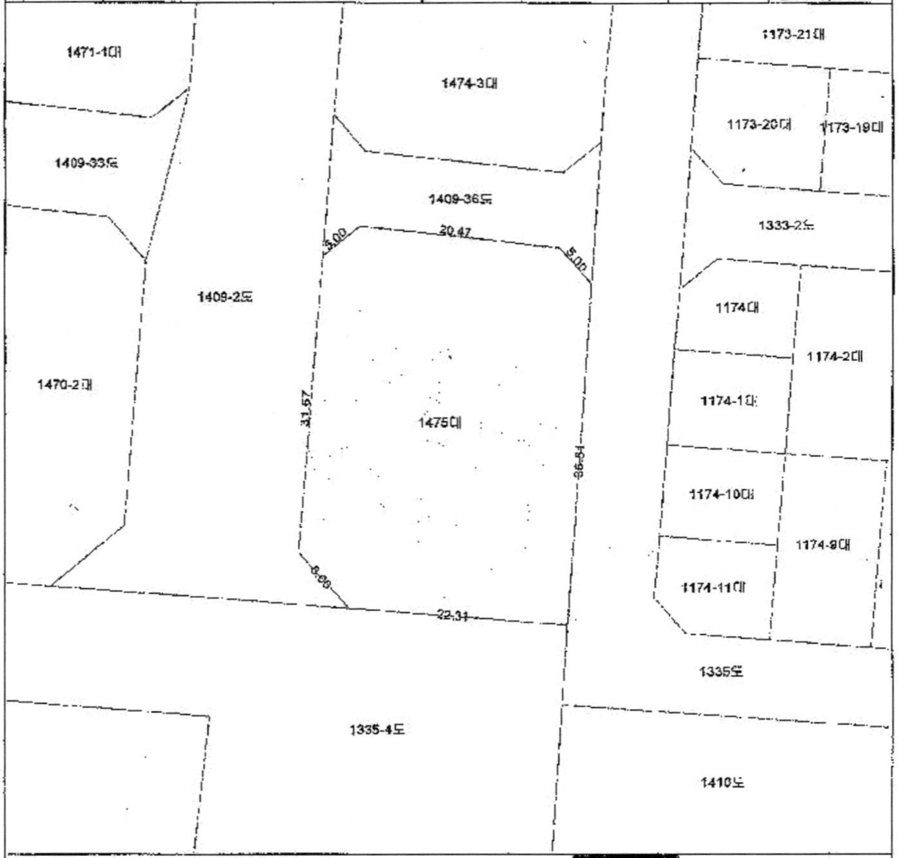

지적도등본에 의하여 작성한 등본입니다.
이 도면등본으로는 지적측량에 사용할 수 없습니다.

20××년 09월 18일

인천광역시 남동구

◆본 증명서는 인터넷으로 발급되었으며, 민원24(minwon.go.kr)의 인터넷발급문서진위확인 메뉴를 통해 위·변조 여부를 확인할 수 있습니다.(발급일로부터 90일까지) 또한 문서하단의 바코드로도 진위확인(스캐너용 문서확인프로그램 설치)을 하실 수 있습니다.

(5) 토지대장, 임야대장

1/3

토지 대장

고유번호	2820010100 - 11475 - 00C0			도면번호	166	발급번호	20120918-0160-0001
토지소재	인천광역시 남동구　　동			장번호	3~1	처리시각	20시 17분 57초
지 번	1475	축 척	수치	비 고		작성자	인터넷민원

토지표시			소유자		

지목	면적(㎡)	사유	변동일자 변동원인	주소 성명 또는 명칭	등록번호
(08) 대	*1093.3*	(62)199□년08월09일 구획정리 완료	199□년 06월 28일 (08)환지	서울강남구논현동71-2 한국토지개발공사	114271-0******
(08) 대	*1093.3*	(50)199□년01월01일 인천직할시에서 행정구역명칭변경	199□년 07월 31일 (09)촉탁등기	서울강남구논현동71-2 한국토지개발공사	114271-0******
		--- 이하 여백 ---	199□년 12월 31일 (04)주소변경	서울 강남구 삼성동 164 한국토지개발공사	114271-0******
			199□년 12월 31일 (03)소유권이전	남구 주안동 1592-4 주식회사대한상호신용금고	120111-0*****

등급수정 년월일	199□. 08. 09. 설정	199□. 01. 01. 수정	199□. 01. 01. 수정	199□. 01. 01. 수정	199□. 01. 01. 수정		
토지등급 (기준수확량등급)	235	238	241	245	246		
개별공시지가기준일	200□년 01월 01일	200□년 01월 01일	201□년 01월 01일	201□년 01월 01일	201□년 01월 01일		용도지역 등
개별공시지가(원/㎡)	6600000	6450000	6450000	6480000	6800000		

<table>
<tr><td>수 수 료
전자결제
면 원</td><td>토지대장에 의하여 작성한 등본입니다.
20××년 09월 18일

인천광역시 남동구청장</td></tr>
</table>

◆ 본 증명서는 인터넷으로 발급되었으며, 민원24(minwon.go.kr)의 인터넷발급문서진위확인 메뉴를 통해 위·변조 여부를 확인할 수 있습니다.(발급일로부터 90일까지) 또한 문서하단의 바코드로도 진위확인(스캐너용 문서확인프로그램 설치)을 하실 수 있습니다.

(6) 토지이용계획확인서

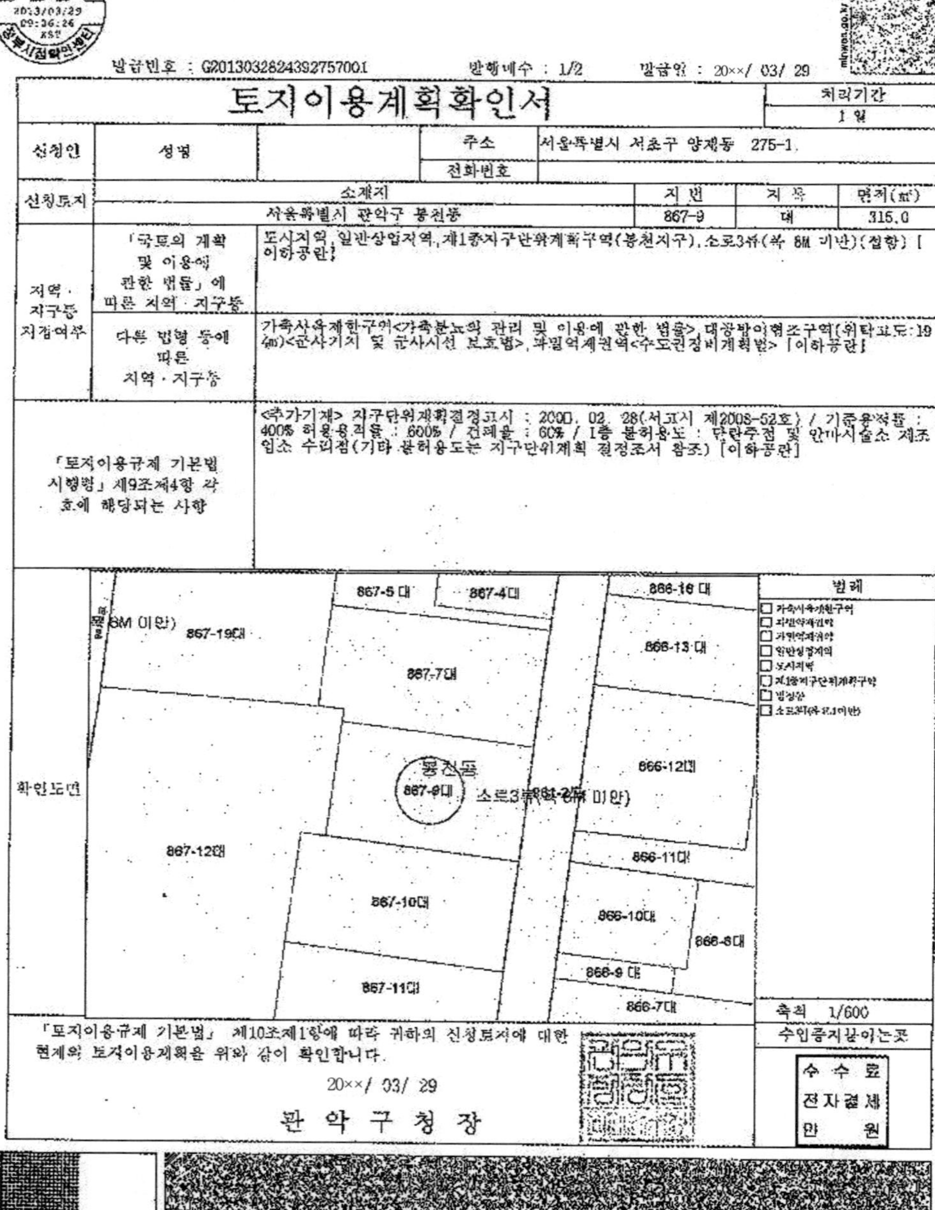

참고

부동산 공부의 인터넷 열람방법

구분	열람하는 방법	웹사이트 주소
등기사항전부증명서	대법원 인터넷 등기소	http : //www.iros.go.kr
건축물관리대장	정부민원포털 정부24	www.gov.kr
지적도(임야도)	정부민원포털 정부24	www.gov.kr
토지대장(임야대장)	정부민원포털 정부24	www.gov.kr
토지이용계획확인서	정부민원포털 정부24 토지이용규제정보시스템	www.gov.kr www.eum.go.kr

기 본예제

주어진 자료와 도면을 참고하여 해당 건축물의 ① 대지면적, ② 건축면적, ③ 연면적, ④ 건폐율(%), ⑤ 용적률(%)을 산출하시오(단, 건폐율·용적률은 소수점 이하 둘째자리 %까지 산출하되, 이하는 반올림할 것).

자료 1 일반건축물대장

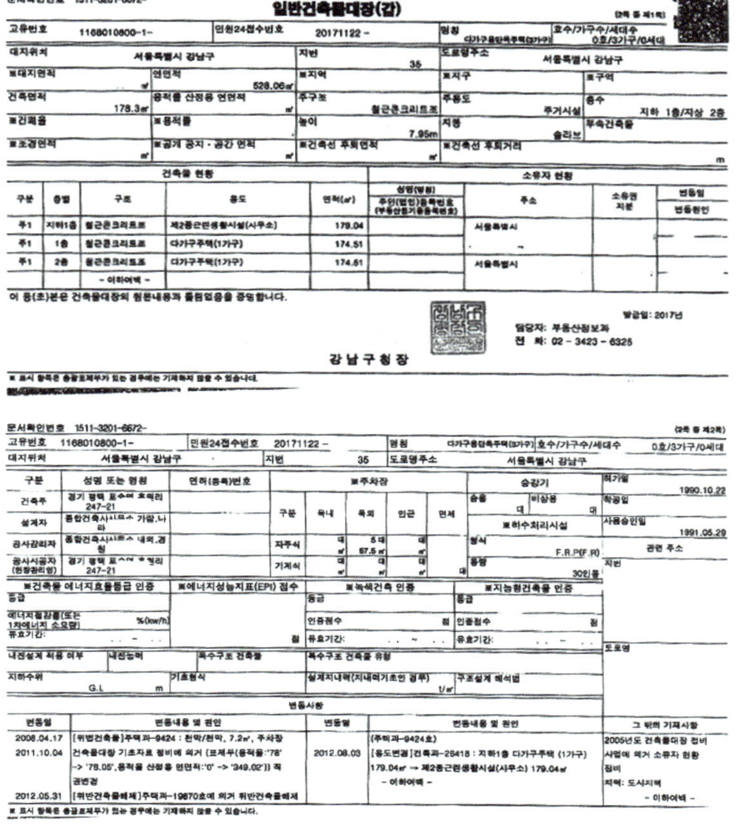

일반건축물대장(갑)

| 고유번호 | 1168010800-1- | 민원24접수번호 | 20171122 - | 명칭 | 다가구용단독주택(3가구) | 호수/가구수/세대수 | 0호/3가구/0세대 |

대지위치: 서울특별시 강남구 지번: 35 도로명주소: 서울특별시 강남구
대지면적 연면적: 528.06㎡ 지역 지구 구역
건축면적: 178.3㎡ 용적률 산정용 연면적: ㎡ 주구조: 철근콘크리트조 주용도: 주거시설 층수: 지하 1층/지상 2층
건폐율 용적률 높이: 7.95m 지붕: 슬라브 부속건축물
조경면적 공개 공지·공간 면적 건축선 후퇴면적 건축선 후퇴거리

건축물 현황 / 소유자 현황

구분	층별	구조	용도	면적(㎡)	성명(명칭) 주민(법인)등록번호 (부동산등기용등록번호)	주소	소유권 지분	변동일 변동원인
주1	지하1층	철근콘크리트조	제2종근린생활시설(사무소)	179.04		서울특별시		
주1	1층	철근콘크리트조	다가구주택(1가구)	174.51				
주1	2층	철근콘크리트조	다가구주택(1가구)	174.51		서울특별시		
		- 이하여백 -						

이 등(초)본은 건축물대장의 원본내용과 틀림없음을 증명합니다.

발급일: 2017년
담당자: 부동산정보과
전 화: 02 - 3423 - 6325

강 남 구 청 장

※ 표시 항목은 총괄표제부가 있는 경우에는 기재하지 않을 수 있습니다.

문서확인번호 1511-3201-6672- (2쪽 중 제2쪽)

| 고유번호 | 1168010800-1- | 민원24접수번호 | 20171122 - | 명칭 | 다가구용단독주택(3가구) | 호수/가구수/세대수 | 0호/3가구/0세대 |

대지위치: 서울특별시 강남구 지번: 35 도로명주소: 서울특별시 강남구

구분	성명 또는 명칭	면허(등록)번호						허가일 / 착공일 / 사용승인일

※주차장 / 승강기 / 허가일·착공일·사용승인일

구분	성명 또는 명칭	면허(등록)번호	※주차장 구분	옥내	옥외	인근	면제	승강기
건축주	경기 평택 포승면 호곡리 247-21							승용 대 / 비상용 대
설계자	종합건축사사무소 가람.나라							※하수처리시설
공사감리자	종합건축사사무소 내외.경원		자주식	대 ㎡	5대 67.5㎡	대 ㎡	대	형식: F.R.P(F.R)
공사시공자 (현장관리인)	경기 평택 포승면 호곡리 247-21		기계식	대 ㎡	대 ㎡	대 ㎡	대	용량: 30인용

허가일: 1990.10.22
착공일:
사용승인일: 1991.05.29
관련 주소 지번 도로명

※건축물 에너지효율등급 인증	※에너지성능지표(EPI) 점수	※녹색건축 인증	※지능형건축물 인증
등급		등급	등급
에너지절감률(또는 1차에너지 소요량) %(kw/h)	점	인증점수 점	인증점수 점
유효기간: ~		유효기간: . . ~ . .	유효기간: . . ~ . .

내진설계 적용 여부	내진능력	특수구조 건축물	특수구조 건축물 유형
지하수위 G.L m	기초형식	설계지내력(지내력기초인 경우) t/㎡	구조설계 해석법

변동사항

변동일	변동내용 및 원인	변동일	변동내용 및 원인	그 밖의 기재사항
2006.04.17	[위법건축물]주택과-9424 : 천막/천막, 7.2㎡, 주차장	2012.08.03	(주택과-9424호)	2005년도 건축물대장 정비
2011.10.04	건축물대장 기초자료 정비에 의거 (표제부(용적율:'78' -> '78.05',용적률 산정용 연면적:'0' -> '349.02')) 직권변경		[용도변경]건축과-26418 : 지하1층 다가구주택 (1가구) 179.04㎡ → 제2종근린생활시설(사무소) 179.04㎡	사업에 의거 소유자 현황 정비
2012.05.31	[위반건축물해제]주택과-19870호에 의거 위반건축물해제		- 이하여백 -	지역: 도시지역 - 이하여백 -

※ 표시 항목은 총괄표제부가 있는 경우에는 기재하지 않을 수 있습니다.

자료 2 ▶ 배치도

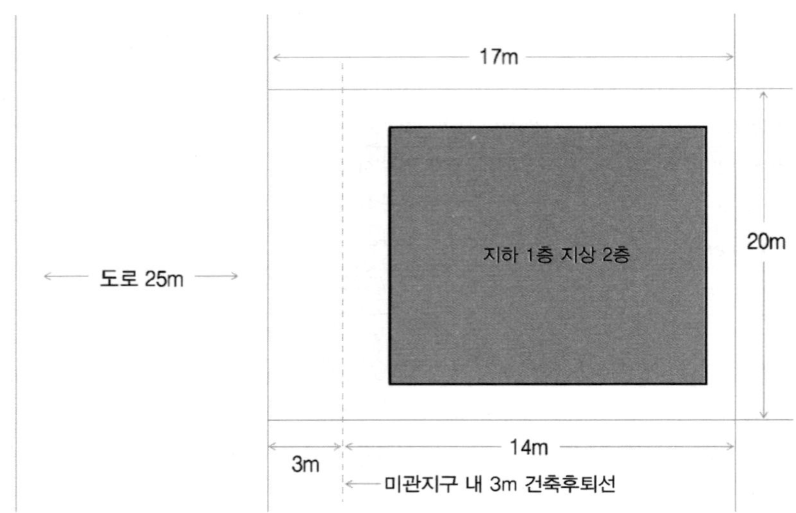

◢예시답안

1. 대지면적

대지면적은 그 대지의 수평투영면적으로 하되 대지 안에 건축선이 정하여진 경우에는 그 건축선과 도로 사이의 면적은 대지면적에서 제외된다. 그러나 미관지구 내 3m 건축후퇴선 부분은 대지면적에 산입토록 규정하고 있으므로, 대지면적은 $17m \times 20m = 340m^2$이다.

2. 건축면적

건축물대장 기준 $178.3m^2$이다.

3. 연면적

건축물대장 기준 $528.06m^2$이다.

4. 건폐율

건폐율이란 건축면적의 대지면적에 대한 비율이므로 $\therefore \dfrac{178.3}{340} \times 100 ≒ 52.44\%$이다.

5. 용적률

용적률이란 연면적의 대지면적에 대한 비율로 지하층의 면적과 지상층의 주차용으로 사용되는 면적은 제외된다.

$$\therefore \frac{174.51 + 174.51}{340} \times 100 ≒ 102.65\%$$

제2절 **감정평가 3방식의 개관**

01 감정평가 3방식의 개관 등

> **감정평가에 관한 규칙 제11조**(감정평가방식)
>
> 감정평가법인등은 다음 각 호의 감정평가방식에 따라 감정평가를 한다.
> 1. 원가방식 : 원가법 및 적산법 등 비용성의 원리에 기초한 감정평가방식
> 2. 비교방식 : 거래사례비교법, 임대사례비교법 등 시장성의 원리에 기초한 감정평가방식 및 공시지가기준법
> 3. 수익방식 : 수익환원법 및 수익분석법 등 수익성의 원리에 기초한 감정평가방식

일반적으로 사람이 물건의 가치를 판정할 때는 ⅰ) 재화에 얼마만큼의 비용이 투입되었나? ⅱ) 그것이 어느 정도 가격으로 시장에서 거래되고 있나? ⅲ) 그것을 이용함으로써 어느 정도 수익(편익)을 얻을 수 있는가? 하는 세 가지를 고려하는 것이 통상적이다. 이것을 가치의 3면성이라 한다.

토지 등의 경우도 이와 마찬가지로 비용성에 착안하여 가치를 구하고자 하는 원가방식, 시장성에 착안하여 가치를 구하고자 하는 비교방식, 수익성에 착안하여 가치를 구하고자 하는 수익방식의 3방식으로 정립되어 있다. 또한 부동산의 경제가치는 교환의 대가인 협의의 가치로서 표시되는 경우와 용익의 대가인 임대료로 표시되는 경우가 있으며, 임대료를 구하는 방식도 이러한 사고방식이 기본이 된다.

감정평가는 평가대상이 속하는 시장의 특성을 파악, 분석하고 그로부터 합리적이라 인정되는 부분을 추출함으로써 감정평가의 주체가 합리적인 시장을 대신하여 부동산의 시장가치를 나타내는 가액을 표시하는 업무로 가치의 3면성을 충분히 참작해야 한다.

1. 감정평가 3방식

감정평가의 3방식이란 대상물건의 가치를 측정한 경우 전통적으로 사용되고 있는 비용성에 기초한 원가방식, 시장성에 기초한 비교방식, 수익성에 기초한 수익방식을 말한다.

(1) 원가방식

원가방식은 대상물건이 '어느 정도의 비용이 투입되어야 만들 수 있는가'라는 비용성에 근거하며, 공급 측면에서 비용과 가치의 상호관계를 파악하여 대상물건의 가치를 산정하는 방식이다.

(2) 비교방식

비교방식은 대상물건이 '어느 정도 가격으로 시장에서 거래되고 있는가'라는 시장성에 근거하며, 시장에서 거래되는 가격과 가치의 상호관계를 파악하여 대상물건의 가치를 산정하는 방식이다.

(3) **수익방식**

수익방식은 '대상물건을 이용함으로써 어느 정도 수익(편익)을 얻을 수 있는가'라는 수익성에 근거하며, 투자 측면에서 수익과 가치의 상호관계를 파악하여 대상물건의 가치를 산정하는 방식이다.

3방식 6방법	가액(소유권, 원본)	임대료(사용권, 과실)
공시지가기준법 (비교방식)	(공시지가기준가액) ※ 토지평가에 한함.	–
시장성 (비교방식, 시장접근법)	거래사례비교법 (비준가액)	임대사례비교법 (비준임대료)
원가성 (원가방식, 비용접근법)	원가법 (적산가액)	적산법 (적산임대료)
수익성 (수익방식, 소득접근법)	수익환원법 (수익가액)	수익분석법 (수익임대료)

2. 가격 감정평가의 3방식

(1) **공시지가기준법** [22]

> **감정평가에 관한 규칙 제2조**(정의)
>
> 9. "공시지가기준법"이란 「감정평가 및 감정평가사에 관한 법률」(이하 "법"이라 한다) 제3조 제1항 본문에 따라 감정평가의 대상이 된 토지(이하 "대상토지"라 한다)와 가치형성요인이 같거나 비슷하여 유사한 이용가치를 지닌다고 인정되는 표준지(이하 "비교표준지"라 한다)의 공시지가를 기준으로 대상토지의 현황에 맞게 시점수정, 지역요인 및 개별요인 비교, 그 밖의 요인의 보정(補正)을 거쳐 대상토지의 가액을 산정하는 감정평가방법을 말한다.

(2) **거래사례비교법**(비준가액)

> **감정평가에 관한 규칙 제2조**(정의)
>
> 7. "거래사례비교법"이란 대상물건과 가치형성요인이 같거나 비슷한 물건의 거래사례와 비교하여 대상물건의 현황에 맞게 사정보정(事情補正), 시점수정, 가치형성요인 비교 등의 과정을 거쳐 대상물건의 가액을 산정하는 감정평가방법을 말한다.

① **접근의 논리**

어떤 재화의 가격을 구하는 데는 일반적으로 최근에 그 재화와 동일·유사한 물건이 시장에서 어느 정도로 거래되고 있는가?(시장성)

---

[22] 감정평가 및 감정평가사에 관한 법률 제3조(기준)

　① 감정평가법인등이 토지를 감정평가하는 경우에는 그 토지와 이용가치가 비슷하다고 인정되는 「부동산 가격공시에 관한 법률」에 따른 표준지공시지가를 기준으로 하여야 한다. 다만, 적정한 실거래가가 있는 경우에는 이를 기준으로 할 수 있다.

② **중요한 부분**

　㉠ **사례의 수집** : 거래사례비교법으로 감정평가할 때에는 거래사례를 수집하여 적정성 여부를 검토한 후 다음의 요건을 모두 갖춘 하나 또는 둘 이상의 적절한 사례를 선택하여야 한다.

　　ⓐ 거래사정이 정상이라고 인정되는 사례나 정상적인 것으로 보정이 가능한 사례

　　ⓑ 기준시점으로 시점수정이 가능한 사례

　　ⓒ 대상물건과 위치적 유사성이나 물적 유사성이 있어 지역요인·개별요인 등 가치형성요인의 비교가 가능한 사례

> **감정평가에 관한 규칙 제2조**(정의)
>
> 12의2. "적정한 실거래가"란 「부동산 거래신고 등에 관한 법률」에 따라 신고된 실제 거래가격(이하 "거래가격"이라 한다)으로서 거래 시점이 도시지역(「국토의 계획 및 이용에 관한 법률」 제36조 제1항 제1호에 따른 도시지역을 말한다)은 3년 이내, 그 밖의 지역은 5년 이내인 거래가격 중에서 감정평가법인등이 인근지역의 지가수준 등을 고려하여 감정평가의 기준으로 적용하기에 적정하다고 판단하는 거래가격을 말한다.
> 13. "인근지역"이란 감정평가의 대상이 된 부동산(이하 "대상부동산"이라 한다)이 속한 지역으로서 부동산의 이용이 동질적이고 가치형성요인 중 지역요인을 공유하는 지역을 말한다.
> 14. "유사지역"이란 대상부동산이 속하지 아니하는 지역으로서 인근지역과 유사한 특성을 갖는 지역을 말한다.
> 15. "동일수급권(同一需給圈)"이란 대상부동산과 대체·경쟁관계가 성립하고 가치 형성에 서로 영향을 미치는 관계에 있는 다른 부동산이 존재하는 권역(圈域)을 말하며, 인근지역과 유사지역을 포함한다.

　㉡ **사정보정** : 거래사례에 특수한 사정이나 개별적 동기가 반영되어 있거나 거래 당사자가 시장에 정통하지 않은 등 수집된 거래사례의 가격이 적절하지 못한 경우에는 사정보정을 통해 그러한 사정이 없었을 경우의 적절한 가격수준으로 정상화하여야 한다.

　㉢ **시점수정** : 거래사례의 거래시점과 대상물건의 기준시점이 불일치하여 가격수준의 변동이 있을 경우에는 거래사례의 가격을 기준시점의 가격수준으로 시점수정하여야 한다. 시점수정은 사례물건의 가격 변동률로 한다. 다만, 사례물건의 가격 변동률을 구할 수 없거나 사례물건의 가격 변동률로 시점수정하는 것이 적절하지 않은 경우에는 지가변동률·건축비지수·임대료지수·생산자물가지수·주택가격동향지수 등을 고려하여 가격 변동률을 구할 수 있다.

　㉣ **가치형성요인의 비교** : 거래사례와 대상물건 간에 종별·유형별 특성에 따라 지역요인이나 개별요인 등 가치형성요인에 차이가 있는 경우에는 이를 각각 비교하여 대상물건의 가치를 개별화·구체화하여야 한다.

(3) 원가법(적산가액)

> **감정평가에 관한 규칙 제2조**(정의)
>
> 5. "원가법"이란 대상물건의 재조달원가에 감가수정(減價修正)을 하여 대상물건의 가액을 산정하는 감정평가방법을 말한다.
> 12. "감가수정"이란 대상물건에 대한 재조달원가를 감액하여야 할 요인이 있는 경우에 물리적 감가, 기능적 감가 또는 경제적 감가 등을 고려하여 그에 해당하는 금액을 재조달원가에서 공제하여 기준시점에 있어서의 대상물건의 가액을 적정화하는 작업을 말한다.

① 접근의 논리

그 재화를 현재 재조달하는 데는 어느 정도의 비용이 들겠는가?(비용성)

② 중요한 부분

㉠ 재조달원가 : 재조달원가란 대상물건을 기준시점에 재생산하거나 재취득하는 데 필요한 적정원가의 총액을 말한다. 재조달원가는 대상물건을 일반적인 방법으로 생산하거나 취득하는 데 드는 비용으로 하되, 제세공과금 등과 같은 일반적인 부대비용을 포함한다.

㉡ 감가수정 : 감가수정은 대상물건에 대한 재조달원가를 감액하여야 할 요인이 있는 경우에 다음 각 호의 가치 하락요인 등(이하 "감가요인"이라 한다)을 고려하여 그에 해당하는 금액을 재조달원가에서 공제하여 기준시점에 대상물건의 가액을 적정화하는 작업을 말한다. 감가수정을 할 때에는 경제적 내용연수를 기준으로 한 정액법, 정률법 또는 상환기금법 중에서 대상물건에 가장 적합한 방법을 적용하여야 한다. 이에 따른 감가수정이 적절하지 아니한 경우에는 물리적·기능적·경제적 감가요인을 고려하여 관찰감가 등으로 조정하거나 다른 방법에 따라 감가수정할 수 있다.

ⓐ 물리적 감가요인 : 대상물건의 물리적 상태 변화에 따른 감가요인

ⓑ 기능적 감가요인 : 대상물건의 기능적 효용 변화에 따른 감가요인

ⓒ 경제적 감가요인 : 인근지역의 경제적 상태, 주위환경, 시장상황 등 대상물건의 가치에 영향을 미치는 경제적 요소들의 변화에 따른 감가요인

(4) 수익환원법(수익가액)

> **감정평가에 관한 규칙 제2조**(정의)
>
> 10. "수익환원법(收益還元法)"이란 대상물건이 장래 산출할 것으로 기대되는 순수익이나 미래의 현금흐름을 환원하거나 할인하여 대상물건의 가액을 산정하는 감정평가방법을 말한다.

① 접근의 논리

그 재화를 이용하면 얼마의 수익 또는 편익(쾌적성이나 생산성)을 얻을 수 있는가?(수익성)

② **중요한 부분**

    ㉠ **환원·할인방법의 적용** : 직접환원법은 단일기간의 순수익을 적절한 환원율로 환원하여 대상물건의 가액을 산정하는 방법을 말한다. 할인현금흐름분석법은 대상물건의 보유기간에 발생하는 복수기간의 순수익(이하 "현금흐름"이라 한다)과 보유기간 말의 복귀가액에 적절한 할인율을 적용하여 현재가치로 할인한 후 더하여 대상물건의 가액을 산정하는 방법을 말한다.

       수익환원법으로 감정평가할 때에는 직접환원법이나 할인현금흐름분석법 중에서 감정평가 목적이나 대상물건에 적절한 방법을 선택하여 적용한다. 다만, 부동산의 증권화와 관련한 감정평가 등 매기의 순수익을 예상해야 하는 경우에는 할인현금흐름분석법을 원칙으로 하고 직접환원법으로 합리성을 검토한다.

    ㉡ **순수익 등의 산정** : 순수익이란 대상물건에 귀속하는 적절한 수익으로서 유효총수익에서 운영경비를 공제하여 산정한다. 유효총수익은 다음 보증금(전세금) 운용수익, 연간임대료, 연간 관리비수입, 기타수입을 합한 가능총수익에 공실손실상당액 및 손실충당금(종전의 대손충당금)을 공제하여 산정한다. 운영경비에는 용역인건비·직영인건비, 수도광열비, 수선유지비, 세금·공과금, 보험료, 대체충당금, 광고선전비 등 그 밖의 경비를 포함한다.

       할인현금흐름분석법의 적용에 따른 복귀가액은 보유기간 경과 후 초년도의 순수익을 추정하여 최종환원율로 환원한 후 매도비용을 공제하여 산정한다.

    ㉢ **환원율과 할인율의 산정** : 직접환원법에서 사용할 환원율은 시장추출법으로 구하는 것을 원칙으로 한다. 다만, 시장추출법의 적용이 적절하지 않은 때에는 요소구성법, 투자결합법, 유효총수익승수에 의한 결정방법, 시장에서 발표된 환원율 등을 검토하여 조정할 수 있다. 할인현금흐름분석법에서 사용할 할인율은 투자자조사법(지분할인율), 투자결합법(종합할인율), 시장에서 발표된 할인율 등을 고려하여 대상물건의 위험이 적절히 반영되도록 결정하되 추정된 현금흐름에 맞는 할인율을 적용한다. 복귀가액 산정을 위한 최종환원율은 환원율에 장기위험프리미엄·성장률·소비자물가상승률 등을 고려하여 결정한다.

3. 임대료 감정평가의 3방식

(1) **임대사례비교법**(비준임대료)

> **감정평가에 관한 규칙 제2조**(정의)
>
> 8. "임대사례비교법"이란 대상물건과 가치형성요인이 같거나 비슷한 물건의 임대사례와 비교하여 대상물건의 현황에 맞게 사정보정, 시점수정, 가치형성요인 비교 등의 과정을 거쳐 대상물건의 임대료를 산정하는 감정평가방법을 말한다.

① **임대사례의 수집 및 선택**

임대사례비교법으로 감정평가할 때에는 임대사례를 수집하여 적정성 여부를 검토한 후 다음의
요건을 모두 갖춘 하나 또는 둘 이상의 적절한 임대사례를 선택하여야 한다.

ㄱ 임대차 등의 계약내용이 같거나 비슷한 사례

ㄴ 임대차 사정이 정상이라고 인정되는 사례나 정상적인 것으로 보정이 가능한 사례

ㄷ 기준시점으로 시점수정이 가능한 사례

ㄹ 대상물건과 위치적 유사성이나 물적 유사성이 있어 지역요인·개별요인 등 가치형성요인의
    비교가 가능한 사례

② **사정보정**

임대사례에 특수한 사정이나 개별적 동기가 반영되어 있거나 임대차 당사자가 시장에 정통하지
않은 등 수집된 임대사례의 임대료가 적절하지 못한 경우에는 사정보정을 통해 그러한 사정이
없었을 경우의 적절한 임대료 수준으로 정상화하여야 한다.

③ **시점수정**

임대사례의 임대시점과 대상물건의 기준시점이 불일치하여 임대료 수준의 변동이 있을 경우
에는 임대사례의 임대료를 기준시점의 임대료 수준으로 시점수정하여야 한다. 시점수정은 사
례물건의 임대료 변동률로 한다. 다만, 사례물건의 임대료 변동률을 구할 수 없거나 사례물건의
임대료 변동률로 시점수정하는 것이 적절하지 않은 경우에는 사례물건의 가격 변동률·임대
료지수·생산자물가지수 등을 고려하여 임대료 변동률을 구할 수 있다.

④ **가치형성요인의 비교**

임대사례와 대상물건 간에 종별·유형별 특성에 따라 지역요인이나 개별요인 등 임대료의 형
성에 영향을 미치는 여러 요인에 차이가 있는 경우에는 이를 각각 비교하여 대상물건의 임대
료를 개별화·구체화하여야 한다.

(2) **적산법**(적산임대료)

> **감정평가에 관한 규칙 제2조**(정의)
>
> 6. "적산법(積算法)"이란 대상물건의 기초가액에 기대이율을 곱하여 산정된 기대수익에 대상물건을 계속하여
>   임대하는 데에 필요한 경비를 더하여 대상물건의 임대료[(賃貸料), 사용료를 포함한다]를 산정하는 감정
>   평가방법을 말한다.

① **기초가액**

기초가액이란 적산법을 적용하여 적산임대료를 구하는 데 기초가 되는 대상물건의 원본가치를
말한다. 기초가액은 비교방식이나 원가방식으로 산정한다.

② **기대이율**

기대이율이란 임대차에 제공되는 대상물건을 취득하는 데에 투입된 자본에 대하여 기대되는
임대수익의 비율을 말한다.

③ **필요제경비**

필요제경비란 임차인이 사용·수익할 수 있도록 임대인이 대상물건을 적절하게 유지·관리하는 데에 필요한 비용을 말한다. 필요제경비에는 감가상각비, 유지관리비, 조세공과금, 손해보험료, 대손준비금, 공실손실상당액, 정상운영자금이자 등이 포함된다.

(3) **수익분석법**(수익임대료)

> **감정평가에 관한 규칙 제2조**(정의)
>
> 11. "수익분석법"이란 일반기업 경영에 의하여 산출된 총수익을 분석하여 대상물건이 일정한 기간에 산출할 것으로 기대되는 순수익에 대상물건을 계속하여 임대하는 데에 필요한 경비를 더하여 대상물건의 임대료를 산정하는 감정평가방법을 말한다.

① **순수익**

순수익은 대상물건의 총수익에서 그 수익을 발생시키는 데 드는 경비(매출원가, 판매비 및 일반관리비, 정상운전자금이자, 그 밖에 생산요소귀속 수익 등을 포함한다)를 공제하여 산정한 금액을 말한다.

② **필요제경비**

필요제경비에는 대상물건에 귀속될 감가상각비, 유지관리비, 조세공과금, 손해보험료, 대손준비금 등이 포함된다.

4. 3방식의 상호관계 및 중요성

(1) 3방식의 병용

비교방식의 경우에는 이미 거래된 거래가격은 과거의 값일 뿐만 아니라, 가격 또는 가치의 일반적인 정의인 "장래이익의 현재가치"에 대한 반영이 되지 못한다는 점에서, 원가방식은 이미 투입된 원가가 물론 공급자의 가격으로서 부동산의 가격에 영향을 미치는 것은 사실이나, 가격결정에 절대적일 수 없으며 이 또한 비교방식과 마찬가지로 이미 과거의 가격이라는 점에서 문제가 있다는 비판이 있다. 그리고 수익방식의 경우에는 장래이익의 현재가치라는 가격의 기본정의에는 부합하나, 미래의 불확실한 수익을 추정하는 문제와 이를 현재가치로 환원하는 과정에 있어 현실적으로 많은 어려움이 따르며 오류가능성 또한 다분하다는 점과 관련해 비판이 있다. 결국, 3가지 접근방식을 모두 활용하며, 병용하는 것이 타당하다.

(2) 시산가액 조정

시산가액(비준가액, 적산가액, 수익가액) 사이에 차이가 있는 경우에는 이들을 통일적이고 일관적이도록 상호 관련시켜 조화 있는 상태로 조정하는 것을 말한다.

(3) **시산가액 조정의 근거**

감정평가에 관한 규칙 제12조는 둘 이상의 감정평가방법(주방식 + 부방식)을 적용하여 산정한 시산가액을 비교하여 합리성을 검토하도록 규정하고 있다.

> **감정평가에 관한 규칙 제12조**(감정평가방법의 적용 및 시산가액 조정)
>
> ① 감정평가법인등은 제14조부터 제26조까지의 규정에서 대상물건별로 정한 감정평가방법(이하 "주된 방법"이라 한다)을 적용하여 감정평가해야 한다. 다만, 주된 방법을 적용하는 것이 곤란하거나 부적절한 경우에는 다른 감정평가방법을 적용할 수 있다.
> ② 감정평가법인등은 대상물건의 감정평가액을 결정하기 위하여 제1항에 따라 어느 하나의 감정평가방법을 적용하여 산정(算定)한 가액[이하 "시산가액(試算價額)"이라 한다]을 제11조 각 호의 감정평가방식 중 다른 감정평가방식에 속하는 하나 이상의 감정평가방법(이 경우 공시지가기준법과 그 밖의 비교방식에 속한 감정평가방법은 서로 다른 감정평가방식에 속한 것으로 본다)으로 산출한 시산가액과 비교하여 합리성을 검토해야 한다. 다만, 대상물건의 특성 등으로 인하여 다른 감정평가방법을 적용하는 것이 곤란하거나 불필요한 경우에는 그렇지 않다.
> ③ 감정평가법인등은 제2항에 따른 검토 결과 제1항에 따라 산출한 시산가액의 합리성이 없다고 판단되는 경우에는 주된 방법 및 다른 감정평가방법으로 산출한 시산가액을 조정하여 감정평가액을 결정할 수 있다.

02 감정평가 3방식과 최유효이용의 개념

1. 최유효이용의 개념 등

(1) 최유효이용의 개념

객관적으로 보아 양식과 통상의 이용능력을 가진 사람이 대상토지를 합리적이고, 합법적인 최고최선의 방법으로 이용하는 것으로 부동산의 유용성이 최고도로 발휘되는 사용방법을 말한다.

(2) 시장가치의 개념

"시장가치"란 감정평가의 대상이 되는 토지 등(이하 "대상물건"이라 한다)이 통상적인 시장에서 충분한 기간 동안 거래를 위하여 공개된 후 그 대상물건의 내용에 정통한 당사자 사이에 신중하고 자발적인 거래가 있을 경우 성립될 가능성이 가장 높다고 인정되는 대상물건의 가액(價額)을 말한다.

(3) 최유효이용하에서 형성되는 시장가치의 평가

시장가치의 형성은 최유효이용하에서 성립하므로, 시장가치의 평가를 위한 자료의 수집 및 활용에 있어서 최유효이용의 가정을 검토해야 한다.

2. 감정평가 3방식과 최유효이용의 관계

시장가치를 평가함에 있어서는 객관적인 가치의 판단인바, 최유효이용의 원칙하에서 감정평가해야할 것이다. 그리고 3방식을 적용함에 있어 최유효이용의 원칙에 근거하여 자료를 수집 및 적용하고 평가방식을 적용해야 할 것이다.

제3절 화폐의 시간가치(TVM · Time Value of Money)

계산기 기본세팅(계산기 기종 : CASIO 9860 Series) ▶ ▶ ▶ 

세팅영상

1. 기본 키 설명

(1) Function 키 : 메뉴의 선택이나 저장된 기능을 활용하게 된다.

(2) Shift 키 : 각 키들의 왼쪽상단의 노란 기능을 활용할 수 있게 활성화시킨다.

(3) Alpha 키 : 각 키들의 오른쪽 상단의 빨간 기능을 활용할 수 있게 활성화시킨다.

(4) Menu 키 : 메뉴로 돌아갈 수 있게 한다(Set up과 함께 사용할 수 있다).

(5) Exit 키 : 기능을 종료하는 기능이다.

(6) 괄호 "(″, ″)" 기능 : 사칙연산에서의 괄호 역할을 한다.

(7) DEL 키 : 숫자를 지우는 역할을 한다(Ins 키와 함께 사용하면 숫자 등을 삽입할 수 있는 기능이 있다).

(8) AC/on 키 : 화면을 클리어하거나 계산기를 키는 역할을 한다(OFF와 함께 사용할 수 있다).

(9) → 키 : 저장기능이다.

2. 초기 Setting

(1) 초기 Setting - Run 모드

① shift + set-up을 누른다.

㉠ Input mode : Linear를 추천(Math 모드도 가능하다.)

㉡ Mode : Comp

㉢ Angle : Deg

㉣ Display : Fix 5(지가변동률의 표시와 일치시키기 위함이다.)

② 사칙연산

(2) 초기 Setting - Contrast : Color와 Contrast를 알맞게 조절한다.

3. 기타 기능별 설명

각 파트의 세부내용을 참조하기 바란다.

---

01 화폐의 시간가치 관련 수식

1. 일시불의 내가계수(복리종가율, FVF · Future Value of lump sum Factor)

할인율이 r일 때, 현재 P인 금액의 n년(기간) 말 미래가치 F는 얼마인가를 평가하는 계수로 일시불의 현가계수의 역수이다.

$$\text{일시불의 내가계수}(R_1) = (1 + r)^n$$

기 본예제

할인율이 연 8%일 때 현재의 1,000원은 5년 후 얼마인가?

예시답안

$1,000 \times 1.08^5 ≒ 1,469$원

2. 일시불의 현가계수(복리현가율, PVF · Present Value of lump sum Factor)

할인율이 r일 때, n년(기간) 말 미래가치가 F인 금액의 현재가치 P는 얼마인가를 평가하는 계수로 일시불의 내가계수의 역수이다.

$$\text{일시불의 현가계수}(R_2) = \frac{1}{(1 + r)^n}$$

기 본예제

당신은 지금부터 10년 후 500만원의 보험금을 받기로 예정되어 있다. 이 보험금을 지금 즉시 받는다면 얼마이겠는가? 또한 현재의 10,000원은 5년 전 얼마와 같은가? (다만, 시장에서의 일반적인 할인율은 연 11%이다.)

예시답안

1. $5,000,000 \times \dfrac{1}{1.11^{10}} ≒ 1,760,922$원

2. $10,000 \times \dfrac{1}{1.11^5} ≒ 5,935$원

3. 연금[23]의 내가계수(복리연금종가율, FVAF · Future Value of Annuity Factor)

할인율이 r일 때, 매년(기간) 말 일정액의 연금 a를 n년(기간) 동안 불입 시 n년(기간) 말의 적립누계금액 F는 얼마인가를 평가하는 계수로, 일시불의 내가계수를 누적한 수치이다.

$$연금의\ 내가계수[24](R_3) = \frac{(1+r)^n - 1}{r}$$

기 본예제

당신이 소유한 부동산으로부터 매년 말 2,000,000원의 임대소득을 올리고 있다. 이를 매년 저축할 경우 7년 후 총 예금액은 얼마인가? 또한 매년 초에 2,000,000원의 임대소득을 저축할 경우 7년 후 총 예금액은 얼마인가? (단, 시장이자율은 10%이다.) 반올림하여 천원 단위까지 결정한다.

예시답안

1. $2,000,000 \times \dfrac{1.1^7 - 1}{0.1} \fallingdotseq 18,974,000원$

2. $2,000,000 \times 1.1 \times \dfrac{1.1^7 - 1}{0.1} \fallingdotseq 20,872,000원$

4. 연금의 현가계수(복리연금현가율, PVAF · Present Value of Annuity Factor)

할인율이 r일 때, 매년(기간) 말 연금 a를 n년(기간) 동안 불입 시 현재가치 P가 얼마인지를 평가하는 계수로, 일시불의 현재가치를 누계한 수치이다(연금의 내가계수 × 일시불의 현가계수).

$$연금의\ 현가계수[25](R_4) = \frac{(1+r)^n - 1}{r \times (1+r)^n} = \cfrac{1}{r + \cfrac{r}{(1+r)^n - 1}} = \frac{(1+r)^n - 1}{r} \times \frac{1}{(1+r)^n}$$

---

23) 연금(Annuity)이란 일반적으로 기간 말에 반복적으로 발생하는 경우를 의미한다.

24) 매기간 초 불입 시 연금의 내가계수$(R_3') \rightarrow$ n기간의 연금의 내가계수$\times (1+r)$

$$= \frac{(1+r)^n - 1}{r} \times (1+r) = \frac{(1+r)^{n+1} - (1+r)}{r} = \frac{(1+r)^{n+1} - 1 - r}{r} \quad \therefore \ \frac{(1+r)^{n+1} - 1}{r} - 1$$

25) 매기간 초 불입 시 연금의 현가계수$(R_4') \rightarrow$ n기간의 연금의 현가계수$\times (1+r)$

$$\therefore \ \frac{(1+r)^n - 1}{r \times (1+r)^n} \times (1+r) = \frac{(1+r)^n - 1}{r \times (1+r)^{n-1}}$$

기 본예제

당신은 C회사에 근무하는 중견사원으로 매년 연말에 향후 5년 동안 성과급으로 8,000,000원씩 받기로 계약을 하였다. 향후 5년간 성과급의 현재가치는 얼마인가? 또한 만약 매년 연초에 미리 받기로 하였다면 5년간 성과급의 현재가치는 얼마인가? (단, 시장이자율은 10%이다.) 반올림하여 천원 단위까지 결정한다.

예시답안

1. $8,000,000 \times \dfrac{1.1^5 - 1}{0.1 \times 1.1^5} \fallingdotseq 30,326,000$원

2. $8,000,000 \times 1.1 \times \dfrac{1.1^5 - 1}{0.1 \times 1.1^5} \fallingdotseq 33,359,000$원

5. 감채기금계수(상환기금률, SFF · Sinking Fund Factor)

할인율이 r일 때, n년(기간) 말 적립누계금액 F를 적립하기 위해 n년(기간) 동안 매기간 말에 불입해야 하는 일정액의 연금 a를 평가하는 계수로, 연금의 내가계수의 역수이다.

$$감채기금계수^{26)}(R_5) = \frac{r}{(1 + r)^n - 1}$$

기 본예제

당신은 10년 후 세계여행을 하기로 가족과 약속을 했다. 10년 후 세계여행을 가기 위해서는 10년 동안 매년 말 일정액씩 저축하여 10,000,000원을 저축하여야 하는데, 매년 말 저축하여야 할 일정액은 얼마인가? 또한 기초에 저축한다면 얼마인가? (단, 시장이자율은 8%이다.) 반올림하여 천원 단위까지 결정한다.

예시답안

1. $10,000,000 \times \dfrac{0.08}{1.08^{10} - 1} \fallingdotseq 690,000$원

2. $10,000,000 \times \dfrac{1}{1.08} \times \dfrac{0.08}{1.08^{10} - 1} \fallingdotseq 639,000$원

---

26) 매기간 초 불입 시 감채기금계수(R_5') → n기간의 감채기금계수 $\times \dfrac{1}{1+r}$

$\therefore \dfrac{r}{(1+r)^n - 1} \times \dfrac{1}{1+r} \fallingdotseq \dfrac{r}{(1+r)^{n+1} - 1 - r}$

6. 저당상수(연부상환율, MC · Mortgage Constant)

할인율이 r일 때, 현재 P인 금액을 n기간 동안 원리균등하게 상환할 경우 매년(기간) 말 불입해야 하는 일정액의 연금 a를 평가하는 계수로, 연금의 현가계수의 역수이다.

$$\text{저당상수}^{27)}(R_6) = \frac{r \times (1 + r)^n}{(1 + r)^n - 1}$$

$$MC = r + SFF$$

기 본예제

당신은 새 아파트를 구입하기 위해 아파트가격의 40%를 HK은행에서 대출받기로 약정하였다. 다음 조건으로 대출을 받아 매년 갚아야 할 원금과 이자의 합계액은 얼마인가? 반올림하여 천원 단위까지 결정한다.

자료 ▶ 조건

1. 아파트가격 3억원
2. 대출약정(이자율 9%, 20년간 매년 말 원금이자 균등상환조건)

예시답안

$$300,000,000 \times 0.4 \times \frac{0.09 \times 1.09^{20}}{1.09^{20} - 1} \fallingdotseq 13,146,000원$$

7. 영구적인 현금의 현가계수

연금이 무한히 지급되는 경우 그 무한히 계속적으로 발생하는 연금의 현재가치의 합을 구하는 계수가 영구연금의 현가계수이다.

$$\text{영구연금의 현가계수}(R_7) = a \times \frac{1}{r} = \frac{a}{r}$$

8. 정률성장연금의 현가계수

영구연금에 있어서도 미래 각 시점의 현금흐름이 시작기간(년) a에서 g%씩 무한히 정률적으로 성장하는 경우가 있는데 이를 정률성장영구연금(Constant Growth Annuity)이라 하고 정률성장영구연금의 현재가치 합을 구하는 계수를 정률성장영구연금의 현가계수라 한다.

---

27) 매기간 초 불입 시 저당상수(R_6') → n기간의 저당상수 $\times \dfrac{1}{(1+r)}$

$\therefore \dfrac{r \times (1+r)^n}{(1+r)^n - 1} \times \dfrac{1}{(1+r)}$

$$\text{정률성장영구연금의 현가계수(R}_7\text{)} = a \times \frac{1}{r-g} = \frac{a}{r-g}$$

9. 기간이 연 2회 이상 되는 경우 화폐가치계수

연간 m회 복리로 발생하는 미래가치나 현재가치의 경우 1회 이자율은 $\frac{r}{m}$이 되고 이자의 지급기간, 즉 총기간은 $n \times m$이 된다. 이를 화폐가치계수에 적용하면 다음과 같이 적용하여야 한다. 물론 이것은 연금의 내가계수, 연금의 현가계수, 감채기금계수 및 저당상수 등에 있어서도 마찬가지로 적용된다.

① 일시불의 내가계수 $= a \times (1 + r/m)^{n \times m}$

② 일시불의 현가계수 $= \dfrac{a}{(1 + r/m)^{n \times m}}$

기 본예제

당신은 현재 1억원을 저축하면 연간 10% 이자율로 연간 1회 지급하는 금융상품, 연간 9% 이자율로 연간 2회 지급하는 금융상품, 연간 8% 이자율로 연간 4회 지급하는 금융상품, 연간 7% 이자율로 연간 12회 지급하는 금융상품 중 어느 것이 좋은지 고민 중이다. 각각의 경우에 있어 5년 후 미래가치 합을 구하고 어느 금융상품을 선택하는 것이 타당한지 설명하시오. 반올림하여 천원 단위까지 결정한다.

예시답안

1. 연 10%, 연 1회 지급
$100,000,000 \times (1 + 0.1)^5 ≒ 161,051,000$원

2. 연 9%, 연 2회 지급
$100,000,000 \times (1 + 0.09/2)^{5 \times 2} ≒ 155,297,000$원

3. 연 8%, 연 4회 지급
$100,000,000 \times (1 + 0.08/4)^{5 \times 4} ≒ 148,595,000$원

4. 연 7%, 연 12회 지급
$100,000,000 \times (1 + 0.07/12)^{5 \times 12} ≒ 141,763,000$원

따라서 연 10%로 연 1회씩 지급하는 금융상품을 선택하는 것이 타당하다.

02 원리금 균등상환구조에 대한 이해

1. 원리금 균등상환구조

자금의 원금과 이자를 융자기간 동안 매 기간 같은 금액으로 나누어 갚아가는 방식이다. 이자는 변동이자율 혹은 고정이자율을 선택할 수 있다. 초기에는 원금이 많이 남아 있으므로 이자를 많이 지급해야 하나 상환할수록 대출원금이 줄어들게 되므로 이자도 점차 줄어든다. 따라서 후기로 갈수록 이자부담은 적어지나 원금상환 비중은 커지는 결과가 된다. 한국주택금융공사에서 시행하는 모기지론의 상환방식도 이 방식을 채택하고 있다. 주택구입 시 장기 저리로 대출받는 경우 대개 이 방식이 많이 쓰인다. 고정이자율은 대출 시 약정한 이자율을 상환만기까지 유지하는 방식이고 변동이자율은 금리변동에 따라 이자율을 조정하는 방식이다. 고정이자율을 택한 경우 상환기간 중에 이자율이 하락하면 차입자는 조기에 상환하고 새로 융자받으려 할 것이므로, 대출기관은 이러한 위험을 방지하기 위해 보통 조기상환 시의 벌금(Prepayment Penalty)조항을 계약서에 명시한다.

> **기 본예제**
>
> 융자금액이 1억원, 융자기간이 20년일 때 매년의 원리금 분할상환금액은 얼마인가? (단, 이자율은 연 12%이다.) 반올림하여 천원 단위까지 결정한다.
>
> **예시답안**
>
> $$100,000,000 \times \frac{0.12 \times 1.12^{20}}{1.12^{20} - 1} = 13,388,000원$$

2. 상환비율과 잔금비율

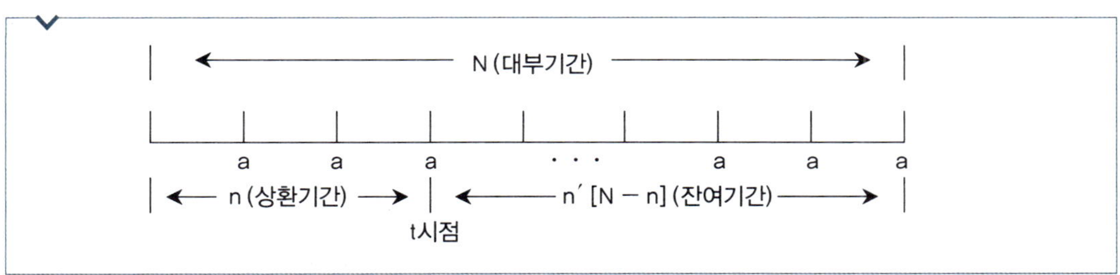

(1) 상환비율

상환비율이란 원리금 균등상환조건에서 일정시점에서의 저당대부금액에 대한 원금의 상환비율을 의미한다.

$$상환비율 = \frac{(1 + r)^n - 1}{(1 + r)^N - 1} = \frac{MC_{(r,\ N)} - r}{MC_{(r,\ n)} - r}$$

(2) **잔금비율**

잔금비율이란 일정시점에서 저당대부금액에 대한 저당잔금의 비율을 의미한다.

$$\text{잔금비율} = 1 - \frac{(1+r)^n - 1}{(1+r)^N - 1}$$

기 본예제

당신은 10년 전 명목상 2억원이었던 부동산을 현금으로 30%를 지급하고 나머지는 25년 매년 원리금 균등상환조건의 저당대출로 매입하여 현재 보유 중에 있다. 현재까지 갚은 상환금액과 앞으로 갚아야 할 저당잔금을 구하시오(다만, 저당이자율은 10%이다). 반올림하여 천원 단위까지 결정한다.

예시답안

1. **상환금액**

$$200,000,000 \times (1 - 0.3) \times \frac{(1+0.1)^{10} - 1}{(1+0.1)^{25} - 1} \fallingdotseq 22,687,000원$$

2. **저당잔금**

$$200,000,000 \times (1 - 0.3) \times \left\{ 1 - \frac{(1+0.1)^{10} - 1}{(1+0.1)^{25} - 1} \right\} \fallingdotseq 117,313,000원$$

03 화폐의 시간가치 관련 이슈

1. 할인율에 대한 결정

할인율은 할인하고자 하는 현금흐름의 위험과 직접적인 연관이 있다. 할인하고자 하는 현금흐름의 위험(변동성)이 크다면 높은 할인율로, 반대로 할인하고자 하는 현금흐름의 위험(변동성)이 작다면 낮은 할인율로 할인하는 것이 타당하다.

2. 인플레이션 문제

인플레이션이란 일반적으로 물가가 지속적으로 상승하거나 화폐가치가 지속적으로 하락하는 현상을 의미한다. 감정평가 시 미래의 현금흐름은 모두 인플레이션을 반영한 현금흐름으로 계산된다(명목 현금흐름). 따라서 미래의 현금흐름을 다시 실질현금흐름으로 수정하지 않아도 되며, 할인율 역시 명목할인율을 사용하면 된다.

3. 단리 및 복리

단리란 이자를 계산할 때 원금에 대해서만 일정한 시기에 약정한 이자율을 적용하여 계산하는 금리 계산방법이고, 복리란 일정기간의 기말마다 이자를 원금에 더한 합계액을 다음 기간의 원금으로 하여 이자를 계산하는 방법이다.

04 화폐의 시간가치 연습

기 본예제

01 다음 물음에 답하시오(단, 시장이자율은 10%이며, 기준시점은 현재이다). 반올림하여 천원 단위까지 결정한다.

1-1. 기준시점 현재부터 매년 말에 1,000,000원씩 10년간 적립할 경우 10년 후 적립총액은 얼마인가?

1-2. 10년 후에 100,000,000원의 적금을 타기 위해서는 매년 말 얼마를 저축하여야 하는가?

1-3. 은행으로부터 100,000,000원의 대부를 받고 10년간 원금과 이자를 균등상환할 경우 매년 말에 상환해야 할 금액은 얼마인가?

1-4. 매년 초 1,000,000원씩 10년간 저축할 경우 10년 후 저축총액은 얼마인가?

1-5. 10년 후 100,000,000원을 모으기 위해서 매년 초에 저축해야 할 금액은 얼마인가?

1-6. 은행에서 100,000,000원의 대부를 받고 10년간 원금과 이자를 균등상환할 경우 매년 초에 상환해야 할 금액은 얼마인가?

예시답안

1. $1,000,000 \times \dfrac{1.1^{10}-1}{0.1} \fallingdotseq 15,937,000$원

2. $100,000,000 \times \dfrac{0.1}{1.1^{10}-1} \fallingdotseq 6,275,000$원

3. $100,000,000 \times \dfrac{0.1 \times 1.1^{10}}{1.1^{10}-1} \fallingdotseq 16,275,000$원

4. $1,000,000 \times 1.1 \times \dfrac{1.1^{10}-1}{0.1} \fallingdotseq 17,531,000$원

5. $100,000,000 \times \dfrac{1}{1.1} \times \dfrac{0.1}{1.1^{10}-1} \fallingdotseq 5,704,000$원

6. $100,000,000 \times \dfrac{1}{1.1} \times \dfrac{0.1 \times 1.1^{10}}{1.1^{10}-1} \fallingdotseq 14,795,000$원

풀이영상

02 A부동산에 대한 매수인인 B 씨는 아래와 같이 매입자금을 납부할 계획이다. 매매대금 납부에 대한 현금등가를 산정하시오(할인율 : 5.0%). 반올림하여 천원 단위까지 결정한다.

- 매매대금 : 1,000,000,000원
- 현금지급액 : 200,000,000원(계약시점 즉시 지급한다.)
- 차입금액 800,000,000원은 이자율 4.0%로 차입하며 만기는 10년이다. 상환방법은 연원리금 균등상환조건이며, B 씨는 차입 5년 후에 잔금을 일시에 상환할 예정이다.

풀이영상

예시답안

1. 현금지급액 : 200,000,000

2. 원리금에 대한 현재가치 : $800,000,000 \times \dfrac{0.04 \times 1.04^{10}}{1.04^{10}-1} \times \dfrac{1.05^5-1}{0.05 \times 1.05^5} \fallingdotseq 427,028,000$원

3. 상환금액에 대한 현재가치 : $800,000,000 \times (1-\dfrac{1.04^5-1}{1.04^{10}-1}) \times \dfrac{1}{1.05^5} \fallingdotseq 344,043,000$원

4. 현금등가 : 971,071,000원

03 건축주 A 씨는 시공업자 B 씨에게 건물을 신축하면서 아래와 같은 도급계약을 체결하였다. 해당 도급계약금액을 아래의 일정에 따라 지급한다고 가정할 때 지급하는 비용에 대한 현재가치를 평가하시오(단, 미지급 도급비용에 대한 이자는 고려하지 않도록 한다). 반올림하여 천원 단위까지 결정한다.

- 총 도급공사금액 : 3,000,000,000원
- 계약시점 지급금액 : 총 공사비의 10%
- 계약금 지급 이후 4개월에 한번씩 도급금액의 20%씩 총 3회 납부하며, 최종 잔금은 계약시점 1년 후에 나머지 금액을 지급하도록 한다.
- 할인율은 월 0.4%를 적용한다.

예시답안

현금흐름의 현가

$$300,000,000 + \frac{600,000,000}{1.004^4} + \frac{600,000,000}{1.004^8} + \frac{600,000,000+900,000,000}{1.004^{12}} \fallingdotseq 2,901,474,000$$원

04 柳 씨는 다음과 같은 현금수지를 보이고 있는 상업용 부동산을 매수하고자 한다. 만약 요구수익률이 12%라면, 당신이 대상 부동산에 부여하는 투자가치는 얼마인가? (6년 후 대상 부동산의 잔재가치는 "0"이라고 가정한다.) 반올림하여 천원 단위까지 결정한다.

자료 **현금수지**

- 1차년도 : 2,500만원
- 3차년도 : 4,000만원
- 5차년도 : 6,300만원
- 2차년도 : 3,200만원
- 4차년도 : 5,000만원
- 6차년도 : 3,000만원

예시답안

$$\frac{2,500}{1.12} + \frac{3,200}{1.12^2} + \frac{4,000}{1.12^3} + \frac{5,000}{1.12^4} + \frac{6,300}{1.12^5} + \frac{3,000}{1.12^6} \fallingdotseq 15,903$$만원

05 A 씨는 15억원 상당의 부동산을 매입하면서 10억의 대출을 받았다. 이자율은 연 3.6%(월 0.3%)이며 만기는 10년이고 월원리금균등상환조건으로 받았다. 한편, 2년 후 4억의 현금유동성이 생겨 이를 대출금 상환에 사용하는 것으로 예상하고 있다. 반올림하여 천원 단위까지 결정한다.

5-1. 1~2년 사이에 납부해야 할 월간 원리금 상환액은 얼마인가?

5-2. 2년 후 남은 잔금은 얼마인가?

5-3. 2~10년 사이 납부해야 할 월간 원리금 상환액은 얼마인가?

5-4. 총 납부해야 할 원리금의 총액은 얼마인가?

풀이영상

예시답안

1. $1,000,000,000 \times \dfrac{0.003 \times 1.003^{120}}{1.003^{120} - 1} \fallingdotseq 9,935,000원$

2. $1,000,000,000 \times \left[1 - \dfrac{1.003^{24} - 1}{1.003^{120} - 1} \right] \fallingdotseq 827,677,000원$

3. $(827,677,000 - 400,000,000) \times \dfrac{0.003 \times 1.003^{96}}{1.003^{96} - 1} \fallingdotseq 5,134,000원$

4. $9,935,000 \times 24개월 + 400,000,000 + 5,134,000 \times 96개월 = 1,131,304,000원$

부동산 감정평가의 3방식

Chapter 01

토지 및 건물의 감정평가(비교방식, 원가방식)

제1절 토지의 감정평가(공시지가기준법)

01 토지의 감정평가

1. 감정평가 및 감정평가사에 관한 법률 제3조

> **감정평가 및 감정평가사에 관한 법률 제3조**(기준)
>
> ① 감정평가법인등이 토지를 감정평가하는 경우에는 그 토지와 이용가치가 비슷하다고 인정되는 「부동산 가격 공시에 관한 법률」에 따른 표준지공시지가를 기준으로 하여야 한다. 다만, 적정한 실거래가[1]가 있는 경우에는 이를 기준으로 할 수 있다.
>
> ② 제1항에도 불구하고 감정평가법인등이 「주식회사 등의 외부감사에 관한 법률」에 따른 재무제표 작성 등 기업의 재무제표 작성에 필요한 감정평가와 담보권의 설정·경매 등 대통령령으로 정하는 감정평가를 할 때에는 해당 토지의 임대료, 조성비용 등을 고려하여 감정평가를 할 수 있다.[2]
>
> ③ 감정평가의 공정성과 합리성을 보장하기 위하여 감정평가법인등(소속 감정평가사를 포함한다. 이하 이 조에서 같다)이 준수하여야 할 원칙과 기준은 국토교통부령으로 정한다.
>
> ④ 국토교통부장관은 감정평가법인등이 감정평가를 할 때 필요한 세부적인 기준(이하 "실무기준"이라 한다)의 제정 등에 관한 업무를 수행하기 위하여 대통령령으로 정하는 바에 따라 전문성을 갖춘 민간법인 또는 단체(이하 "기준제정기관"이라 한다)를 지정할 수 있다.
>
> ⑤ 국토교통부장관은 필요하다고 인정되는 경우 제40조에 따른 감정평가관리·징계위원회의 심의를 거쳐 기준제정기관에 실무기준의 내용을 변경하도록 요구할 수 있다. 이 경우 기준제정기관은 정당한 사유가 없으면 이에 따라야 한다.
>
> ⑥ 국가는 기준제정기관의 설립 및 운영에 필요한 비용의 일부 또는 전부를 지원할 수 있다.

---

1) 감정평가에 관한 규칙 제2조(정의) 제12의2호
  "적정한 실거래가"란 「부동산 거래신고 등에 관한 법률」에 따라 신고된 실제 거래가격(이하 "거래가격"이라 한다)으로서 거래시점이 도시지역(「국토의 계획 및 이용에 관한 법률」 제36조 제1항 제1호에 따른 도시지역을 말한다)은 3년 이내, 그 밖의 지역은 5년 이내인 거래가격 중에서 감정평가법인등이 인근지역의 지가수준 등을 고려하여 감정평가의 기준으로 적용하기에 적정하다고 판단하는 거래가격을 말한다.

2) 적정한 감정평가액의 산정을 위해 다양한 감정평가방법의 적용을 통하여 적극적인 시산가액의 조정을 권장하고 있는 「감정평가에 관한 규칙」 및 「실무기준」의 취지 등을 종합적으로 고려해 본다면, 「감정평가법」 제3조 제2항 단서규정에 해당하지 않는 토지의 감정평가의 경우에도 공시지가기준법에 의한 감정평가가 크게 부적정할 경우 공시지가기준법 외의 감정평가방법을 적용하는 것이 가능할 것이다.

2. 감정평가에 관한 규칙 제14조

> **감정평가에 관한 규칙 제14조**(토지의 감정평가)
>
> ① 감정평가법인등은 법 제3조 제1항 본문에 따라 토지를 감정평가할 때에는 공시지가기준법을 적용해야 한다.
> ② 감정평가법인등은 공시지가기준법에 따라 토지를 감정평가할 때에 다음 각 호의 순서에 따라야 한다.
>   1. 비교표준지 선정: 인근지역에 있는 표준지 중에서 대상토지와 용도지역·이용상황·주변환경 등이 같거나 비슷한 표준지를 선정할 것. 다만, 인근지역에 적절한 표준지가 없는 경우에는 인근지역과 유사한 지역적 특성을 갖는 동일수급권 안의 유사지역에 있는 표준지를 선정할 수 있다.
>   2. 시점수정: 「부동산 거래신고 등에 관한 법률」 제19조에 따라 국토교통부장관이 조사·발표하는 비교표준지가 있는 시·군·구의 같은 용도지역 지가변동률을 적용할 것. 다만, 다음 각 목의 경우에는 그러하지 아니하다.
>   가. 같은 용도지역의 지가변동률을 적용하는 것이 불가능하거나 적절하지 아니하다고 판단되는 경우에는 공법상 제한이 같거나 비슷한 용도지역의 지가변동률, 이용상황별 지가변동률 또는 해당 시·군·구의 평균지가변동률을 적용할 것
>   나. 지가변동률을 적용하는 것이 불가능하거나 적절하지 아니한 경우에는 「한국은행법」 제86조에 따라 한국은행이 조사·발표하는 생산자물가지수에 따라 산정된 생산자물가상승률을 적용할 것
>   3. 지역요인 비교
>   4. 개별요인 비교
>   5. 그 밖의 요인 보정: 대상토지의 인근지역 또는 동일수급권 내 유사지역의 가치형성요인이 유사한 정상적인 거래사례 또는 평가사례 등을 고려할 것
> ③ 감정평가법인등은 법 제3조 제1항 단서에 따라 적정한 실거래가를 기준으로 토지를 감정평가할 때에는 거래사례비교법을 적용해야 한다.
> ④ 감정평가법인등은 법 제3조 제2항에 따라 토지를 감정평가할 때에는 제1항부터 제3항까지의 규정을 적용하되, 해당 토지의 임대료, 조성비용 등을 고려하여 감정평가할 수 있다.

3. 감정평가실무기준

> **감정평가실무기준 1.5 토지의 감정평가방법**
>
> **1.5.1 감정평가방법**
> ① 법 제3조 제1항 본문에 따라 토지를 감정평가할 때에는 공시지가기준법을 적용하여야 한다.
> ② 법 제3조 제1항 단서에 따라 적정한 실거래가를 기준으로 감정평가할 때에는 거래사례비교법을 적용하여야 한다.
> ③ 법 제3조 제2항에 따라 다음 각 호의 어느 하나에 해당하는 경우에는 제1항 및 제2항을 적용하되, 해당 토지의 임대료, 조성비용 등을 고려하여 감정평가할 수 있다.
>   1. 「주식회사 등의 외부감사에 관한 법률」에 따른 재무제표 작성에 필요한 토지의 감정평가
>   2. 「자산재평가법」에 따른 토지의 감정평가
>   3. 법원에 계속 중인 소송(보상과 관련된 감정평가를 제외한다)이나 경매를 위한 토지의 감정평가
>   4. 담보권의 설정 등을 위한 금융기관·보험회사·신탁회사 등 타인의 의뢰에 따른 토지의 감정평가

02 표준지공시지가의 개요

1. 표준지공시지가 가격의 성격

적정가격기준	"해당 토지에 대하여 통상적인 시장에서 정상적인 거래가 이루어지는 경우 성립될 가능성이 가장 높다고 인정되는 가격(적정가격)"으로 결정하되, 시장에서 형성되는 가격자료를 충분히 조사하여 표준지의 객관적인 시장가치이다.
실제용도기준	공부상의 지목에 불구하고 공시기준일 현재의 이용상황을 기준으로 평가하되, 일시적인 이용상황은 반영되어 있지 않다.
나지상정기준	토지에 건물 기타의 정착물이 있거나 지상권 등 토지의 사용·수익을 제한하는 사법상의 권리가 설정되어 있는 경우에는 그 정착물 등이 없는 토지의 나지 상태를 기준한다.
공법상 제한상태 반영	일반적 계획제한사항뿐만 아니라 개별적인 계획제한사항이 있는 경우에도 공법상 제한을 받는 상태가 반영되어 있다.
개발이익 반영	개발이익은 반영하여 평가되어 있다. 다만, 공시기준일 현재 현실화·구체화되지 아니하였다고 인정되는 경우는 그러하지 아니한다.
일단지기준	용도상 불가분 관계에 있는 토지는 일단지를 기준으로 평가되어 있다.

2. 표준지공시지가의 열람

일련번호	소재지 지번	지목	지리적 위치	이용상황	용도지역
40○○○○- 2○○○○	K면 M리 122-10	대	D마을 내	단독주택	보전관리

주위환경	도로교통 등	형상 및 지세	공시지가 (원/m²)	용도지구	기타제한	계획시설 (저촉률)
농촌취락지대	세로(가)	부정형 완경사	66,000	수변경관지구	군사보호구역	도로 (20)

03 공시지가기준법

1. 산식(비교사항)

$$\text{표준지공시지가(원/m}^2) \times \text{시점수정} \times \text{지역요인비교} \times \text{개별요인비교} \times \text{그 밖의 요인비교}$$
$$\fallingdotseq \text{시산가액(원/m}^2)$$

2. 적용공시지가의 선택

적용공시지가란 표준지공시지가 중에서 대상토지의 감정평가를 위하여 비교의 기준으로 선택된 연도별 공시지가를 의미한다.

적용공시지가는 기준시점에 공시되어 있는 표준지공시지가 중에서 기준시점에 가장 가까운 시점의 것을 선택한다. 다만, 감정평가시점이 공시지가 공고일 이후이고 기준시점이 공시기준일과 공시지가 공고일 사이인 경우에는 기준시점 해당 연도의 공시지가를 기준으로 한다.

일반적으로 기준시점과 감정평가시점은 근접해 있으며, 표준지공시지가의 공고일은 통상적으로 매년 1월~2월이다. 만약, 기준시점과 감정평가시점이 해당 연도 초일부터 공시지가 공고일 사이에 있을 경우에는 원칙에 따라 기준시점에 공시되어 있는 표준지공시지가 중에서 기준시점에 가장 가까운 시점의 공시지가는 전년도 공시지가가 된다. 그러나 기준시점은 해당 연도 초일부터 공고일 사이에 있더라도 감정평가시점이 해당 연도 공시지가 공고일 이후인 경우에는 해당 연도의 공시지가를 감정평가에 적용할 수 있게 되므로, 가장 최근에 공시된 공시지가를 적용하도록 하기 위한 것이다.

3. 비교표준지의 선정기준 [3]

비교표준지 선정의 일반적인 기준은 "대상토지와 유사한 이용가치", 즉 가치형성요인의 유사성에 중점을 둔다. 비교표준지는 아래의 선정기준을 충족하는 표준지 중에서 대상토지의 가치형성요인 등이 유사하여 감정평가에 가장 적합한 표준지공시지가 하나 또는 둘 이상을 선정함을 원칙으로 한다. 아래와 같은 선정기준은 토지의 가치에 영향을 미치는 정도에 따른 것이므로 내용의 순서에 따라 선정한다. 즉, 용도지역 등 공법상 제한사항이 같거나 비슷한 표준지를 선정하되, 이러한 표준지가 여러 개 있을 경우에는 그중에서 이용상황이 가장 유사한 표준지를 선정하고, 이러한 두 가지 요건을 충족하는 표준지가 여러 개인 경우에는 그중에서 다시 주변환경 등이 가장 유사한 표준지를 선정하며, 이러한 세 가지 요인을 충족하는 표준지가 여러 개 있는 경우에는 지리적 근접성이 가장 우수한 표준지를 선정한다.

⑴ 「국토의 계획 및 이용에 관한 법률」상의 용도지역 · 지구 · 구역 등(이하 "용도지역 등"이라 한다) 공법상 제한사항이 같거나 비슷할 것

비교표준지는 원칙적으로 용도지역 등 공법상 제한사항이 같거나 비슷한 것을 선정한다. 이는 용도지역 등의 공법상 제한이 토지가격에 가장 큰 영향을 미치기 때문이다. 대법원은 "해당 토지와 같은 용도지역의 표준지가 있으면 다른 특별한 사정이 없는 한 용도지역이 같은 토지를 해당 토지에 적용할 표준지로 선정함이 상당하고, 가사 그 표준지와 해당 토지의 이용상황이나 주변환경 등에 다소 상이한 점이 있다 하더라도 이러한 점은 지역요인이나 개별요인의 분석 등 품등비교에서 참작하면 된다."라고 판결하고 있다(대판 2000.12.8, 99두9957).

---

3) 감정평가에 관한 규칙 제14조

(2) 실제이용상황이 같거나 비슷할 것

토지가치의 형성에 용도지역 등 다음으로 영향을 미치는 것이 이용상황이므로, 이용상황이 같거나 비슷한 표준지를 선정한다. 이용상황은 공부상의 지목이 아니라 현실적인 이용상황을 기준으로 판단한다. 대법원은 "해당 토지와 유사한 이용가치를 지닌다고 인정되는 표준지라 함은 공부상 지목과는 관계없이 현실적 이용상황이 같거나 유사한 표준지를 의미한다."라고 하여 공부상 지목이 아닌 현실이용상황 기준을 제시하고 있다(대판 1993.5.25, 92누15215).

(3) 주변환경 등이 같거나 비슷할 것

토지의 감정평가에서 주변환경 등과 같은 요인의 격차율을 산정하는 것이 대단히 어렵다. 따라서 감정평가의 정확도를 높이기 위해서는 주변환경 등의 비교가 필요하지 않은 표준지를 우선적으로 선정한다.

(4) 인근지역에 위치하여 지리적으로 가능한 한 가까이 있을 것

인근지역은 대상토지가 속하는 지역으로 주거 · 상업 · 공업 등 어떤 특정의 용도에 제공되는 것을 중심으로 지역적 통합을 이루고 있으므로, 대상토지의 가치형성에 직접적인 영향을 미친다. 또한 동일한 인근지역 내에서는 지리적으로 근접할수록 가치형성의 동일성이 강하다. 따라서 인근지역에 소재하며 지리적으로 근접한 표준지를 선정한다.

인근지역에 선정기준을 충족하는 표준지가 없는 경우에는 인근지역과 유사한 지역적 특성을 갖는 동일수급권 안의 유사지역에 위치하고 위 선정기준의 (1)부터 (3)까지의 해당하는 내용인 용도지역 · 지구 · 구역 등 공법상 제한사항, 이용상황, 주변환경 등이 같거나 비슷하여 가장 적절하다고 인정되는 표준지를 비교표준지로 선정할 수 있다. 이 경우도 용도지역 등 공법상 제한사항이 같거나 비슷한 표준지를 선정함에 유의하여야 한다.

기본예제

아래 각 토지의 비교표준지를 선정하시오.

자료 1 ▶ 평가대상 토지

구분	소재지	지목	용도지역	실제이용상황	도로교통	형상/지세
1	A시 B구 C동 10	대	2종일주	상업용	광대한면	정방형 평지
2	A시 B구 C동 20	대	2종일주	단독주택	세로(가)	가장형 평지
3	A시 B구 D동 30	전	계획관리	전	세로(가)	부정형 완경사
4	A시 B구 D동 40	전	보전관리	전	세로(가)	부정형 완경사

※ A시 B구 C동과 A시 B구 D동은 인근지역이 아니며, 동일수급권 내 유사지역이다.

자료 2 표준지공시지가 목록

기호	소재지	이용상황	용도지역	도로교통	형상/지세	공시지가(원/m²)	기타제한
A	C동 100	상업용	2종일주	세로(가)	가장형/평지	2,000,000	–
B	C동 200	상업용	2종일주	광대한면	가장형/평지	3,600,000	–
C	C동 300	단독주택	2종일주	세로(가)	가장형/평지	1,250,000	–
D	D동 400	단독주택	3종일주	세로(가)	가장형/평지	1,650,000	–
E	D동 500	전	계획관리	세로(가)	부정형/평지	500,000	–
F	D동 600	답	보전관리	세로(불)	부정형/평지	350,000	–
G	D동 700	전	농림	맹지	부정형/평지	160,000	–

예시답안

1. 본건 # 1

2종일반주거, 상업용으로서 본건과 가치형성요인이 유사한 표준지 B를 선정한다.

2. 본건 # 2

2종일반주거, 주거용으로서 인근지역에 위치한 표준지 C를 선정한다.

3. 본건 # 3

계획관리, 전으로서 유사한 표준지 E를 선정한다.

4. 본건 # 4

보전관리, 전과 유사한 이용상황으로서 표준지 F를 선정한다.

4. 시점수정, 지역요인 및 개별요인 비교

1) 시점수정

(1) 개념

사례(공시지가)의 거래시점(공시시점)과 대상물건의 기준시점이 시간적으로 불일치하여 가격수준의 변동이 있는 경우 사례물건의 가격을 기준시점의 가치 수준으로 수정하는 작업을 말한다.

(2) 지가변동률의 적용

① 원칙

시점수정은 「부동산 거래신고 등에 관한 법률」 제19조에 따라 국토교통부장관이 월별로 조사·발표한 지가변동률로서 비교표준지가 있는 시·군·구의 같은 용도지역의 지가변동률을 적용한다.

② 비교표준지와 같은 용도지역의 지가변동률이 조사·발표되지 아니한 경우

공법상 제한이 비슷한 용도지역의 지가변동률, 이용상황별 지가변동률이나 해당 시·군·구의 평균지가변동률을 적용할 수 있다.

③ **비교표준지가 도시지역의 개발제한구역 안에 있는 경우 또는 도시지역 안에서 용도지역이 미지정된 경우**

녹지지역의 지가변동률을 적용한다. 다만, 녹지지역의 지가변동률이 조사·발표되지 아니한 경우에는 비교표준지와 비슷한 이용상황의 지가변동률이나 해당 시·군·구의 평균지가변동률을 적용할 수 있다(용도지역이 없는 경우: 자연환경보전지역 지가변동률 적용).

④ **용도지역이 세분화되지 아니하거나 지정되지 아니한 지역의 지가변동률 적용방법**

세분화된 관리지역별로 지가변동률은 발표되고 있으나, 대상토지가 관리지역이 세분화되지 않은 경우나 도시지역, 관리지역, 농림지역 또는 자연환경보전지역으로 용도가 지정되지 아니한 경우 등은 「감정평가에 관한 규칙」 제14조 제2항 제2호에 따라 관리지역의 지가변동률을 적용하는 것이 불가능하거나 적절하지 아니하다고 판단되는 경우로 보아 공법상 제한이 같거나 비슷한 용도지역의 지가변동률, 이용상황별 지가변동률 또는 해당 시·군·구의 평균지가변동률을 적용한다.

　㉠ 해당 토지의 용도지역은 세분화(계획관리, 생산관리, 보전관리)되었으나 지가변동률은 세부용도지역으로 미고시된 경우: 관리지역 지가변동률 적용

　㉡ 해당 토지의 용도지역은 미세분화(관리지역)되었으나 지가변동률은 세부용도지역으로 고시된 경우: 보전관리, 시·군·구 평균, 이용상황별 지가변동률 적용

⑶ **시점수정 시 유의사항**

① **양편넣기**

양편넣기는 공시지가의 초일과 기준시점을 모두 시점수정에 편입시키는 것을 의미하며, 「민법」상 기간산정방법인 초일불산입과 달리 시점수정 시 초일을 산입하는 이유는 공시지가의 공시기준일(매년 1월 1일) 오전 0시(또는 전년도 12월 31일 24시)로부터 기산하기 때문이다.

② 지가변동률의 산정은 기준시점 직전 월까지의 지가변동률 누계에 기준시점 해당 월의 경과일수(해당 월의 첫날과 기준시점일을 포함한다) 상당의 지가변동률을 곱하는 방법으로 구하되, 백분율로서 소수점 이하 셋째 자리까지 표시하고 넷째 자리 이하는 반올림한다.

③ **비교표준지가 속한 지역의 지가변동률 적용**

비교표준지와 평가대상의 시·군·구가 서로 다른 경우에는 비교표준지가 속한 시·군·구의 용도지역별 지가변동률을 적용한다.

④ 지가변동률의 경우에는 자치구, 비자치구의 지가변동률을 불문하고 적용하도록 한다.

⑤ **일괄추정방식 및 그 예외**

조사·발표된 월별 지가변동률 중 기준시점에 가장 가까운 월의 지가변동률을 기준으로 하되, 월 단위로 구분하지 아니하고 일괄로 추정한다. 다만, 지가변동 추이로 보아 조사·발표된 월별 지가변동률 중 기준시점에 가장 가까운 월의 지가변동률로 추정하는 것이 적절하지 않다고 인정되는 경우에는 조사·발표된 최근 3개월의 지가변동률을 기준으로 추정하거나 조사·발표되지 아니한 월의 지가변동 추이를 분석·검토한 후 지가변동률을 따로 추정할 수 있다.

⑥ **공시기준일, 거래시점 등과 기준시점이 동일한 경우의 시점수정 방법**

공시기준일, 거래시점 등과 기준시점이 동일한 경우 하루치 지가변동률을 계산할 것을 권장한다.

⑷ **생산자물가상승률의 적용**

① 다음 각 호의 어느 하나에 해당하는 경우에는 지가변동률을 적용하는 대신 「한국은행법」 제86조에 따라 한국은행이 조사·발표하는 생산자물가지수에 따라 산정된 생산자물가상승률을 적용하여 시점수정할 수 있다.

㉠ 조성비용 등을 기준으로 평가하는 경우 : 조성비용 등을 기준으로 감정평가하는 경우에는 비용성의 원리에 따라 토지를 생산하는 자가 조성비용을 투입한 것으로서 지가변동률을 적용하는 것보다 생산자물가상승률을 적용하는 것이 보다 적정한 시점수정의 방법이 될 수 있다.

㉡ 그 밖에 특별한 이유가 있다고 인정되는 경우

② **생산자물가상승률 적용방법**

직전 월의 지수를 참조한다. 다만, 해당 월의 지수가 발표된 상태이며, 기준시점이 해당 월의 15일 이후인 경우에는(15일 포함) 해당 월의 지수를 참조한다.

● 보합세(保合勢)란?

시장 시세가 변동하지 않거나 변동의 폭이 극히 적은 범위에 그치는 시세를 말한다. 감정평가 시 보합세라는 표현이 있으면 시간에 따른 가격변동이 미미하여 별도로 시점수정을 할 필요가 없는 것으로 판단하면 된다.

기본예제

01 다음 자료를 기초로 하여 시점수정치를 산정하시오(공시기준일이 2027년 1월 1일이고 기준시점이 2027년 9월 4일인 자연녹지지역 내 전의 시점수정치).

자료

(단위 : %)

기간	상업지역	주거지역	공업지역	녹지지역	대(상업용)	전
2026년 12월	0.520	0.110	2.005	−1.008	1.100	0.511
2026년 누계	1.250	0.250	1.107	0.850	0.987	0.301
2027년 7월	0.140	0.300	1.150	0.700	1.006	0.870
2027년 7월 누계	0.200	−0.100	0.501	3.004	0.503	0.751

≫ 8월분 지가변동률은 미고시되었음.

예시답안

$1.03004 \times (1 + 0.00700 \times 35/31) ≒ 1.03818$

02 공시기준일이 2027년 1월 1일이고 기준시점이 2027년 9월 4일인 경우 아래 생산자물가지수를 기준으로 시점수정치를 산정하시오.

기간	생산자물가지수	기간	생산자물가지수
2026년 12월	121.1	2027년 6월	123.6
2027년 4월	123.1	2027년 7월	123.8
2027년 5월	123.4	2027년 8월	미고시

예시답안

2027년 7월지수 ÷ 2026년 12월지수 = 123.8 ÷ 121.1 ≒ 1.02230

03 기준시점이 2027년 4월 20일이며, 거래시점이 2026년 8월 3일인 경우 아래의 건축비지수를 기준으로 주택부분과 비주택부분의 건축비 변동률을 각각 추정하시오.

건축비지수	주택	비주택
2026년 7월	124.3	128.6
2026년 8월	136.4	143.5
2027년 4월	128.2	133.4

예시답안

1. 주택부문

$$\frac{128.2}{124.3} ≒ 1.03138$$

2. 비주택부문

$$\frac{133.4}{128.6} ≒ 1.03733$$

2) 지역요인, 개별요인

(1) 지역요인

① 지역요인비교는 비교표준지가 있는 지역의 표준적인 획지의 최유효이용과 대상토지가 있는 지역의 표준적인 획지의 최유효이용을 판정·비교하여 산정한 격차율을 적용하되, 비교표준지가 있는 지역과 대상토지가 있는 지역 모두 기준시점을 기준으로 한다.

② 인근지역의 표준지공시지가를 선정하면 지역요인은 대등하다.

③ 동일수급권 내 유사지역의 표준지공시지가 선정 시 지역요인비교가 필요하다.

④ **지역요인 비교방법**[4]

$$\text{지역요인 비교치} = \frac{\text{대상토지가 속한 지역의 표준적 이용획지 기준가격(기준시점)}}{\text{비교표준지가 속한 지역의 표준적 이용획지 기준가격(기준시점)}}$$

기 본예제

유사지역에 소재한 비교표준지가 속한 지역의 표준적인 획지의 가액이 공시기준일 당시 300,000 원/m²이고 기준시점 현재 320,000원/m²이다. 본건이 속한 지역의 표준적인 획지의 가액이 기준시점 당시 336,000원/m²인 경우 지역요인 비교치를 산정하시오.

예시답안

336,000 ÷ 320,000 ≒ 1.050

(2) **개별요인**

개별요인 비교는 비교표준지의 최유효이용과 대상토지의 최유효이용을 판정·비교하여 산정한 격차율을 적용하되, 비교표준지의 개별요인은 공시기준일을 기준으로 하고 대상토지의 개별요인은 기준시점을 기준으로 한다.

$$\text{개별요인 비교치} = \frac{\text{대상토지 개별요인(기준시점)}}{\text{비교표준지 개별요인(공시기준일)}}$$

기 본예제

비교표준지는 공시기준일 당시 사다리형이었으며, 기준시점에는 합병되어 정방형이다. 본건은 정방형일 때 획지조건에 대한 비교치를 산정하시오. 사다리형에 대한 개별요인 평점은 100, 정방형에 대한 평점은 103이다.

예시답안

103 ÷ 100 ≒ 1.03

---

4) 감정평가실무기준에서는 지역요인비교와 관련하여 사례(비교표준지) 및 본건 모두 기준시점을 기준으로 하도록 되어 있고, 토지보상평가지침에는 사례(비교표준지)는 거래시점(공시기준일), 본건은 기준시점(기준시점)으로 하도록 하고 있어 괴리가 있다. 이에 대하여 토지보상평가지침과 같이 공시기준일을 기준으로 비교해야 한다는 견해가 있으나, 만약 표준지의 공시기준일을 기준으로 하여 지역요인을 비교한다면, 과거시점의 지역요인을 파악하여야 한다. 이는 현실적으로 곤란할 수 있으며, 인근지역 간에도 지역요인 비교가 이루어져야 하는 모순이 발생할 수 있는 점 등을 고려하여 기준시점을 기준으로 비교하는 것이다.

(3) 요인비교방법

① 종합적비교법

종합적비교법은 비교표준지의 지역요인과 개별요인에 대한 분석을 거쳐, 대상토지의 그것과 종합적으로 비교하여 얻은 비율을 비교표준지의 공시지가에 곱하여 최종 평가액에 도달하는 방법을 말한다. 이 방법은 간편하다는 장점이 있는 반면에 평가자의 주관에 따라 가액의 차이가 크게 발생할 수 있는 단점이 있으며, 실무적으로 사용되지 않는다.

② 평점법

평점법은 비교표준지와 대상토지에 대하여 가로조건, 접근조건, 환경조건, 획지조건, 행정적조건 등 몇 가지 비교항목을 설정하고, 각 비교항목을 상호비교하여 얻은 비율을 비교표준지의 공시지가에 곱하여 시산가액에 도달하는 방법으로 격차율에 의한 비교법이라고도 한다.

| ① 세항목단위 격차율 결정 | 격차율표의 적정한 항목단위 격차율 적용 |

↓

| ② 조건단위 격차율 산정 | 조건별 세항목 격차율의 합(총화식) |

↓

| ③ 개별요인 격차율 산정 | 가로조건 × 접근조건 × 환경조건 × 획지조건 × 행정적조건 × 기타조건 |

㉠ **상승식** : 사례의 각 조건을 1로 보고 대상물건의 각 조건별 격차율을 판정하여 각 조건별 격차율을 서로 곱(승)하여 비교치를 결정하는 방법을 말한다.

㉡ **총화식** : 사례의 각 조건을 1로 보고 대상물건의 격차율을 서로 합한 값을 사례의 각 조건별 격차율을 합한 값으로 나누어 비교치로 결정하는 방법을 말한다.

㉢ 조건별로는 상승식을 적용하며, 항목별로는 총화식을 적용한다.

㉣ 실무적으로는 "조건"별 격차율을 대부분의 감정평가서에 기재하되, 비교항목은 나열을 하며, 요인치에 대한 근거를 비고란에 기재하는 방식을 사용한다.

❖ 조건별 비교요인치 산출 후 개별요인 결정(감정평가 시 주로 사용하는 양식)

개별요인		비교 표준지	대상 토지	격차율	비고
조건	항목				
가로 조건	가로의 폭, 포장	보통	대등	1.00	본건은 가로의 폭 등에서 표준지와 대등함.
	계통 및 연속성, 구조 등의 상태				
접근 조건	교통시설, 상가와의 접근성	보통	열세	0.99	본건은 인근상가와의 거리 및 편의성 등에서 표준지보다 열세함.
	공공 및 편익시설과의 접근성				
환경 조건	공급 및 처리시설의 상태, 위험 및 혐오시설 등	보통	보통	1.00	본건은 인근환경 등에서 표준지와 대등함.
	인근환경				
	자연환경, 일조 등				

획지 조건	면적, 접면너비, 깊이, 형상 등	보통	열세	0.95	본건은 접면도로 상태 등에 있
	방위, 고저, 접면도로 상태 등				어서 표준지보다 열세함.
행정 조건	행정상의 조장 및 규제정도	동일	동일	1.00	본건은 행정상의 규제 정도에서 표준지와 동일함.
기타 조건	장래의 동향, 기타	보통	보통	1.00	본건과 표준지는 장래의 동향 이나 기타 측면에서 대등함.
누계				0.941	

◦ 항목별 평점을 사용하는 경우의 양식

| 개별요인 | | 비교
표준지 평점 | 대상
토지 평점 | 비고 |
조건	항목			
접근조건	교통시설과의 접근성	100	105	5% 우세
	상가와의 접근성	100	103	3% 우세
	공공 및 편익시설과의 접근성	100	103	3% 우세
환경조건	일조 등	100	100	대등
	자연환경	100	95	5% 열세
	인근환경	100	97	3% 열세
	공공시설 및 처리시설의 상태	100	105	5% 우세
	위험 및 혐오시설 등	100	103	3% 우세

》 개별요인요인치 : $(1 + 0.05 + 0.03 + 0.03) \times (1 - 0.05 - 0.03 + 0.05 + 0.03) = 1.110$

③ **비준표 보는 방법**

형상(상업 · 주상)	정방형	가장형	세장형	사다리	부정형	자루형
정방형	1.00	1.01	0.99	0.96	0.93	0.82
가장형	0.99	1.00	0.98	0.95	0.92	0.81
세장형	1.01	1.02	1.00	0.97	0.94	0.83
사다리	1.04	1.05	1.03	1.00	0.97	0.85
부정형	1.08	1.09	1.06	1.03	1.00	0.88
자루형	1.22	1.23	1.21	1.17	1.13	1.00

→ 본건의 특성

》 부정형 : 삼각형 포함

》 자루형 : 역삼각형 포함

↓

사례(비교표준지)의 특성

[예시] 본건의 형상이 세장형이고 사례의 형상이 부정형인 경우의 요인비교치는 1.06이다.

기본예제

공시지가기준법에 의한 감정평가 시 아래 토지에 대한 개별요인 비교치를 산출하시오.

자료 1 본건과 비교표준지 현황
본건 : 중로각지, 가장형, 평지
비교표준지 : 소로한면, 사다리형, 평지

자료 2 요인비교자료
1. 중로는 소로에 비하여 5% 우세하다.
2. 각지는 한면에 비하여 3% 우세하다.
3. 가장형은 사다리형에 비하여 3% 우세하다.
4. 본건은 비교표준지에 비하여 접근조건에서 5% 열세하며, 환경조건에서 3% 열세하다.
5. 개별요인비교치는 절사하여 소수점 3자리까지 표시한다.

1. 제시된 요인 모두를 상승식으로 비교하시오.

2. 제시된 요인의 개별요인을 세부 조건별로 비교하시오.

예시답안

I. (물음 1)
1.05(도로) × 0.95(접근) × 0.97(환경) × 1.03(각지) × 1.03(형상) ≒ 1.026

II. (물음 2)
1.05(가로, 도로의 폭) × 0.95(접근) × 0.97(환경) × 1.06(획지)* × 1.00(행정) × 1.00(기타) ≒ 1.025
*$1 + 0.03$(각지) $+ 0.03$(형상)

⑷ **구체적인 비교항목**(이용상황에 따른 지역요인 및 개별요인 비교요인)[5]

① **상업지대의 지역요인 및 개별요인**

지역요인			개별요인		
조건	항목	세항목	조건	항목	세항목
가로조건	가로의 폭, 구조 등의 상태	폭	가로조건	가로의 폭, 구조 등의 상태	폭
		포장			포장
		보도			보도
		계통 및 연속성			계통 및 연속성
	가구(block)의 상태	가구의 정연성			
		가구시설의 상태			

조건	항목	세부항목	조건	항목	세부항목
접근 조건	교통수단 및 공공시설과의 접근성	인근교통시설의 편의성	접근 조건	상업지역중심 및 교통시설과의 편의성	상업지역중심과의 접근성
		인근교통시설의 이용 승객수			
		주차시설의 정비			
		교통규제의 정도 (일방통행, 주정차 금지 등)			인근교통시설과의 거리 및 편의성
		관공서 등 공공시설과의 접근성			
환경 조건	상업 및 업무시설의 배치상태	백화점, 대형상가의 수와 연면적	환경 조건	고객의 유동성과의 적합성	고객의 유동성과의 적합성
		전국규모의 상가 및 사무소의 수와 연면적		인근환경	인근토지의 이용상황
		관람집회시설의 상태			인근토지의 이용상황과의 적합성
		부적합한 시설의 상태 (공장, 창고, 주택 등)		자연환경	지반, 지질 등
		기타 고객유인시설 등	획지 조건	면적, 접면너비, 너비, 깊이, 형상 등	면적
		배후지의 인구			접면너비
		배후지의 범위			깊이
		고객의 구매력 등			부정형지
	경쟁의 정도 및 경영자의 능력	상가의 전문화와 집단화			삼각지
		고층화 이용정도			자루형 획지
	번화성 정도	고객의 통행량		방위, 고저 등	방위
		상가의 연립성			고저
		영업시간의 장단			경사지
		범죄의 발생정도		접면도로 상태	각지
	자연환경	지반, 지질 등			2면획지
					3면획지
행정적 조건	행정상의 규제정도	용도지역, 지구, 구역 등	행정적 조건	행정상의 규제정도	용도지역, 지구, 구역 등
		용적제한			용적제한
		고도제한			고도제한
		기타규제			기타규제 (입체이용제한 등)
기타 조건	기타	장래의 동향	기타 조건	기타	장래의 동향
		기타			기타

② **주택지대의 지역요인 및 개별요인**

지역요인			개별요인		
조건	항목	세항목	조건	항목	세항목
가로 조건	가로의 폭, 구조 등의 상태	폭	가로 조건	가로의 폭, 구조 등의 상태	폭
		포장			포장
		보도			보도
		계통 및 연속성			계통 및 연속성
접근 조건	도심과의 거리 및 교통시설의 상태	인근교통시설의 편익성	접근 조건	교통시설과의 접근성	인근대중교통시설과의 거리 및 편의성
		인근교통시설의 도시중심 접근성		상가와의 접근성	인근상가와의 거리 및 편의성
	상가의 배치상태	인근상가의 편익성		공공 및 편익시설과의 접근성	유치원, 초등학교, 공원, 병원, 관공서 등과의 거리 및 편익성
		인근상가의 품격			
	공공 및 편익시설의 배치상태	관공서 등 공공시설과의 접근성			
환경 조건	기상조건	일조, 습도, 온도, 통풍 등	환경 조건	일조 등	일조, 통풍 등
	자연환경	조망, 경관, 지반, 지질 등		자연환경	조망, 경관, 지반, 지질 등
	사회환경	거주자의 직업, 연령 등		인근환경	인근토지의 이용상황
		학군 등			인근토지의 이용상황과의 적합성
	획지의 상태	획지의 표준적인 면적		공급 및 처리시설의 상태	상수도
		획지의 정연성			하수도
		건물의 소밀도			도시가스 등
		주변의 이용상태		위험 및 혐오시설 등	변전소, 가스탱크, 오수처리장 등의 유무
	공급 및 처리시설의 상태	상수도			특별고압선 등과의 거리
		하수도			
		도시가스 등			

<table>
<tr>
<td rowspan="6">위험 및
혐오시설</td>
<td rowspan="3">변전소, 가스탱크,
오수처리장 등의 유무</td>
<td rowspan="12">획지
조건</td>
<td rowspan="6">면적, 접면너비,
깊이, 형상 등</td>
<td>면적</td>
</tr>
<tr><td>접면너비</td></tr>
<tr><td>깊이</td></tr>
<tr>
<td rowspan="3">특별고압선 등의
통과 여부</td>
<td>부정형지</td>
</tr>
<tr><td>삼각지</td></tr>
<tr><td>자루형획지</td></tr>
<tr>
<td rowspan="3">재해발생의
위험성</td>
<td rowspan="3">홍수, 사태,
절벽붕괴 등</td>
<td rowspan="3">방위, 고저 등</td>
<td>방위</td>
</tr>
<tr><td>고저</td></tr>
<tr><td>경사지</td></tr>
<tr>
<td rowspan="3">공해발생의
정도</td>
<td rowspan="3">소음, 진동,
대기오염 등</td>
<td rowspan="3">접면도로 상태</td>
<td>각지</td>
</tr>
<tr><td>2면획지</td></tr>
<tr><td>3면획지</td></tr>
<tr>
<td rowspan="2">행정적
조건</td>
<td rowspan="2">행정상의
규제정도</td>
<td>용도지역, 지구, 구역</td>
<td rowspan="2">행정적
조건</td>
<td rowspan="2">행정상의
규제정도</td>
<td>용도지역, 지구, 구역</td>
</tr>
<tr>
<td>기타규제</td>
<td>기타규제
(입체이용제한 등)</td>
</tr>
<tr>
<td rowspan="2">기타
조건</td>
<td rowspan="2">기타</td>
<td>장래의 동향</td>
<td rowspan="2">기타
조건</td>
<td rowspan="2">기타</td>
<td>장래의 동향</td>
</tr>
<tr>
<td>기타</td>
<td>기타</td>
</tr>
</table>

③ 공업지대의 지역요인 및 개별요인

지역요인			개별요인		
조건	항목	세항목	조건	항목	세항목
가로조건	가로의 폭, 구조 등의 상태	폭	가로조건	가로의 폭, 구조 등의 상태	폭
		포장			포장
		계통 및 연속성			계통 및 연속성
접근조건	판매 및 원료구입 시장과의 위치관계	도심과의 접근성	접근조건	교통시설과의 거리	인근교통시설과의 거리 및 편의성
		항만, 공항, 철도, 고속도로, 산업도로 등과의 접근성			철도전용인입선
	노동력확보의 난이	인근교통시설과의 접근성			전용부두
	관련산업과의 관계	관련산업 및 협력업체 간의 위치관계			
환경조건	공급 및 처리시설의 상태	동력자원	환경조건	공급 및 처리시설의 상태	동력자원
		공업용수			공업용수
		공장배수			공장배수
	공해발생의 위험성	수질, 대기오염 등		자연환경	지반, 지질 등
	자연환경	지반, 지질 등	획지조건	면적, 형상 등	면적
					형상
					고저
행정적조건	행정상의 조장 및 규제정도	조장의 정도	행정적조건	행정상의 조장 및 규제정도	조장의 정도
		규제의 정도			규제의 정도
		기타규제			기타규제
기타조건	기타	공장진출의 동향	기타조건	기타	장래의 동향
		장래의 동향			기타
		기타			

④ **농경지대(전지대)의 지역요인 및 개별요인**

지역요인			개별요인		
조건	항목	세항목	조건	항목	세항목
접근 조건	교통의 편부	취락과의 접근성	접근 조건	교통의 편부	취락과의 접근성
		출하집적지와의 접근성			농로의 상태
		농로의 상태			
자연 조건	기상조건	일조, 습도, 온도, 통풍, 강우량 등	자연 조건	일조 등	일조, 통풍 등
	지세	경사의 방향		토양, 토질	토양, 토질의 양부
		경사도		관개, 배수	관개의 양부
	토양, 토질	토양, 토질의 양부			
	관개, 배수	관개의 양부			배수의 양부
		배수의 양부			
	재해의 위험성	수해의 위험성	획지 조건	면적, 경사 등	면적
					경사도
					경사의 방향
		기타 재해의 위험성		경작의 편부	형상부정 및 장애물에 의한 장애의 정도
행정적 조건	행정상의 조장 및 규제정도	보조금, 융자금 등 조장의 정도	행정적 조건	행정상의 조장 및 규제정도	보조금, 융자금 등 조장의 정도
		규제의 정도			규제의 정도
기타 조건	기타	장래의 동향	기타 조건	기타	장래의 동향
		기타			기타

⑤ **농경지대(답지대)의 지역요인 및 개별요인**

지역요인			개별요인		
조건	항목	세항목	조건	항목	세항목
접근 조건	교통의 편부	취락과의 접근성	접근 조건	교통의 편부	취락과의 접근성
		출하집적지와의 접근성			농로의 상태
		농로의 상태			
자연 조건	기상조건	일조, 습도, 온도, 통풍, 강우량 등	자연 조건	일조 등	일조, 통풍 등
	지세	경사의 방향		토양, 토질	토양, 토질의 양부
		경사도		관개, 배수	관개의 양부
	토양, 토질	토양, 토질의 양부			배수의 양부
	관개, 배수	관개의 양부		재해의 위험성	수해의 위험성
		배수의 양부			기타 재해의 위험성
	재해의 위험성	수해의 위험성	획지 조건	면적, 경사 등	면적
					경사
		기타 재해의 위험성		경작의 편부	형상부정 및 장애물에 의한 장애의 정도
행정적 조건	행정상의 조장 및 규제정도	보조금, 융자금 등 조장의 정도	행정적 조건	행정상의 조장 및 규제정도	보조금, 융자금 등 조장의 정도
		규제의 정도			규제의 정도
기타 조건	기타	장래의 동향	기타 조건	기타	장래의 동향
		기타			기타

⑥ **임야지대의 지역요인 및 개별요인**

지역요인			개별요인		
조건	항목	세항목	조건	항목	세항목
접근 조건	교통의 편부 등	인근역과의 접근성	접근 조건	교통의 편부 등	인근역과의 접근성
		인근취락과의 접근성			인근취락과의 접근성
		임도의 배치, 폭, 구조 등			임도의 배치, 폭, 구조 등
					반출지점까지의 거리
		인근시장과의 접근성			반출지점에서 시장까지의 거리
자연 조건	기상조건	일조, 기온, 강우량, 안개, 적설량 등	자연 조건	일조 등	일조, 통풍 등
	지세 등	표고		지세, 방위 등	표고
		경사도			방위
		경사의 굴곡			경사
					경사면의 위치
					경사의 굴곡
	토양, 토질	토양, 토질의 양부		토양, 토질	토양, 토질의 양부
행정적 조건	행정상의 조장 및 규제정도	행정상의 조장의 정도	행정적 조건	행정상의 조장 및 규제정도	조장의 정도
		국·도립공원, 보안림 사방지 지정 등의 규제			국·도립공원, 보안림 사방지 지정 등의 규제
		기타규제			기타규제
기타 조건	기타	장래의 동향	기타 조건	기타	장래의 동향
		기타			기타

⑦ 택지후보지지대의 지역요인 및 개별요인

지역요인			개별요인		
조건	항목	세항목	조건	항목	세항목
접근조건	도심과의 거리 및 교통시설의 상태	인근교통시설과의 접근성	접근조건	교통시설과의 접근성	인근상가와의 거리 및 편의성
		인근교통시설의 성격			인근교통시설과의 거리 및 편의성
		인근교통시설의 도시중심 접근성		공공 및 편의시설과의 접근성	유치원, 초등학교, 공원, 병원, 관공서 등과의 거리 및 편의성
	상가의 배치상태	인근시장과의 접근성			
		인근상가의 품격			
	공공 및 편익시설의 배치상태	유치원, 초등학교, 공원, 병원, 관공서 등		주변가로의 상태	주변간선도로와의 거리 및 가로의 종류 등
	주변가로의 상태	주변간선도로와의 접근성 및 가로의 종류 등			
환경조건	기상조건	일조, 습도, 온도, 통풍 등	환경조건	일조 등	일조, 통풍 등
	자연환경	조망, 경관, 지반, 지질 등		자연환경	조망, 경관, 지반, 지질 등
	공급 및 처리시설의 상태	상하수도, 가스, 전기 등 설치의 난이		공급 및 처리시설의 상태	상하수도, 가스, 전기 등 설치의 난이
	인근환경	주변기존지역의 성격 및 규모		위험 및 혐오시설	변전소, 가스탱크, 오수처리장 등의 유무
	시가화 정도	시가화 진행의 정도			특별고압선 등과의 거리
	도시의 규모 및 성격 등	도시의 인구, 재정, 사회, 복지, 문화, 교육시설 등	획지조건	면적, 형상 등	면적
					형상
	위험 및 혐오시설	변전소, 가스탱크, 오수처리장 등의 유무			접면도로상태
		특별고압선 등의 통과유무		방위, 고저 등	방위
	재해발생의 위험성	홍수, 사태, 절벽붕괴 등			경사
	공해발생의 정도	소음, 진동, 대기오염 등			고저

택지 조성 조건	택지조성의 난이 및 유용성	택지조성의 난이 및 필요정도	택지 조성 조건	택지조성의 난이 및 유용성	택지조성의 난이도 및 필요정도
		택지로서의 유효 이용도			택지로서의 유효 이용도
행정적 조건	행정상의 조장 및 규제정도	조장의 정도	행정적 조건	행정상의 조장 및 규제정도	조장의 정도
		용도지역, 지구, 구역 등			용도지역, 지구, 구역 등
		기타규제			기타규제
기타 조건	기타	장래의 동향	기타 조건	기타	장래의 동향
		기타			기타

각 이용상황별 지역 · 개별요인 비교 시 유의사항 [6]

상업지대	• 동일상권 내에서 접면도로의 폭이 맹지나 세로(불)인 토지를 소로 및 중로 이상인 토지와의 비교는 자제한다. • 상업중심, 교통시설과의 거리 및 편의성은 직선거리 및 접근 편의성, 대상 시설이 주는 영향의 정도를 종합 고려하여 격차를 산정한다. • 유사상권 외의 지역(⑩ **후면지와 전면지**) 비교는 자제한다. • 위험 및 혐오시설은 시설의 성격 및 직선거리 영향의 정도를 종합 고려한다.
주택지대	• 가로조건에서 맹지와 소로 이상 비교를 자제한다. • 공공 및 편익시설과의 접근성은 직선거리 및 편의성 공공시설의 영향의 정도를 종합 고려한다. • 조망 경관이 특히 우세하여 별도 보정이 필요한 경우 그 이유(⑩ **바다 조망 등**)를 기재한다. • 지역의 위도, 기상조건 등에 따라 일조, 통풍 등에 대한 가치척도가 다르므로, 지역의 실정에 따라 격차율의 한도 내에서 적절히 수정하여 적용하여야 한다.
공업지대	• 특수 설비(⑩ **전용부두, 전용선로**)의 효용성이 높아 격차율표 이상 보정이 필요한 경우 보정 내역을 기재한다. • 공업기반시설이 완비되어 비용절감효과 등이 기대된다면 적절하게 지역의 실정에 따라 격차율의 한도 내에서 수정하여 적용하여야 한다.
농경지대	• 현재 농경지로 이용 중이나 향후 주변 환경의 변화가능성, 개발 및 전용가능성 등이 상당 부분 가시화되어 지가에 반영하기 위해 별도 보정이 필요한 경우 보정 내역 및 상세 내용을 기재한다. • 수해 및 기타 재해의 위험성은 3년간 평균 재해 및 수해율을 기준하여 전국 평균치를 기준으로 적절하게 보정한다.

---

6) 감정평가실무기준 해설서(Ⅰ) 총론편, 한국감정평가사협회 등, 2014.02, pp.254~256

임야지대	• 가치형성요인이 유사한 비교표준지를 선정해야 하나, 인근에 유사한 토지가 없어 부득이 개별요인 격차가 상이한 토지와 비교하여 접근조건(인근 취락 및 교통시설과의 접근성), 자연조건(경사도 및 고저) 등에서 격차율표 이상의 차이가 발생한 경우 보정 내용을 상세하게 기재한다. • 임야지대이나 향후 주변 환경의 변화가능성, 개발 및 전용가능성 등이 상당한 부분 가시화되어 지가에 반영이 필요하여 별도 보정을 하는 경우 보정 내역 및 그 상세 내용을 기재한다. • 지역의 위도, 기상조건 등에 따라 일조, 통풍 등에 대한 가치척도가 다르므로, 지역의 실정에 따라 적절히 수정하여 적용하여야 하며, 이 경우 세부 수정 내역을 기재한다.

5. 그 밖의 요인 보정

1) 개념

그 밖의 요인이란 시점수정, 지역요인 및 개별요인의 비교 외에 대상토지의 가치에 영향을 미치는 요인이다. 공시지가기준법에 의한 감정평가액이 시점수정, 개별요인 및 지역요인 비교를 거쳤음에도 불구하고 기준가치에 도달하지 못하는 경우가 발생할 수 있다. 그 밖의 요인의 보정은 일반적으로 이러한 격차를 보완하기 위하여 실무적으로 행하는 절차이다.

2) 적용근거

(1) 감정평가에 관한 규칙 제14조

감정평가에 관한 규칙 제14조에서는 토지에 대한 감정평가방법을 규정하면서 "그 밖의 요인 보정"의 형태로 요인보정을 할 수 있는 근거 및 구체적인 방법을 마련하고 있다.

> **감정평가에 관한 규칙 제14조**(토지의 감정평가)
>
> ② 감정평가법인등은 공시지가기준법에 따라 토지를 감정평가할 때에 다음 각 호의 순서에 따라야 한다.
> 　5. 그 밖의 요인 보정: 대상토지의 인근지역 또는 동일수급권 내 유사지역의 가치형성요인이 유사한 정상적인 거래사례 또는 평가사례 등을 고려할 것

(2) 감정평가실무기준

감정평가실무기준에서는 시점수정, 지역요인 및 개별요인의 비교 외에 대상토지의 가치에 영향을 미치는 사항이 있는 경우에는 그 밖의 요인 보정을 할 수 있는 근거를 마련하고 있다. 다만, 그 밖의 요인 보정을 한 경우에는 그 근거를 감정평가서(감정평가액의 산출근거)에 구체적이고 명확하게 기재하여야 하도록 하고 있다.

(3) 대법원 판례

대법원 판례 2003다38207 판결(2004.5.14. 선고)에서는 수용대상토지의 보상액 산정에 있어서 인근 유사토지의 정상거래가격을 참작할 수 있는 경우와 정상거래가격의 의미 및 인근 유사토지의 정상거래사례가 있고 그것이 보상액 평가에 영향을 미친다는 점에 대한 판결에 대하여 수용대상토지의 정당한 보상액을 산정함에 있어서 인근 유사토지의 거래사례나 보상선례를 반드시 참작하여야 하는 것은 아니며, 다만 인근 유사토지의 정상거래사례가 있고 그 거래가격이 정상적인 것으로서 적정한 보상액 평가에 영향을 미칠 수 있는 것임이 입증된 경우에는 이를 참작할 수 있다고 할 것이고, 한편 인근 유사토지의 정상거래가격이라고 하기 위해서는 대상토지의 인근에 있는 지목·등급·지적·형태·이용상황·법령상의 제한 등 자연적·사회적 조건이 수용대상토지와 동일하거나 유사한 토지에 관하여 통상의 거래에서 성립된 가격으로서 개발이익이 포함되지 아니하고 투기적인 거래에서 형성된 것이 아닌 가격이어야 하고, 그와 같은 인근 유사토지의 정상거래사례 또는 보상선례가 있고 그 가격이 정상적인 것으로서 적정한 보상액 평가에 영향을 미친다고 인정되는 경우에 한하여 기타요인을 인정할 수 있는 것으로 판시하였다.

(4) 국토교통부 유권해석

국토교통부 유권해석에서는 관련 규칙 등에 의하여 적정한 가격수준으로 기타요인을 보정할 수 있다는 취지의 유권해석을 하였다.

3) 구체적인 방법

(1) 그 밖의 요인 보정 시 참작할 수 있는 자료 등

그 밖의 요인을 보정하는 경우에는 대상토지의 인근지역 또는 동일수급권 안의 유사지역의 정상적인 거래사례나 평가사례 등을 참작할 수 있다. 거래사례 등은 다음 각 호의 선정기준을 모두 충족하는 사례 중에서 대상토지의 감정평가에 가장 적절하다고 인정되는 사례를 선정한다. 다만, 제1호, 제2호 및 제5호는 거래사례를 선정하는 경우에 적용하고, 제3호는 평가사례를 선정하는 경우에 적용한다.

1. 「부동산 거래신고 등에 관한 법률」에 따라 신고된 실제 거래가격일 것
2. 거래사정이 정상적이라고 인정되는 사례나 정상적인 것으로 보정이 가능한 사례일 것
3. 감정평가 목적, 감정평가조건 또는 기준가치 등이 해당 감정평가와 유사한 사례일 것
4. 기준시점으로부터 도시지역(「국토의 계획 및 이용에 관한 법률」 제36조 제1항 제1호에 따른 도시지역을 말한다)은 3년 이내, 그 밖의 지역은 5년 이내에 거래 또는 감정평가된 사례일 것. 다만, 특별한 사유가 있는 경우에는 그 기간을 초과할 수 있다(그 기간을 초과하는 경우에는 그 근거를 감정평가서에 기재하여야 한다).
5. 토지 및 그 지상건물이 일체로 거래된 경우에는 배분법의 적용이 합리적으로 가능한 사례일 것
6. 비교표준지의 선정기준에 적합할 것

(2) 구체적인 격차율의 산정방법

① 대상토지기준 산정방식

$$\frac{(사례기준\ 대상토지\ 평가)\ 사례가격 \times 시점수정 \times 지역요인 \times 개별요인}{(공시지가기준\ 대상토지\ 평가)\ 공시지가 \times 시점수정 \times 지역요인 \times 개별요인} ≒ 격차율(산출치)$$

② 표준지기준 산정방식

$$\frac{(사례기준\ 표준지\ 평가)\ 사례가격 \times 시점수정 \times 지역요인 \times 개별요인}{(표준지공시지가\ 시점수정)\ 공시지가 \times 시점수정} ≒ 격차율(산출치)$$

③ 실무에서는 ①의 방식을 사용할 경우 평가선례를 기준으로 하여 평가액을 산출한 것으로 오인될 수 있어 대부분 ②번 방법을 기준으로 산정하고 있다.[7][8]

(3) 그 밖의 요인비교치 결정

상기의 그 밖의 요인비교치 산출치를 바탕으로 적의조정하여 그 밖의 요인비교치를 결정한다.

(4) 그 밖의 요인보정부분 결정부분 목차(감정평가서 기재 시)

1. 그 밖의 요인보정의 필요성
2. 그 밖의 요인보정치 산정
   (1) 인근 평가선례 및 거래사례
   (2) 비교선례의 선정
   (3) 비교선례와의 비교(시점수정, 지역요인, 개별요인)
   (4) 격차율 산정
   (5) 인근의 지가수준(용도지역, 토지용도, 가격수준 별)
   (6) 최근 경매낙찰가율(용도별, 소재지별, 낙찰가율, 낙찰건수 표시)
3. 그 밖의 요인보정치 결정

---

7) 인근 지역 보상선례를 기준으로 한 해당 토지가격을 표준지공시지가를 기준으로 한 해당 토지가격으로 나누는 방법의 산식을 사용하여 기타요인 보정률을 결정한 다음, 다시 그 기타요인 보정률을 표준지공시지가를 기준으로 한 해당 토지가격에 곱하여 평가가격을 산출한 사실이 인정되는바, 비록 위와 같은 산출방식이 감정평가업계의 관행에 따른 것이고 이에 따른 감정결과가 대부분의 사건에서 문제없이 증거로 사용되어 왔다고 하더라도 이는 결과적으로 보상선례가를 기준으로 해당 토지를 감정평가한 것과 다르지 않아 표준지의 공시지가를 기준으로 해당 토지를 감정평가하도록 정한 관련법령에 위반되어 위법하다(서울고법 2015.12.10, 2014나2021821 판결 中 일부 발췌).

8) 이 사건 감정평가서는 인근 지역 보상선례를 기준으로 한 해당 토지가격을 표준지공시지가를 기준으로 한 해당 토지가격으로 나누는 방법의 산식을 사용하여 보상대상토지에 대한 평가대상 항목 중 "기타요인 보정치"를 결정한 다음, 다시 그 기타요인 보정치를 표준지공시지가를 기준으로 한 해당 토지가격에 곱하여 평가가격을 산출한 사실이 인정되는바, 이는 결과적으로 보상선례가를 기준으로 해당 토지를 감정평가한 것으로서 표준지의 공시지가를 기준으로 해당 토지를 감정평가하도록 정한 관련법령에 위반되어 위법(창원지방법원 2007.10.25, 2005구합3064 판결【토지수용이의재결처분취소】 中 일부 발췌)

⑸ 그 밖의 요인비교치 산출근거 기록의 중요성

기 본예제

공시지가기준법 적용 시 감정평가에 적용할 수 있는 그 밖의 요인 비교치를 산정하시오.
단, 선정된 비교표준지, 평가선례는 적정하다.

자료 1 본건 및 가격자료의 현황

구분	시점	가액	개별요인평점
본건	2027.09.01.	−	100
비교표준지	2027.01.01.	3,000,000	110
평가선례	2026.01.01.	4,500,000	95

자료 2 시점수정치(단위 : %)

2026.01.01.~2027.09.01.	2027.01.01.~2027.09.01.
5.675	1.752

자료 3

격차율은 절사하여 소수점 3자리까지 표시하며, 요인치는 절사하여 소수점 2자리까지 표시한다.

예시답안

1. 격차율 산정

$$\frac{4,500,000 \times 1.05675 \times 1.000 \times 110/95}{3,000,000 \times 1.01752} \fallingdotseq 1.803$$

2. 결정 : 상기 격차율을 고려하여 1.80으로 결정한다.

> **[판례]**
>
> **대판 2013.6.27, 2013두2587[토지수용재결취소등]**
>
> **【판시사항】**
>
> 토지수용·사용에 따른 보상액 평가를 위한 감정평가서의 산정요인 기재 방법 및 보상선례를 보상액 산정요인으로 반영하여 평가하면서 보상선례와 평가대상토지의 개별요인을 비교하여 평가한 내용 등 산정요인을 명시하지 않은 감정평가서를 기초로 보상액을 산정하는 것이 적법한지 여부(소극)
>
> **【판결요지】**
>
> 토지의 수용·사용에 따른 보상액을 평가할 때에는 관계법령에서 들고 있는 모든 산정요인을 구체적·종합적으로 참작하여 그 요인들을 모두 반영하여야 하고, 이를 위한 감정평가서에는 모든 산정요인의 세세한 부분까지 일일이 설시하거나 그 요인들이 평가에 미치는 영향을 수치적으로 나타내지는 않더라도 그 요인들을 특정·명시함과 아울러 각 요인별 참작 내용과 정도를 객관적으로 납득할 수 있을 정도로 설명을 기재하여야 한다. 이는 보상선례를 참작하는 것이 상당하다고 보아 이를 보상액 산정요인으로 반영하여 평가하는 경우에도 마찬가지라 할 것이므로, 감정평가서에는 보상선례토지와 평가대상인 토지의 개별요인을 비교하여 평가한 내용 등 산정요인을 구체적으로 밝혀 기재하여야 한다. 따라서 보상선례를 참작하면서도 위와 같은 사항을 명시하지 않은 감정평가서를 기초로 보상액을 산정하는 것은 위법하다고 보아야 한다.

6. 유의사항

(1) 각종 요인보정치의 유효숫자

시점수정치는 소수점 이하 5째 자리까지 표시(백분율 기준시 소수점 3째 자리)하며, 지역·개별요인비교치는 소수점 이하 3째 자리까지 표시(백분율 기준시 소수점 1째 자리)한다. 그 밖의 요인비교치는 소수점 이하 2째 자리까지 표시(백분율 기준시 첫째 자리)한다.

(2) 토지단가의 결정

토지의 단위면적당 가액(이하 '토지단가'라 한다)은 산정된 제곱미터(m^2)당 가액이 100,000원 미만인 경우에는 유효숫자 둘째 자리까지 표시하고, 100,000원 이상인 경우에는 유효숫자 셋째 자리까지 표시하는 것을 원칙으로 하되 반올림한다. 다만, 의뢰인으로부터 다른 요청이 있는 경우 또는 가액의 구분이 필요한 경우에는 달리 적용할 수 있다.

기 본예제

다음 토지에 대한 감정평가를 공시지가기준법에 의하여 하시오(기준시점 : 2027년 8월 1일). 토지단가는 반올림하여 유효숫자 3자리까지 결정한다.

자료 1 ▶ 대상 부동산

1. 소재지: A시 B동 50번지
2. 지목·면적: 대(나지), 320m²
3. 용도지역: 일반상업지역
4. 상업용 건물 부지로 이용하는 것이 적정하며, 소로한면에 접하고 세장형, 평지임.

풀이영상

자료 2 표준지공시지가 자료(공시기준일 : 2027.1.1.)

기호	소재지	지목	이용상황	용도지역	도로교통	형상지세	공시지가
1	A시 B동 100번지	대	주상복합	2종일주	소로한면	세장/평지	1,800,000
2	A시 B동 200번지	대	상업용	일반상업	중로각지	가장/평지	2,900,000
3	A시 B동 300번지	대	단독주택	일반상업	소로각지	가장/완경사	2,500,000
4	A시 C동 150번지	대	상업기타	2종일주	세로(가)	사다리/평지	1,000,000

≫ 같은 동 간에는 인근지역이며, C동은 B동의 동일수급권 내 유사지역이다.

자료 3 지가변동률(A시 상업지역)(%)

2025년 12월 누계	2026년 12월 누계	2027년 6월 누계	2027년 6월 당월	2027년 7월 당월
3.467	2.072	1.191	0.056	미고시

자료 4 개별요인 평점

1. 중로한면(100), 소로한면(90), 세로(가)(80), 세로(불)(70), 맹지(60)
2. 각지는 한면에 비하여 5% 우세하다.
3. 가장형(100), 정방형(98), 세장형(96), 사다리(94), 부정형(90)
4. 평지(100), 완경사(95)

자료 5 평가선례

기호	평가목적	기준시점	소재지	지목	이용상황	용도지역	도로교통	형상지세	평가액 (원/㎡)
1	일반거래	2025.1.1.	A시 B동 400번지	대	상업기타	일반상업	소로각지	부정/평지	4,800,000

≫ 그 밖의 요인 산정 시 "비교표준지 기준방식"을 이용할 것

◁예시답안

Ⅰ. 평가개요

　본건은 토지에 대한 감정평가로서 2027년 8월 1일을 기준시점으로 감정평가한다.

Ⅱ. 공시지가기준법에 의한 토지 감정평가액

　　1. 비교표준지 선정

　　　일반상업지역, 상업용으로서 본건과 유사한 표준지 2를 선정한다.

　　2. 시점수정치(2027.1.1.~2027.8.1.)

　　　$1.01191 \times (1 + 0.00056 \times 32/30) \fallingdotseq 1.01251$

　　3. 지역요인 비교치

　　　인근지역으로서 대등하다(1.000).

　　4. 개별요인 비교치

　　　$90/100 \times 100/105 \times 96/100 \times 100/100 \fallingdotseq 0.823$

5. 그 밖의 요인 비교치

(1) 평가선례 적부 : 일반상업지역의 상업용으로서 적절함.

(2) 격차율 결정 : $\dfrac{4,800,000 \times 1.06932^* \times 1.000 \times 1.235^{**}}{2,900,000 \times 1.01251} \fallingdotseq 2.158$

* 시점(2025.1.1.~2027.8.1. 상업)

　1.03467 × 1.02072 × 1.01191 × (1 + 0.00056 × 32/30) ≒ 1.06932

** 개별요인 비교치(비교표준지 2 / 평가선례) : 100/90 × 100/100 × 100/90 × 100/100 ≒ 1.235

(3) 그 밖의 요인 비교치 결정 : 상기의 격차율을 고려하여 2.15로 결정

6. 공시지가기준법에 의한 시산가액

　2,900,000 × 1.01251 × 1.000 × 0.823 × 2.15 ≒ 5,200,000원/m²(× 320 = 1,664,000,000원)

제2절　토지의 감정평가(거래사례비교법)

01 거래사례비교법의 개요

거래사례비교법은 합리적인 경제인이라면 시장에서 수요·공급의 상호작용에 의하여 결정되는 가격을 기준으로 행동할 것이므로, 시장에서 어느 정도의 가격으로 거래되는가 하는 시장성 및 대체·경쟁관계에 있는 다른 부동산의 가격과 상호작용에 의하여 가치가 결정된다는 대체의 원칙에 근거를 두고 있다. 이러한 비교방식에 의한 가치는 균형가치의 성격을 가지지만, 부동산 특성상 수요측면이 강하다.

사례가격 × 사정보정 × 시점수정 × 지역요인비교 × 개별요인비교 × 면적 ≒ 비준가액		
사례지역에서의	대상지역에서의	대상의
사례의 기준시점 시장가치	사례의 시장가치	시장가치

거래사례비교법 적용 시 감정평가법인등은 수요·공급의 원칙, 대체의 원칙, 균형의 원칙, 예측 및 변동의 원칙 등을 지침으로 그 지역의 시장조건을 고려하여 일관성 있게 적용하여야 한다. 거래사례의 시간적·장소적·물적 동일성 또는 유사성이 구비되지 않으면 거래사례비교법을 적용하는 데 많은 애로사항이 있으므로, 이 방법을 채택하는 경우 거래사례에 대한 거래일자, 거래경위, 거래조건 등을 충분히 검토하고, 객관성이 결여된 특수조건 등에는 적합한 수정을 가하여 적정한 비준가액을 산정하여야 한다. 이는 부동산이 일반상품과 달리 공개된 시장에서의 대량매매에 의한 가격형성이 이루어지지 않고, 부동산의 개별성에 의해 실거래가격이 거래당사자의 주관성이 합치되는 지점에서 거래가 이루어지기 때문이다.

02 거래사례의 선정

1. 거래사례가격의 개념

(1) 거래사례가격

사정이 개입된 거래시점의 사례지역에서의 사례가격으로서 매수자와 매도자 의견의 합치된 결과이다.

(2) 사례의 종류

나지상태의 토지 및 건부지가 있으며, 건부지를 거래사례로 선택하는 경우 평가대상이 토지이기 때문에 건부지(복합부동산) 거래가격에서 토지의 가격을 추출해야 한다(배분법, 구체적인 방법은 후술).

(3) 사례의 출처

거래사례는 등기사항전부증명서의 소유권 이전 사항(갑구) 및 매매내역을 통해 확인하거나 국토교통부 부동산 실거래가 조회시스템을 통하여 확인할 수 있다.

2. 거래사례의 선택방법

> **감정평가실무기준 610.1.5.3 거래사례비교법의 적용**
>
> **1.5.3.1 거래사례의 선정**
>
> ① 거래사례는 다음 각 호의 선정기준을 모두 충족하는 거래가격 중에서 대상토지의 감정평가에 가장 적절하다고 인정되는 거래가격을 선정한다. 다만, 한 필지의 토지가 둘 이상의 용도로 이용되고 있거나 적절한 감정평가액의 산정을 위하여 필요하다고 인정되는 경우에는 둘 이상의 거래사례를 선정할 수 있다.
> 1. 「부동산 거래신고 등에 관한 법률」에 따라 신고된 실제 거래가격일 것
> 2. 거래사정이 정상이라고 인정되는 사례나 정상적인 것으로 보정이 가능한 사례일 것
> 3. 기준시점으로부터 도시지역(「국토의 계획 및 이용에 관한 법률」 제36조 제1항 제1호에 따른 도시지역을 말한다)은 3년 이내, 그 밖의 지역은 5년 이내에 거래된 사례일 것. 다만, 특별한 사유가 있는 경우에는 그 기간을 초과할 수 있다.
> 4. 토지 및 그 지상건물이 일체로 거래된 경우에는 배분법의 적용이 합리적으로 가능한 사례일 것
> 5. [610-1.5.2.1]에 따른 비교표준지의 선정기준에 적합할 것
> ② 제1항 제3호 단서의 경우에는 그 이유를 감정평가서에 기재하여야 한다.

(1) **대상물건과 위치적 유사성이나 물적 유사성이 있어 가치형성요인의 비교가 가능한 사례**(위치적·물적 유사성)

대상물건의 위치적 유사성은 인근지역 또는 동일수급권 내의 유사지역에서 거래되는 사례를 수집하여야 한다는 것으로, 지역분석에 의하여 지역격차를 계량화하여 지역적인 격차를 반영할 수 있다. 대상물건의 물적 유사성은 토지의 경우 지목, 면적, 획지형태, 이용상황 등이 유사한 것을 의미하며,

건물의 경우 구조, 용재, 내용연수, 용도, 연면적, 물리적 및 기능적 상태 등이 유사하여 비교가능한 사례를 수집하여야 한다는 것을 의미한다.

>> 문제 풀이 시 인근지역의 판단이 중요한데, 문제에서 제시된 자료에 따라 평점이 주어지지 않거나 비교가 불가능한 경우 인근지역이 아닌 것으로 판단하면 된다.

(2) 기준시점으로 시점수정이 가능한 사례

기준시점으로 시점수정이 가능한 사례는 거래시점이 분명하여야 하며, 기준시점으로부터 거래시점까지의 가격변동이 있다면 그 차이를 보정할 수 있는 것을 말한다.

> **Check Point!**
>
> ● **거래사례 선택 시 시적격차의 한계**
>
> **감정평가에 관한 규칙 제2조(정의)**
> 12의2. "적정한 실거래가"란 「부동산 거래신고 등에 관한 법률」에 따라 신고된 실제 거래가격(이하 "거래가격"이라 한다)으로서 거래 시점이 도시지역(「국토의 계획 및 이용에 관한 법률」 제36조 제1항 제1호에 따른 도시지역을 말한다)은 3년 이내, 그 밖의 지역은 5년 이내인 거래가격 중에서 감정평가법인등이 인근지역의 지가수준 등을 고려하여 감정평가의 기준으로 적용하기에 적정하다고 판단하는 거래가격을 말한다.

(3) 거래사정이 정상이라고 인정되는 사례나 정상적인 것으로 보정이 가능한 사례

거래사정이 정상이라고 인정되는 사례나 정상적인 것으로 보정이 가능한 사례는 사정보정의 가능성이 크다는 것을 의미한다. 사정보정의 가능성이란 거래 당시 사정의 개입으로 시장가치와 괴리될 경우, 그것으로 인한 차이를 계량화할 수 있는 것을 말한다. 거래사례의 사정개입 여부는 중개거래와 직거래를 구분하지는 않으며, 실질적으로 사정이 개입되어 있는지 여부를 검토하여야 한다.

(4) 합리적인 배분법의 사용 가능성

토지 감정평가 시 거래사례 선택에 있어서 복합부동산(토지, 건물)의 거래사례를 선택하여야 한다면 합리적인 기준에 따라 거래사례의 건물의 가치를 배분할 수 있는 사례를 선택해야 한다(배분법의 적용).

> **Check Point!**
>
> ● **최유효사용하의 토지와 건물가치**
>
> 최유효이용이란 객관적으로 보아 양식과 통상의 이용능력을 가진 사람이 대상토지를 합리적이고, 합법적인 최고최선의 방법으로 이용하는 것으로, 부동산의 유용성이 최고도로 발휘되는 사용방법이다.
> 실무적으로 최유효이용하의 복합부동산의 경우 토지와 건물가치의 합계가 전체 부동산의 가치와 동일하게 나오게 되는 논리를 가지고 있다(토지 + 건물 = 전체 부동산가격). 최유효이용에 미달하는 경우 배분법 적용이 제한될 수 있다.

기 본예제

아래 토지의 거래사례비교법 적용 시 선택가능한 가장 적절한 거래사례를 선정하시오.

자료 ▶ 본건 및 거래사례의 개요

구분	용도지역	이용상황	기준시점/ 거래시점	평가대상/ 거래대상	총금액
본건	2종일주	단독주택	2027.09.01.	토지, 건물	–
거래사례 1	2종일주	단독주택	2025.01.01.	토지, 건물	400,000,000
	정상적인 거래사례임.				
거래사례 2	2종일주	상업용	2027.01.01.	토지, 건물	700,000,000
	정상적인 거래사례임.				
거래사례 3	2종일주	단독주택	2027.01.01.	토지, 건물	500,000,000
	정상적인 거래사례임.				
거래사례 4	2종일주	단독주택	2027.01.01.	토지, 건물	400,000,000
	건축이 중단된 건물이 거래되어 건물가액의 추정이 어렵다.				
거래사례 5	3종일주	단독주택	2027.01.01.	토지, 건물	500,000,000
	정상적인 거래사례임.				

◢예시답안

제2종일반주거지역, 단독주택으로서 거래시점이 최근이며, 사정개입되지 않은 거래사례 3을 선정한다(#1 : 거래시점, #2 : 이용상황, #4 : 배분법 적용 불가 등, #5 : 용도지역).

03 사정보정 및 배분법의 적용

1. 사정보정

1) 개념

거래사례에 특수한 사정이나 개별적 동기가 반영되어 있거나 거래 당사자가 시장에 정통하지 않은 등 수집된 거래사례의 가격이 적절하지 못한 경우에는 사정보정을 통해 그러한 사정이 없었을 경우의 적절한 가격수준으로 정상화하는 과정이다.

사정보정의 필요성 유무 및 정도의 판단은 다수 거래사례 등을 종합적으로 비교·대조한 후 검토되어야 하며, 사정보정이 필요하다고 판단한 경우 거래된 시장의 객관적 가격수준을 고려하여 적정하게 보정하여야 한다. 사정보정의 작업은 일정한 법칙이나 기준이 없으나, 거래사례가격에 미친 영향 정도를 분석해서 사정보정치를 산정하여 거래사례를 정상화하는 과정을 거쳐야 한다. 한편 비전형적인 거래상황에 의한 사정보정이 불가능한 거래사례는 제외하는 것이 원칙이다.

2) 사정보정률과 사정보정치

사정보정률이란 시장가치대비 사정 개입률을 의미하며 사정보정치란 시장가치로 보정하기 위한 수치를 의미한다.

⑩ 정상거래가격 100, 사정개입된 거래가격 110인 경우 사정보정률은 10% 고가매입을 의미하며, 사정보정치는 100/110을 의미한다.

3) 각종 사정개입의 처리

(1) 건물의 철거, 세금의 부과 등 거래의 사정개입의 처리

① 철거비

> • 매수자 부담조건 : 매매가격 + (철거비 − 잔재가격)(사정의 개입정도)
>   = 적정토지 거래가격
> • 매도자 부담조건 : 매매가격 = 적정토지 거래가격

㉠ 철거비 및 잔재가격은 실제투입비용을 의미하는 것이 아니라 매매 당시 매도인과 매수인의 예상치를 의미한다.

㉡ 비교하고자 하는 사례가 사례의 정상적인 거래조건을 가정한 상태에서의 거래가격이기 때문이며, 실질적인 매수자의 경제적 부담액을 판단하고자 하는 것이기 때문에 상기와 같은 철거조건의 고려가 반영되어야 하는 것이다.

② 양도소득세 등 거래관련 세금

> 매수자 부담 시 : 시장가치 − 양도소득세(사정의 개입정도) = 매매가격
>   정상거래가격 = 매매가격 + 양도소득세(사정의 개입정도)

기 본예제

노후화된 건물을 포함한 복합부동산 등의 거래사례를 기준으로 평가부동산의 토지가격을 산정하려고 한다. 아래와 같은 조건으로 거래 시 사정보정 후 토지의 거래가격을 산정하시오.

자료 1 거래사례자료

1. 거래가격 : 150,000,000원
2. 건물 : 연면적 100m²(내용연수가 만료된 노후화된 건물로서 철거가 타당하다고 인정됨.)
3. 철거 시 철거비용은 40,000원/m²이 소요되며 잔재가격은 200,000원 정도임(계약체결 시 예상가격). 실제 철거비용은 30,000원/m²이 소요되었음.

자료 2 조건

1. 합리적이고 시장사정에 정통한 매수자가 철거를 전제로 하여 거래가격을 결정한 경우
2. 철거비는 매도자가 부담한다는 조건하에 거래가 이루어진 경우
3. 매수자가 철거를 전제로 거래가격을 지불하였으나 실제 철거비용은 50,000원/m²이 소요된 경우
4. 매수자가 상기거래로 인한 매도자의 양도소득세 10,000,000원을 부담하기로 하였고, 철거 또한 매수자가 행하는 것을 전제로 거래가격을 지불한 경우

예시답안

1. 개요

각 조건에 따라 거래사례에 적용할 토지가격을 산정함.

2. 조건 1

$$150,000,000 + (100 \times 40,000 - 200,000) = 153,800,000원$$

3. 조건 2

사례가격 = 거래가격 = 150,000,000원

4. 조건 3

$$150,000,000 + (100 \times 40,000 - 200,000) = 153,800,000원$$

5. 조건 4

$$150,000,000 + 10,000,000 + (100 \times 40,000 - 200,000) = 163,800,000원$$

---

(2) **증분가치 배분**(병합토지)

① **합필가치의 개념 및 합필가치 배분의 개념**

합필가치란 두 필지 이상의 토지가 병합되면서 발생하는 추가적인 이익이다. 두 필지 이상의 토지를 합병할 조건으로 거래된 거래가격에는 기여도(합필가치)가 고려되어 있으므로 이를 적절히 보정하여 합필가치를 배제하여 보정해야 한다.

② 병합을 위한 토지의 거래

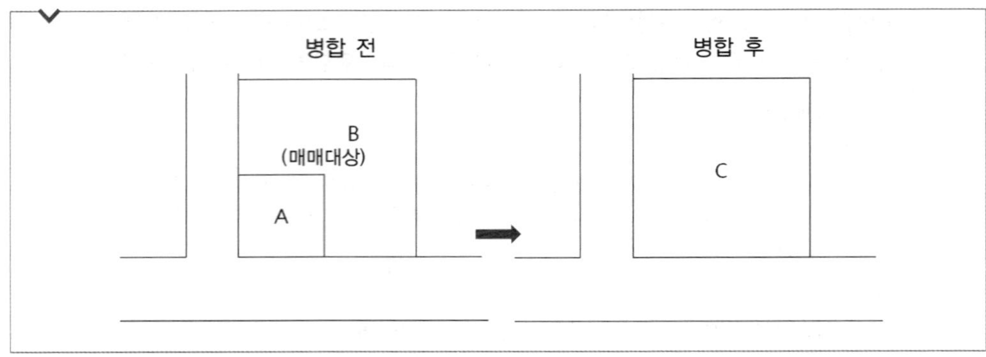

③ 기여도 배분방법 및 산정

배분방법	배분방법의 근거	B토지의 기여도 산정
면적비	병합 전 획지의 양적요인인 면적비율에 의거 배분	$\dfrac{\text{B토지의 면적}}{\text{A토지의 면적} + \text{B토지의 면적}}$
단가비	병합 전 획지의 질적요인인 단가비에 의해 배분	$\dfrac{\text{B토지의 단가}}{\text{A토지의 단가} + \text{B토지의 단가}}$
병합 전 총액비	병합 전 획지의 총액(지분)에 따라 배분	$\dfrac{\text{B토지의 총액}}{\text{A토지의 총액} + \text{B토지의 총액}}$
지불가능 한도액비	병합 전의 획지가 서로 상대획지를 산다고 하여도 손해가 없는 매입한도액을 각 토지의 가액비로 배분	$\dfrac{\text{B토지 총액} + \text{증분가치}}{(\text{A토지 총액} + \text{증분가치}) + (\text{B토지 총액} + \text{증분가치})}$ $\dfrac{\text{병합 후 총액} - \text{A토지 총액}}{(\text{병합 후 총액} - \text{B토지 총액}) + (\text{병합 후 총액} - \text{A토지 총액})}$

기 본예제

柳평가사는 의뢰인 A토지 소유자인 朴 씨로부터 다음과 같은 토지에 대한 평가를 의뢰받았다. 朴 씨는 金 씨 소유인 B토지를 구입하여 상업용 건물을 신축하고자 한다. 다음 자료를 이용하여 획지B의 한정가격(평점)을 총액비와 구입한도액비를 이용하여 평가하고, B토지를 100,000,000원에 구입한 경우 정상거래가격을 산정하시오. 사정보정치는 소수점 둘째자리까지 산정하며, 토지단가는 반올림하여 천원 단위까지 결정한다.

자료 1 지적상황

도로(폭 30m)
A지 100m²
B지 300m² (매매대상)
도로(폭 5m)

풀이영상

PART 02

자료 2 朴 씨와 金 씨가 합리적으로 합의한 각 획지별 단가(평점)

획지	A토지	B토지	A + B토지
단가비	100	70	98

예시답안

I. 평가개요

본건은 한정가격산정으로 B토지의 한정가격을 총액비와 구입한도비를 이용한 증분가치배분비를 평균하여 평가한다.

II. 증분가치배분비 산정

1. 증분가치(평점)의 산정

(1) 병합 전

① A획지: $100 \times 100 = 10,000$

② B획지: $300 \times 70 = 21,000$

(2) 병합 후: C획지: $(100 + 300) \times 98 = 39,200$

(3) 증분가치(평점): $39,200 - (10,000 + 21,000) = 8,200$

2. 증분가치(평점) 배분비

(1) 총액비: $\dfrac{21,000}{10,000+21,000} \times 100\% ≒ 67.7\%$

(2) 구입한도액비: $\dfrac{39,200 - 10,000}{(39,200 - 10,000) + (39,200 - 21,000)} \times 100\% ≒ 61.6\%$

(3) 배분비: $\dfrac{67.7\% + 61.6\%}{2} ≒ 64.7\%$

III. 한정가격(B획지)(평점) 산정

$21,000 + 8,200 \times 0.647 ≒ 26,305$

IV. B토지의 정상거래가격

1. 사정보정치

$21,000 ÷ 26,305 ≒ 0.80$

2. B토지 정상거래가격

$100,000,000 \times 0.80 ÷ 300m^2 ≒ 267,000원/m^2$

---

(3) 금융조건의 보정

시장의 일반적인 금융조건과 다르게 유리하거나 불리한 금융조건을 전제로 거래된 경우 거래가액이 정상적인 거래가격과 괴리될 수 있으므로 이를 보정해 주어야 한다.

> **임차보증금 인수 시 처리방법**
>
> 부동산 거래관행상 임차보증금을 인수하는 경우 매매가액에서 임차보증금을 차감한 차액을 현금으로 지급하고 임차인에 대한 임차보증금 반환의무는 매수인이 지는 경우가 일반적이다(임대차관계를 매수인이 승계한다). 따라서 승계하는 임차보증금의 지연납입에 따른 현금등가를 처리할 수 있을 것이다.

기본예제

柳 씨는 시가 1,000,000,000원의 아파트를 매수하면서 설정된 임차보증금 600,000,000원을 매도인으로부터 승계하였다. 임대차만료일까지 2년이 남은 것을 가정하고 매입에 따른 현금등가를 산정하시오(다만, 할인율은 연 6.0%이다). 반올림하여 천원 단위까지 결정한다.

예시답안

현금등가

$(1,000,000,000 - 600,000,000) + 600,000,000 \times 1/1.06^2 ≒ 934,000,000$원

---

(4) 기타 사정보정방법

당사자 간에 특별한 사정으로 정상적인 거래가격보다 높거나 낮게 거래된 정황이 포착되는 경우 이를 보정하여 활용하도록 한다.

기본예제

01 대지면적 800m²의 나지를 860,000,000원에 구입하였으나 이것은 인근의 유사규모의 표준획지보다 고가로 매매된 것으로 파악되었으며 표준획지의 시장가치는 1,000,000원/m²으로 조사되었다. 이 경우의 사정보정치는 얼마인가?

예시답안

1. 사정보정률

$$\left(\frac{매매가격 - 시장가치}{시장가치} \right)$$

$$\frac{860,000,000/800 - 1,000,000}{1,000,000} ≒ 0.075\,(\therefore\ 7.5\%)$$

2. 사정보정치

$$\frac{100}{100+7.5} ≒ 0.930$$

02 면적이 500m²인 토지를 25,000,000원에 구입하였으나 이는 인근 표준적인 획지보다 고가로 매입한 것으로 파악되었다. 표준적인 획지의 적정가격이 40,000원/m²으로 조사되었을 경우 사정보정치는 얼마인가?

예시답안

1. 사정보정률

$$\frac{25,000,000/500 - 40,000}{40,000} \times 100 = 25\%$$

2. 사정보정치

$$\frac{100}{100+25} = 0.80$$

---

2. 배분법의 적용

1) 공제방식, 비율방식

배분법 사용 시 거래시점의 사례 건물의 가격 또는 토지건물가격구성비를 적용한다.

⑴ 공제방식

> 비준가액 = [사례복합부동산의 거래가격 − 사례건물가격] × 사정보정 × 시점수정 × 개별요인

사례건물가격은 거래시점 당시의 건물의 가격으로서 거래시점 당시의 재조달원가 및 거래시점 당시의 잔가율을 기준해야 한다. 실무적으로 많이 사용된다.

⑵ 비율방식

> 비준가액 = [사례복합부동산의 거래가격 × 토지가격 구성비율] × 사정보정 × 시점수정 × 개별요인

토지가격구성비율은 거래시점 당시의 토지가격구성비율을 활용해야 한다. 토지가격구성비율은 "1 − 건물가격구성비율"과 동일하다.

2) 배분법을 적용하기 곤란한 사례는 배제함이 원칙이다.

기 본예제

01 아래 거래사례에 대한 토지의 배분가액(원/m²)을 산정하시오(기준시점 : 2027.06.21.).

≫ 배분단가는 반올림하여 원 단위까지 표시한다.

구분	면적(m²)		거래시점	거래금액	건물의 대한 사항
	토지	건물			
실거래사례	195	231	2026.06.02.	400,000,000	재조달원가 : 800,000원/m² 내용연수 : 40 사용승인일 : 2008.05.06.

예시답안

$$\frac{(400,000,000 - 800,000 \times 22/40 \times 231)}{195} = 1,530,051원/m²$$

02 토지·건물가격이 90,000,000원인 주택이 있다. 거래시점사례의 토지·건물의 가격구성비율이 2 : 1이고 기준시점의 대상물건의 토지·건물가격구성비율이 3 : 1일 경우 사례토지의 가격은 얼마인가?

예시답안

비율방식

$$90,000,000원 \times \frac{2(토지가격\ 구성비율)}{3(토지·건물전체가격\ 구성비율)} = 60,000,000원$$

04 사례의 비준

1. 시점수정

(1) 거래시점의 기준일

계약시점을 의미한다(실질적인 매수자, 매도자 사이의 계약에 대한 합의가 이루어진 시점을 기준한다. 이는 계약 당시의 시점의 가격형성요인에 의하여 거래가격이 형성되어 있기 때문이다). 이와 관련하여 「실무기준」 등 관련 규정에서는 별도로 거래시점에 대하여 정의하고 있지 않다. 참고로 「부동산 거래신고에 관한 법률 시행령」에서는 부동산거래의 신고 시 계약일, 중도금 지급일 및 잔금지급일을 신고하도록 규정하고 있다.

(2) 시점수정 방법

사례물건의 가격변동률로 한다. 토지의 감정평가 시에는 표준지공시지가기준법과 동일한 방법이다.

2. 지역요인 및 개별요인 비교

표준지공시지가기준법과 동일한 방법이다.

3. 그 밖의 요인 비교

거래사례비교법에서는 별도의 그 밖의 요인비교를 하지 않는다.

05 평가액의 결정(비준가액)

1. 시산가액의 유효숫자

10만원 미만은 유효숫자 두 자리, 10만원 이상은 유효숫자 세 자리를 기준으로 하나, 이는 강행규정은 아니며, 의뢰인이 제시한 유효숫자가 있으면 그에 따르도록 한다.

2. 기타사항(제시된 조건이 있으면 최우선적으로 적용)

(1) 시점수정

소수점 5째 자리까지 표시(백분율 기준시 소수점 3째 자리)

(2) 지역, 개별요인

소수점 3째 자리까지 표시(제시된 자료별로 별도 적용 가능)

기 본예제

01 당신은 C시 H구 K동에 소재하는 나대지 100m²에 대한 감정평가를 의뢰받았다. 다음 자료를 근거로 하여 거래사례비교법에 의한 비준가액을 구하시오(기준시점은 2027년 8월 20일이다).

> **자료 1** 사례자료

1. 거래사례는 지목이 대이고 면적은 200m²이다. 지상에는 조적조 슬래브지붕 단층의 경제적 내용연수가 지난 건물이 소재하며 건물면적은 50m²이다.
2. 거래사례는 2026.6.1.에 3억원에 구입하여 주택신축을 목적으로 철거가 전제되어 거래된 것이다. 거래시점에 계약금 5천만원, 2026.10.1.에 중도금 1억원, 그리고 2027.2.1.에 잔금을 지불키로 하였다.
3. 철거예상비용은 m²당 20,000원, 예상폐재가치는 200,000원이었으나, 실제로는 철거비가 800,000원, 폐재가치가 300,000원 발생하였다(매수자 부담).

> **자료 2** 기타자료

1. 거래사례를 조사한 결과 급거래로 인해 10% 고가로 매입된 것으로 조사되었다.
2. 거래사례는 대상물건과 인근지역에 소재하고 개별요인평점은 본건이 110, 거래사례가 90인 것으로 판단된다.
3. 지가변동률(C시 H구)
   (1) 2026.6.1.~2026.12.31. : 3.116%
   (2) 2027.6월 : 누계 1.093%, 당월 0.093%
4. 할인율은 연 12%이다(월 1%).
5. 토지단가(원/m²)는 반올림하여 유효숫자 3자리까지 표시한다.

> **예시답안**

Ⅰ. **평가개요**

사례를 보정하여 비준가액을 산정한다.

Ⅱ. **토지가격산정**

1. **현금등가 및 사정보정**

$$\left(50,000,000 + 100,000,000 \times \frac{1}{1.01^4} + 150,000,000 \times \frac{1}{1.01^8}\right) \times \frac{100}{110} + 20,000 \times 50 - 200,000$$

$$\fallingdotseq 259,545,925원(1,297,730원/m^2)$$

2. **시점수정 (2026.6.1.~2027.8.20.)**

$1.03116 \times 1.01093 \times (1 + 0.00093 \times 51/30) \fallingdotseq 1.04408$

3. **지역요인**

인근지역이므로 동일하다. ∴ 1.000

4. **개별요인**

$\dfrac{110}{90} \fallingdotseq 1.222$

5. **토지가격산정**

$1,297,730 \times 1.000 \times 1.04408 \times 1.000 \times 1.222 \fallingdotseq 1,660,000원/m^2(\times 100 = 166,000,000원)$

02 아래 토지를 거래사례비교법으로 평가하시오(기준시점은 2027년 1월 11일이다).

자료 1 **본건의 현황**

소재지	면적(m²)	지목	용도지역
서울특별시 K구 D동 890-31	374.5	대(근린생활시설)	일반상업지역

» 본건은 세로장방형 토지로서 지반은 대체로 평탄하며, 북측 도로는 인도 및 차도를 기준으로 폭 4m 정도로서 아스팔트 포장도로이다. 현재 일방통행길로 이용되고 있다.

자료 2 **거래사례자료**

1. 거래사례 목록

일련 번호	소재지	용도지역 이용상황	도로조건 형상	토지면적(m²) 건물면적(m²)	거래가액 (천원)	매매 시점	건물사용 승인일
가	D동 889-51	일반상업 상업용	세로(가) 부정형	388.0 2,041.75	11,000,000	2026.1.1.	2018.1.31.
나	D동 890	일반상업 업무용	광대로한면 가장형	903.7 5,744.2	30,471,000	2026.1.1.	2014.12.1.

2. 거래사례 건물에 대한 조사사항

가	기준시점 현재 건물의 m²당 건축비는 1,200,000원(철근콘크리트조) 수준이다.
나	기준시점 현재 건물의 m²당 건축비는 1,000,000원(철근콘크리트조) 수준이다.

» 철근콘크리트조의 경제적 내용연수는 50년이며, 잔가율은 0%를 가정한다.

자료 3 **시점수정자료**

1. 지가변동률

기간	용도지역별 K구 상업지역(%)	비고
2026.1.1.~2026.11.30.	2.116	2026년 1월~11월 지가변동률
2026.11.1.~2026.11.30.	0.186	2026년 11월 지가변동률

2. 생산자물가지수

구분	2024.12.	2025.12.	2026.1.	2026.10.	2026.11.
지수	104.91	105.78	105.99	106.07	106.21

자료 4 **개별요인 등**

1. 중로한면(100), 소로한면(90), 세로(가)(80)
2. 가로장방형(100), 세로장방형(95), 부정형(90), 자루형(85)
3. 토지단가는 유효숫자 3자리까지 반올림하여 결정한다.

예시답안

1. 거래사례 선택

일반상업, 상업용으로서 주변환경 유사한 거래사례 "가" 선정

2. 매매사례 토지 배분단가

(11,000,000,000 − 1,200,000 × 0.99595* × 43/50 × 2,041.75) ÷ 388 ≒ @22,941,876

* 2026.1.1. / 2027.1.11. 생산자물가지수 : 2025.12. / 2026.11. = 105.78/106.21

3. 시점수정치(2026.1.1.~2027.1.11. K구, 상업지역)

$1.02116 \times (1 + 0.00186 \times 42/30) ≒ 1.02382$

4. 개별요인 비교치

$80/80 \times 95/90 ≒ 1.056$

5. 비준가액

$22,941,876 \times 1.000(사정) \times 1.02382 \times 1.000(지역) \times 1.056 ≒ @ 24,800,000(\times 374.5 = 9,287,600,000원)$

03 감정평가사 甲 씨는 서울특별시 S구 B동에 소재하는 아래 부동산에 대한 시가참조 목적의 감정평가를 의뢰받고 다음의 자료를 수집하였다. 감정평가 관련 법령에 의하여 시장가치를 평가하시오. 토지단가는 반올림하여 유효숫자 3자리까지 표시한다.

자료 1 대상 부동산의 현황

1. 소재지 : 서울특별시 S구 B동 55-8, 대, 100m²
2. 토지현황 : 제2종일반주거지역, 세장형, 평지, 상업용
3. 해당 토지는 남서측으로 노폭 약 6m의 포장도로에 접하고 있음.
4. 개별공시지가(원/m²) : 6,091,000원/m²(2027년 1월)

풀이영상

자료 2

감정평가사 甲 씨는 2027년 10월 25일에 현장조사를 완료하였음.

자료 3 인근지역의 비교표준지 공시지가(공시기준일 : 2027.1.1.)

기호	소재지	면적 (m²)	지목	이용 상황	용도 지역	도로 교통	형상 및 지세	공시지가 (원 / m²)
A	B동 54-□□	313.7	대	상업용	2종일주	소로한면	세장형 평지	6,480,000
B	B동 56-□□	258.7	대	주상기타	2종일주	소로한면	부정형 평지	5,180,000

자료 4 지가변동률(단위 : %)

기간	서울특별시 S구 주거지역	서울특별시 S구 평균	서울특별시 평균
2026.1.1.~2026.12.31.	2.502	4.220	3.044
2027.1.1.~2027.8.31.	3.141	3.972	2.094
2027.6.1.~2027.6.30.	0.251	0.131	0.099
2027.7.1.~2027.7.31.	0.260	0.132	0.127
2027.8.1.~2027.8.31.	0.101	0.335	0.058

» 2027년 9월 이후 지가변동률은 발표되지 않았다.

자료 5 개별요인평점

구분	가로조건	접근조건	환경조건	획지조건	행정적 조건	기타조건
본건	1.00	1.00	1.00	1.00	1.00	1.00
표준지 A	1.05	1.05	1.03	0.98	1.00	1.00
표준지 B	1.05	0.98	0.98	0.95	1.00	1.00
평가선례	0.95	0.97	0.95	0.98	1.00	1.00
거래사례	1.02	1.01	1.03	0.98	1.00	1.00

자료 6 인근지역의 평가선례

기호	소재지	지목	면적	용도지역 이용상황	사례단가 (원/m²)	기준시점	평가목적
1	B동 58-4	대	378.6	2종일주 상업기타	11,950,000	2026.1.1.	시가참조

자료 7 인근지역의 거래사례

기호	소재지	지목 용도지역	면적(m²) 토지	면적(m²) 건물	거래가액 (천원)	거래일자
#1	B동 54-11	대 2종일주	330.0	1,100.0	5,600,000	2027.6.1.

≫ 거래사례에는 사정이 개입되어 있지 않다.

자료 8 사례 건물의 현황

1. 재조달원가 : 800,000원/m²(상업용)
2. 사용승인일 : 2005.10.19.
3. 내용연수 : 50년
4. 최종잔가율 : 0%

예시답안

Ⅰ. 평가개요

본건은 토지에 대한 일반거래목적의 평가로 기준시점은 현장조사 완료일인 2027년 10월 25일이다.

Ⅱ. 공시지가기준법

1. 비교표준지 선정

제2종일반주거지역의 상업용으로서 본건과 비교가능성이 있는 표준지 A를 선정한다.

2. 시점수정치(2027.1.1.~2027.10.25. 서울특별시 S구 주거지역)

$1.03141 \times (1 + 0.00101 \times 55/31) ≒ 1.03326$

3. 지역요인 비교치

인근지역으로서 대등함(1.000).

4. 개별요인 비교치

$1.00/1.05 \times 1.00/1.05 \times 1.00/1.03 \times 1.00/0.98 \times 1.00/1.00 \times 1.00/1.00 ≒ 0.899$

5. 그 밖의 요인 비교치

   (1) 평가선례 선택 : 제시된 평가선례는 2종일반주거지역의 상업용으로서 비교표준지와 유사성이 있음.

   (2) 격차율 분석(비교표준지 기준)

      ① 시점수정치(2026.1.1.~2027.10.25. 서울특별시 S구 주거지역)

         $1.02502 \times 1.03141 \times (1 + 0.00101 \times 55/31) ≒ 1.05911$

      ② 개별요인 비교치(표준지 A/평가선례)

         $1.05/0.95 \times 1.05/0.97 \times 1.03/0.95 \times 0.98/0.98 \times 1.00/1.00 \times 1.00/1.00 ≒ 1.297$

   (3) 격차율 : $\dfrac{11,950,000 \times 1.05911 \times 1.000 \times 1.297}{6,480,000 \times 1.03326} ≒ 2.451$

   (4) 그 밖의 요인 비교치 결정 : 상기의 격차율을 고려하여 그 밖의 요인으로서 145% 증액보정한다 (2.45).

6. 공시지가 기준가액

   $6,480,000 \times 1.03326 \times 1.000 \times 0.899 \times 2.45 ≒ 14,700,000원/m^2$

Ⅲ. 거래사례비교법

1. 거래사례 선택

   제시된 거래사례는 2종일반주거지역의 상업용으로서 본건과 유사성이 있음.

2. 거래사례 토지의 거래가격(배분법)

   (1) 사례건물가격 : $800,000 \times 29/50 = 464,000원/m^2(\times 1,100 = 510,400,000원)$

   (2) 토지거래가격 : $5,600,000,000 - 510,400,000 = 5,089,600,000원(15,423,030원/m^2)$

3. 시점수정치(2027.6.1.~2027.10.25. 서울특별시 S구 주거지역)

   $1.00251 \times 1.00260 \times 1.00101 \times (1 + 0.00101 \times 55/31) ≒ 1.00793$

4. 지역요인 비교치

   인근지역에 소재하여 대등함(1.000).

5. 개별요인 비교치

   $1.00/1.02 \times 1.00/1.01 \times 1.00/1.03 \times 1.00/0.98 \times 1.00/1.00 \times 1.00/1.00 ≒ 0.962$

6. 비준가액

   $15,423,030 \times 1.000 \times 1.00793 \times 1.000 \times 0.962 ≒ 15,000,000원/m^2$

Ⅳ. 토지의 감정평가액

   「감정평가에 관한 규칙」 제14조에 의하여 공시지가기준법에 의하며, 다른 평가방법에 의하여 그 합리성이 인정된다. $14,700,000원/m^2(\times 100 = 1,470,000,000원)$

제3절 건물의 감정평가(원가방식)

01 건물의 감정평가방식 및 용어 등

감정평가에 관한 규칙 제15조(건물의 감정평가)

① 감정평가법인등은 건물을 감정평가할 때에 원가법을 적용해야 한다.

② 삭제 <2016.8.31.>

감정평가실무기준 610 토지 및 그 정착물

2. 건물의 감정평가

2.1 정의

건물이란 토지에 정착하는 공작물 중 지붕과 기둥 또는 벽이 있는 것과 이에 부수되는 시설물, 지하 또는 고가(高架)의 공작물에 설치하는 사무소, 공연장, 점포, 차고, 창고, 그 밖에 「건축법」 시행령으로 정하는 것을 말한다.

2.4 건물의 감정평가방법

① 건물을 감정평가할 때에는 원가법을 적용하여야 한다. 이 경우 [400-4]를 따른다.

② 원가법으로 감정평가할 때 건물의 재조달원가는 직접법이나 간접법으로 산정하되, 직접법으로 구하는 경우에는 대상건물의 건축비를 기준으로 하고, 간접법으로 구하는 경우에는 건물신축단가표와 비교하거나 비슷한 건물의 신축원가 사례를 조사한 후 사정보정 및 시점수정 등을 하여 대상 건물의 재조달원가를 산정할 수 있다.

③ 거래사례비교법으로 감정평가할 때에는 적절한 건물의 거래사례를 선정하여 사정보정, 시점수정, 개별요인비교를 하여 비준가액을 산정한다. 다만, 적절한 건물만의 거래사례가 없는 경우에는 토지와 건물을 일체로 한 거래사례를 선정하여 토지가액을 빼는 공제방식이나 토지와 건물의 가액구성비율을 적용하는 비율방식 등을 적용하여 건물가액을 배분할 수 있다.

④ 수익환원법으로 감정평가할 때에는 전체 순수익 중에서 공제방식이나 비율방식 등으로 건물귀속순수익을 산정한 후 이를 건물의 환원율로 환원하여 건물의 수익가액을 산정한다.

⑤ 건물의 일반적인 효용을 위한 전기설비, 냉·난방설비, 승강기설비, 소화전설비 등 부대설비는 건물에 포함하여 감정평가한다. 다만, 특수한 목적의 경우에는 구분하여 감정평가할 수 있다.

1. 건축물 관련 용어

① **연면적** : 각 층 바닥면적의 합계

② **대지면적** : 대지의 수평투영면적

③ **건축면적** : 건축물의 중심선으로 둘러싸인 부분의 수평투영면적

   》 건폐율(건축면적 ÷ 대지면적), 용적률(연면적 ÷ 대지면적)

2. 건축선

건축한계선, 건축지정선(건축법 제46조)

3. 건축물 감정평가 시 면적

① 건물의 면적사정은 건축물대장상의 면적을 기준으로 하되, 다음의 경우에는 실제면적을 기준으로 할 수 있다.
   ㉠ 현장조사 결과 실제면적과 건축물대장상 면적이 현저하게 차이가 나는 경우
   ㉡ 의뢰인이 실제면적을 제시하여 그 면적을 기준으로 감정평가할 것을 요청한 경우
② 실제면적과 건축물대장상의 면적이 현저하게 차이가 나는 경우에는 의뢰인에게 그 사실을 알려야 하며, 의뢰인이 요청한 면적을 기준으로 감정평가할 수 있다.
③ 실제면적은 바닥면적으로 하되 「건축법」 시행령 제119조 제1항 제3호에 따라 건축물의 각 층 또는 그 일부로서 벽, 기둥, 그 밖에 이와 비슷한 구획의 중심선으로 둘러싸인 부분의 수평투영면적을 실측에 의하여 산정한다.

02 원가법에 의한 건물의 평가

1. 기본산식

> 적산가액 = 재조달원가 − 감가수정액(감가누계액)

2. 재조달원가

재조달원가란 현존하는 물건을 기준시점에 있어서 원시적으로 재생산 또는 재취득하는 것을 상정하는 경우에 필요한 적정한 원가총액(재생산원가, 재취득원가)을 말하며, 실제로 건설된 방법에 불구하고 일반적인 도급방식에 의하여 소요되는 표준적인 건설비와 도급인이 별도로 지불한 건설기간 중의 통상부대비용(소요자금이자, 감독비, 제세금 등)을 합산한 금액으로 한다(도급기준). 재생산원가(생산개념에 입각)는 건축물과 같이 생산(건축)이 가능한 경우에 적용되는 반면, 재취득원가(취득개념에 입각)의 경우는 도입기계 등과 현실적으로 직접 생산이 불가능한 경우에 구매하여 취득하는 경우에 적용될 수 있다. 재생산원가는 복제원가(Reproduction Cost)와 대체원가(Replacement Cost)로 구분될 수 있다.

1) 산정기준

감정평가를 할 때에는 해당 물건의 생산이나 취득에 실제로 들어간 원가가 아니라 일반적인 방법으로 생산하거나 취득한 생산비 또는 취득비를 기준으로 한다. 이는 실제 들어간 생산비나 취득비는 소유자 등이 주관적으로 부여하는 가치나 협상력에 따른 차이가 반영될 수 있기 때문에 일반적인 도급방식에 의해 생산 또는 취득된 원가로 산정하는 것이 원칙이다. 그리고 제세공과금 등 일반적인 부대비용 또한 재조달원가의 구성항목이 된다.

> 재조달원가 = 표준적 건설비(원자재비용, 노동에 대한 비용, 하청회사의 간접비 및 이윤 포함)
> + 도급인의 통상적인 부대비용(행정비용, 수수료 등) + 개발이윤(정상적인 이윤)

재조달원가	표준적인 건설비	공사비	직접비
			간접비
		수급인의 적정이윤	
	도급인이 직접 부담하는 통상의 부대비용	건설자금이자, 설계감리비	
		허가비용, 세금 및 공과금 등, 등기수속비 등	
		기타 도급인 부담비용	
	개발이윤	정상적인 이윤	

(1) 표준적인 건설비

개량물의 건축에 사용되는 노동과 원자재에 대한 지출경비뿐만 아니라 하청회사의 간접비용과 이윤도 포함되는데, 이것들은 하청업자와의 계약액에 이미 포함되어 있기 때문이다.

(2) 통상의 부대비용

노동과 원자재 이외의 항목에 대한 지출경비로 행정비용, 수수료, 세금, 마케팅비용 등 일반적으로 표준적인 건설비의 일정비율로 표시된다. 종류에는 일반간접비용, 관리간접비용, 비품에 대한 감가상각비 등이 있다.

(3) 개발이윤

개발이윤은 생산의 4요소인 경영의 대가에 포함시켜야 한다. 왜냐하면 시장위험으로 인한 손실발생 시에도 타 방식과 일치를 위해 이를 포함시켜야 하기 때문이다. 개발이윤(Entrepreneurial Profit)[9]은 완성된 부동산의 가치에서 개발비용을 뺀 차액을 말하는데, 매도할 경우에는 판매이윤의 형태로, 임대할 경우에는 정상적 임대수익 외에 소유자에게 귀속되는 추가적 투자수익의 형태로, 직접 사용할 경우에는 기업에 대한 사용가치의 형태로 나타난다.

2) 재조달원가(재생산원가)의 종류

(1) 복제원가(재생산비용, Reproduction Cost)

복제원가는 대상물건과 같은 모양, 구조, 노동의 질, 원자재를 가지고 있는 복제품(Replica)을 기준시점 현재 만드는 데 소요되는 원가이다.

---

9) 개발업자의 수수료(Developer's Fee)는 개발업자가 대상개발사업에 부담하는 전반적 관리 및 위험에 대한 보수로서, 개발업자의 시간, 노력, 경험 등에 대한 급료와 동일한 성격을 갖는 간접비용이다.

(2) 대치원가(대체비용, Replacement Cost)

대체원가는 대상물건과 같은 효용을 가진 물건을 기준시점 현재 만드는 데 소요되는 원가이다. 즉, 대체원가란 대상물건과 같은 효용을 가지고 있는 물건을 현재의 원자재, 기준, 배치계획, 디자인에 따라 현재 제작할 때 소요되는 원가를 말한다.

일반적으로 대체원가는 복제원가보다 적게 들며, 기존 구조물이 대상물건의 가치에 기여하는 정도를 보다 잘 반영한다는 특징이 있다. 왜냐하면 대체구조물(Replacement Structure)의 구성요소들은 복제구조물(Reproduction Structure)의 그것들과 달리, 현재 시장에서 거래가 되고 있어 상대적으로 저렴하고 용이하게 구득할 수 있기 때문이다.

3) 산정방법

(1) 직접법 및 간접법 적용

원가법으로 감정평가할 때 건물의 재조달원가는 직접법이나 간접법으로 산정하되, 직접법으로 구하는 경우에는 대상건물의 건축비를 기준으로 하고, 간접법으로 구하는 경우에는 건물신축단가표와 비교하거나 비슷한 건물의 신축원가 사례를 조사한 후 사정보정 및 시점수정 등을 하여 대상건물의 재조달원가를 산정할 수 있다.

> **Check Point!**
>
> **▶ 직접법 및 간접법의 장단점**
>
> 비용자료의 출처를 기준으로 직접법과 간접법으로 구분된다.

구분	직접법	간접법
장점	평가대상 물건의 개별적인 상황을 가장 잘 반영한다.	다수의 사례를 통하여 산정되므로 객관적이다.
단점	사정이 개입될 수 있으며 이에 대한 보정 시 주관이 개입될 수 있다.	본건의 평가 시 개별요인 비교를 요하며 이 과정에서 주관이 개입될 수 있다.

(2) 직접법

실제 투하된 건축비를 기준하는 방법으로서 신축건물이나 특수한 공법을 이용한 건물의 경우에 유용하게 적용된다. 일반적으로 건축물의 도급계약서나 기타 계약서 및 적산표를 활용하며, 건물과 관련 없는 비용의 공제나 사정의 개입에 유의해야 한다. 건물과 관련이 없는 비용으로서 토지에 화체되는 비용(도로공사비, 옹벽공사비 등)과 건물과 무관한 항목(대문, 담장, 보도블럭, 토목공사비, 사업추진비, 조경공사비, 마당공사비 등)이 있다.

• 도급계약서

민간건설공사 표준도급계약서

1. 공 사 명 : ○○동 ○○○○ - ○○ 근린생활시설 신축공사

2. 공사장소 : 서울 ○○구 ○○동 ○○○○ - ○○

3. 착공예정년월일 : 20○○년 4 월 1 일 (실 착공일 기준)

4. 준공예정년월일 : 20○○년 4 월 30 일 (착공일로부터 13개월)

5. 계약금액 : 일금 사십억원(₩ 4,000,000,000원, 부가가치세 별도)

6. 계약보증금 10% : 사억원정(₩ 400,000,000원, 부가가치세 별도)

7. 선 급 금 10% : 사억원정(₩ 400,000,000원, 부가가치세 별도)

   선급금보증서 발행 (계약 체결 후 14 일 이내 지급)

8. 기 성 금 : 1) 월 1회 월기성 (신청 후, 7일 이내 지급)

                2) 준공 후 10% (준공 후, 7일 이내 지급)

9. 하자담보책임기간 : 2년(3%)

10. 지체상금율 : 1일(계약금액의 0.5/1000)

11. 대가지급 지연 이자율 : 1일(계약금액의 0.5/1000)

12. 기타사항 :

　　도급인과 수급인은 합의에 따라 불임의 계약문서에 의하여 계약을 체결하고, 신의에 따라 성실히 계약상의 의무를 이행할 것을 확약하며, 이 계약의 증거로서 계약문서를 2통 작성하여 각 1통씩 보관한다.

붙임서류 : 1. 민간건설공사 도급계약 일반조건 1부

　　　　　 2. 공사계약특수조건 1부

　　　　　 3. 설계서 및 산출내역서 1부 등 각종자료

　　　　　　　　　　　　　　　　　　　　 20○○년 2 월 16 일

　도 　급 　인　　　　　　　　　　　 수 　급 　인

주소　　　　　　　　　　　　　　　　주소 경기도 고양시 일산동구

성명　　　　　　　　　　　　　　　　성명 ○○종합건설(주)

　　　　　　　　　　　　　　　　　　　 임 ○ ○ 대 표

○ 공사원가계산서

공사명 : ○○동 100번지 근린생활시설 공사

비목			금액	산출근거
순공사 원가	재료비	직접재료비	1,853,994,736	
		간접재료비	–	
		소계	1,853,994,736	
	노무비	직접노무비	1,053,926,756	
		간접노무비	126,471,211	직접노무비 × 12.0%
		소계	1,180,397,967	
	경비	기계경비	419,227,900	
		기타경비	63,722,247	(재료비 + 노무비) × 2.1%
		산재보험료	44,028,844	노무비 × 3.73%
		고용보험료	11,922,019	노무비 × 1.01%
		국민건강보험료	37,361,704	직접노무비 × 3.545%
		국민연금보험료	47,426,704	직접노무비 × 4.5%
		노인장기요양보험료	4,786,034	건강보험료 × 12.81%
		산업안전보건관리비	59,436,340	([재료비+직접노무비] × 1.86%)+5,349,000
		안전점검비	20,355,450	건설진흥법 제63조, 시행규칙 제60조
		하도급지급보증수수료	2,694,991	(재료비 + 직접노무비 + 기계경비) × 0.081%
		건설기계대여금	2,329,005	(재료비 + 직접노무비 + 기계경비) × 0.07%
		소계	713,291,237	
순공사 원가			3,747,683,940	재료비 + 노무비 + 경비
일반관리비			112,430,518	순공사원가 × 3.0%
이윤			140,428,381	(노무비 + 경비 + 일반관리비) × 3.0%
공급가액			4,000,542,839	(순공사원가 + 일반관리비 + 이윤)
부가가치세			400,054,284	공급가액 × 10%
도급액			4,400,597,123	공급가액 + 부가가치세
총공사비			4,400,000,000	단수정리

⁙ 총괄집계비

공사명 : ○○동 100번지 근린생활시설 공사

공사명	단위	수량	재료비		노무비		경비		합계	
			단가	금액	단가	금액	단가	금액	단가	금액
건축공사	식	1		1,330,903,400		793,887,400		90,062,100		2,214,852,900
전기 통신 소방공사	식	1		108,537,639		85,860,000		–		194,397,639
기계 설비 소방공사	식	1		235,544,697		120,629,456		–		356,174,153
토목공사	식	1		179,009,000		53,549,900		329,165,800		561,724,700
계				1,853,994,736		1,053,926,756		419,227,900		3,327,149,392

기본예제

다음 건물(숙박시설, 800m²)에 대하여 직접법에 의한 재조달원가를 산정하시오.

자료 1 ▶ 도급비용 등

1. 설계감리비 : 20,000,000원
2. 공사비(도급계약금액 : 부가세 제외 1,300,000,000원)
   (1) 공사비 : 1,000,000,000원
   (2) 간접비 : 300,000,000원
   (3) 기타 : 공사비 중 120,000,000원은 사업추진비 및 판촉비 성격으로 지출되었다.
3. 기타경비 : 제비용의 10%

◀예시답안

재조달원가 결정

$[20,000,000 + (1,000,000,000 - 120,000,000) + 300,000,000 \times 88/100^*] \times 1.1 = 1,280,400,000$원(m²당 1,600,500원)

* 건물과 관련 없는 공사비의 배분

Check Point!

● 건물의 원가산정방식 유형

방법	내용
총량조사법 (총가격적산법)	총량조사법이란 대상 부동산에 대한 건설비, 노무비, 부대비용 등을 산정하여 재조달원가를 구하는 방법으로, 원가요소별로 재료비, 노무비, 경비 등을 집계하여 산정
구성단위법 (부분별 단가적용법)	건물을 벽, 바닥, 지붕 등과 같은 몇 개의 중요한 구성부분으로 나누고, 각 구성부분별로 측정단위에다 단가를 곱하여 비용을 추계하는 방법
단위비교법	평방미터나 입방미터와 같은 총량적 단위를 기준으로 비용을 산출하는 방법(예를 들어 평당 건설비용이 얼마니까 총비용은 '얼마가 된다'라는 식으로 추계하는 것)
비용지수법 (변동률적용법)	대상 부동산의 최초의 건물비용을 알 수 있을 때 사용되는 방법으로, 신뢰성 있는 기관으로부터 발표된 건물비용에 관한 지수를 사용하여 재생산비용을 추계하는 방법

(3) 간접법

① 개념

간접법이란 건물신축단가표를 참고하거나 유사건물의 신축사례를 조사하여 여기에 시점수정, 개별요인 보정 등을 행하여 대상의 재조달원가를 산출하는 방법이다.

② 구체적인 방법

건물의 표준단가 (원/m²)		부대설비 보정단가 (원/m²)		재조달원가(원/m²)
용도, 구조, 급수 등을 고려하여 산정	+	기계, 전기, 위생, 냉난방 등 설비	=	

㉠ 건물의 표준단가 : 정부고시 표준품셈과 실적공사비 등을 적용하여 산정한 순수 건축공사비에 제경비(간접노무비, 산재보험료, 안전관리비, 기타경비, 일반관리비, 이윤 등), 설계 및 감리비 및 전기 기본설비비(전등, 전열공사비) 등이 포함된 금액이다.

㉡ 부대설비 보정단가 : 건물 표준단가에 포함되지 않은 전기, 위생, 냉난방, E/V 설비 등 부대설비에 대한 설치비용이다.

Check Point!

▶ **한국부동산원 신축단가표 적용 예시**(표준단가결정 시 참고)

분류번호	용도	구조	급수	표준단가	내용연수
7-2-5-1	호텔	철근콘크리트조 슬래브지붕	1	1,750,000	50 (45~55)
			2	1,650,000	
			3	1,550,000	
			4	1,283,000	
2-1-7-1	점포 및 상가	철근콘크리트조 슬래브지붕	1	1,100,000	50 (45~55)
			2	950,000	
			3	700,000	

상기 표준단가를 적의조정하여 적용하며, 여기에 부대설비를 보정하여 활용한다.

③ m^2당 공사비 적산표(표준단가 1,204,000원/m^2인 경우)

구분	주요공사내역	공사비	구성비	재료비 : 노무비
01. 가설공사	공통가설, 일반가설	92,732	7.70	22:78
02. 기초 및 토공사	터파기, 잡석다짐, 레미콘	35,488	2.94	10:90
03. 철근콘크리트공사	레미콘, 철근가공조립	227,833	18.92	59:41
04. 조적공사	시멘트벽돌쌓기, 치장벽돌쌓기	88,303	7.33	25:75
05. 방수공사	아스팔트방수, 액체방수/보호모르타르, 고름모르타르	75,171	6.24	21:79
06. 미장공사	현장테라조, 시멘트모르타르미장	167,726	13.93	13:87
07. 타일공사	자기질타일, 세라믹타일	11,894	0.98	30:70
08. 목공사	출입문틀설치	3,361	0.27	24:76
09. 창호공사	목재플러쉬문, 철재문, 알루미늄창호(아날로그), 도어금속물	41,591	3.45	40:60
10. 유리공사	투명유리, 투명복층유리	8,262	0.68	32:68
11. 도장공사	조합페인트, 수성페인트	23,801	1.97	25:75
12. 지붕 및 홈통공사	강관선홈통, 루프드레인	2,023	0.16	25:75
13. 수장공사	스티로폼단열재, 아스칼텍스, 비닐타일	18,092	1.50	54:46
14. 금속공사	경량철골천정틀, 철제커텐박스, 와이어메쉬, 알루미늄시트	43,415	3.60	22:78
15. 운반공사	철근, 시멘트, 모래, 자갈, 잡석	5,845	0.48	42:58
16. 고자재 대금공제	고철근	−472	−0.03	100:0
계		845,065		32:68
제경비	간접노무비, 산재보험료, 안전관리비, 경비, 일반관리비, 이윤, 건강보험료, 환경보존비	262,935	21.84	
건축공사비 합계		1,108,000		
설계비		18,000	1.50	
감리비		12,000	1.00	
전기기본설비비		66,000	5.48	
합계		1,204,000	100%	

④ **신축단가표 적용 시 유의사항**

　㉠ 신축단가표의 신축단가는 순수 건축공사비에 제경비(간접노무비, 산재보험료, 안전관리비, 기타경비, 일반관리비, 이윤 등), 설계감리비 및 전기기본설비비(전등, 전열공사비) 등이 포함된 금액이며, 이외의 부대설비는 별도로 보정해야 한다.

　㉡ 건물의 등급에 따라 1급~5급까지 차등 적용할 수 있다.

　㉢ 일반주택, 고급주택, 통나무주택, 스틸하우스의 표준단가에는 부가가치세가 포함되어 있고, 기타용도의 건물은 부가가치세가 포함되어 있지 않다.

　㉣ 공장의 경우 '층고'는 1개층의 층고를 말한다.

　㉤ 2층 이상의 건물로서 구조, 용도 및 사용자재 등이 상이하여 층별로 가격형성요인을 달리하는 경우에는 층별로 구분하여 표준단가를 적용할 수 있다.

　㉥ 일반적인 차이가 있을 수 있는 항목은 아래와 같다.

　　ⓐ **면적 및 규모** : 규모, 면적에 따라 건축비 차이가 있다. 큰 건물이 작은 건물에 비하여 규모의 경제에 따라 단가별 건축비가 낮아질 수 있다(동일 사용자재, 구조인 경우).

　　ⓑ **스팬(Span)** : 스팬이 큰 건축물의 건축비가 높다. 큰 스팬은 필요한 부재도 커지고 수반되는 기초공사비도 늘어나기 때문이다.

　　ⓒ **층고** : 층고가 높을수록 건축비가 높아진다. 예컨대 단순히 공장건물의 경우 7m 건물이 3.5m 건물의 2배가 아니고 기둥의 구조, 단면적이 더 커지게 되고 강재의 사용량도 늘어나게 되며, 기초공사비도 많이 소요되어 비용이 더 들어가게 된다.

　　ⓓ **크레인의 설치유무** : 공장 및 창고 등은 동일면적, 구조, 자재의 건물이라도 크레인의 설치유무에 따라 건축비 차이가 있다. 크레인 설치를 위하여 그 하중에 적합하도록 기둥, 보, 기초 등에 대한 보강공사가 필요하게 되며, 크레인 설치된 건물의 건축비가 더 높다.

　　ⓔ **층수** : 연면적이 같더라도 층수가 많아지면 기초공사비, 가설공사비 및 구조체 공사비 등 시공비가 많이 들어 건축비가 많이 든다.

　㉦ 부대설비는 품질, 규격, 제작회사에 따라 가격차이가 있으므로 철저하게 조사해야 하며, 대형건물의 경우 리스설비가 있을 수도 있으므로 유의해야 한다.

　㉧ 건물의 효용을 다하기 위한 전기설비, 냉난방설비, 승강기, 소화전설비 등 기타 건물에 부착된 설비는 건물과 별도로 구분하지 않고 건물에 포함하여 평가한다. 특수한 목적의 경우에는 별도로 평가할 수 있다.

(4) 건물의 시점수정[10]

① **건물 시점수정에 사용하는 지수**

　건물의 시점수정에 사용하는 지수는 통상 생산자물가지수를 주로 사용하나, 한국건설기술연구원이 월별로 작성하여 제공하는 통계인 건설공사비지수를 활용할 수 있다. 건설공사비지수는 주거용건물과 비주거용건물로 구분하여 발표되는 바, 평가대상건물의 유형에 따라 적용한다.

---

10) 물건별 시점수정방법 권고사항 알림, 한국감정평가사협회, 2024.02.16.

② **산정방법 및 적용예시**

생산자물가지수의 산정방법은 앞에서 서술한 바와 같으며, 건설공사비 지수의 적용은 월할계산 방식에 의한다. 이는 거래시점 또는 기준시점이 속하는 월의 건설공사비 지수로 비교하며, 해당 월의 지수가 발표되지 않은 경우에는 전월, 전월 미발표인 경우에는 전전월 지수를 비교한다. 확정 지수 이전에 잠정치 지수가 발표된 경우에는 잠정치임을 표시하여 활용이 가능하다.

≫ 건설공사비 지수는 확정지수 발표 이전에 예정치, 잠정치를 순차 발표함.

③ **건설공사비지수에 의한 시점수정치 계산 예시**

∵ 적용 예시

대상 및 사례 건물은 모두 주거용 건물 사례 건물의 거래시점 : 2026.05.10. 대상 건물의 기준시점 : 2026.12.14.	2026.05월 건설공사비 지수(주거용) : 150.54 2026.10월 건설공사비 지수(주거용) : 152.71 * 2026.10월 이후 건설공사비 지수는 미발표

$$2026.05.10.\sim2026.12.14. = \frac{대상기준시점}{사례거래시점} = \frac{152.71}{150.54} ≒ 1.01441$$

4) 참고사항

⑴ 실무에서는 대부분 간접법에 따라 재조달원가를 산정하며, 신축 건물의 경우 실제공사원가(직접법)를 참작한다.

⑵ 본건의 용도, 구조, 공법, 설비 등의 특수성이 있는 경우에는 직접법에 의한 가액을 기준으로 할 수 있다.

Check Point!

◉ **건물의 주체부분과 부대부분**

주체시설	골조(장기)	내력벽, 기둥, 보, 지붕틀
	마감재(단기)	도장, 타일 등
부대시설	단기	전기, 전화, 가스, 급수, 배수, 환기, 승강기, 위생, 냉난방, 소화, 자동제어설비 등

≫ 건물의 일반적인 효용을 위한 전기설비, 냉·난방설비, 승강기설비, 소화전설비 등 부대설비는 건물에 포함하여 감정평가한다. 다만, 특수한 목적의 경우에는 구분하여 감정평가할 수 있다.

기본예제

다음 건물의 재조달원가를 산정하시오. 단가는 반올림하여 유효숫자 3자리까지 결정한다.

자료 1 대상건물자료

1. 사용승인시점은 2023년 7월 1일이고 기준시점은 2027년 8월 1일임.
2. 철근콘크리트조 슬래브지붕 5층 업무용빌딩(건물의 급수는 3급이 적정함)으로 연면적은 5,000m²임.
3. 건축 당시 계약 자료에 의하면 도급 시 과당경쟁으로 표준공사대비 10% 저가인 750,000원/m²에 입찰된 것으로 조사되었음.

자료 2 생산자물가지수(총지수)

시점	지수	비고
2023년 6월	95.10	–
2023년 7월	95.49	–
2025년 3월	98.42	–
2025년 4월	98.67	–
2027년 6월	112.10	2027년 7월 미고시

자료 3 건축물의 신축단가표 및 부대설비보정

1. 건축물의 신축단가표(2025.4.1. 기준)

일련번호	용도	급수	표준단가(원/m²)
1–2–3–4	업무시설	2	950,000
1–2–3–4	업무시설	3	870,000

2. 부대설비 보정단가(2025.4.1. 기준) : m²당 250,000원
3. 평가대상 건물은 신축단가표의 재조달원가 및 부대시설에 비하여 5% 우세하다.

예시답안

Ⅰ. 평가개요

직접법과 간접법으로 산정하여 재조달원가를 결정함(기준시점 : 2027년 8월 1일).

Ⅱ. 직접법

1. 건축 시 건축비

$$750,000 \times \frac{100}{100-10} \fallingdotseq 833,000원/m^2$$

2. 재조달원가

$$833,000 \times 1.17876^* \fallingdotseq 982,000원/m^2$$

$$* \ 생산자물가지수 : \frac{2027.6}{2023.6} = \frac{112.10}{95.1}$$

Ⅲ. 간접법(신축단가표 기준)

1. 신축건축표 기준 재조달원가

$$870,000(3급) + 250,000 = 1,120,000원/m^2$$

2. 기준시점 현재의 본건의 재조달원가

1,120,000 × 1.05(개별요인보정) × 1.13900* ≒ 1,340,000원/m²

$$* \text{생산자물가지수 보정} : \frac{2027.6}{2025.3} = \frac{112.10}{98.42}$$

Ⅳ. 재조달원가결정

직접법에 의한 재조달원가는 건축시점 당시 사정이 개입되었으며 시적인 격차도 큰바, 객관적인 신축단가표를 기준으로 한 평가액인 1,340,000원/m²로 결정한다.

(1,340,000원/m² × 5,000m² = 6,700,000,000원)

3. 감가수정

1) 감가수정의 개념 등

감가수정이란 대상물건에 대한 재조달원가를 감액하여야 할 요인이 있는 경우에 물리적 감가, 기능적 감가 또는 경제적 감가 등을 고려하여 그에 해당하는 금액을 재조달원가에서 공제하여 기준시점에 있어서의 대상물건의 가액을 적정화하는 작업을 말한다. 감가수정도 감가수정 자료의 출처가 대상물건인지, 대상과 같거나 유사한 물건에서 비롯된 것인지에 따라 직접법과 간접법으로 구분할 수 있다.

자료출처	구체적인 감가수정 방법		
직접법	내용연수법		정액법
			정률법
			상환기금법
↔	관찰감가법		
간접법	다른 방법		분해법
			시장추출법
			임대료손실환원법

2) 내용연수법

내용연수법은 실무상 적용이 간편하고 객관적이라는 장점을 가진다. 반면에 개별성이 있는 부동산의 실제 감가액과 괴리될 수 있다는 단점을 가지기도 한다. 따라서 여러 가지 방법을 이용한 내용연수의 조정에 의해 기능적 감가를 어느 정도 반영할 수 있는 방법이 적용되기도 하지만, 여전히 경제적 요인에 의한 감가는 반영하기가 어렵다고 할 것이다.

(1) **정액법**

대상물건의 감가총액을 단순히 경제적 내용연수로 평분하여 매년의 감가액으로 하는 방법으로, 감가수정액이 경과연수에 정비례하여 증가하므로 직선법이라고도 하는데, 건물이나 구축물 평가에 유용한 방법이다. 경제적 내용연수란 부동산의 유용성(효용성)이 지속되어 경제적 수익의 발생이 예상되는 사용가능한 기간을 말하며, 물리적으로 존속가능할 것으로 예측되는 기간인 물리적 내용연수, 세법상 규정된 세법상 내용연수와 다를 수 있다.

- 매년의 감가액(D) : $D = \dfrac{C-S}{N} = \dfrac{C(1-R)}{N}$ ($R=0$일 때에는 $D = \dfrac{C}{N}$)

- 감가누계액(Dn) : $Dn = C\left\{(1-R)\,\dfrac{n}{N}\right\}$ ($R=0$일 때에는 $Dn = C \cdot \dfrac{n}{N}$)

- 적산가액(Vn) : $Vn = C\left\{1-(1-R)\,\dfrac{N-n^{'}}{N}\right\}$ ($R=0$일 때에는 $Vn = C\left\{1-\dfrac{N-n^{'}}{N}\right\}$

$$= C \times \dfrac{n^{'}}{N})$$

C: 재조달원가 　　S: 잔존가치 　　R: 잔가율 　　N: 내용연수 　　n: 경과연수 　　$n^{'}$: 잔존내용연수

>> 감가수정 시에는 "만년감가"를 기준으로 한다. 만년감가란 경과시점이 1년 모두 경과해야 1년이 경과한 것으로 인정하는 것을 말한다.

기 본예제

아래 건물을 원가법에 의하여 감정평가하시오. 가격조사 완료일은 2027년 6월 3일이다.

자료 1 건축물관리대장 사항

건축물 현황			
층별	구조	용도	면적(m²)
지층	철근콘크리트조	근린생활시설	200
1층	철근콘크리트조	근린생활시설	150
2층	철근콘크리트조	단독주택	150

허가일	2017.11.07.
착공일	2017.11.15.
사용승인일	2018.08.09.

자료 2 건축물의 신축단가

1. 신축단가표

	철골조		철근콘크리트조	
	근린생활시설	단독주택	근린생활시설	단독주택
표준단가(원/m²)	550,000	750,000	800,000	1,000,000

>> 건물의 가격은 보합세인 것으로 본다.

2. 부대설비 보정단가(원/m²)

구분	기계 및 전기설비	위생설비	냉난방설비
보정단가	60,000	40,000	150,000
지층	○	○	×
1층	○	○	×
2층	○	○	○

3. 지하부분은 지상부분 재조달원가의 80%를 적용한다.

자료 3 경제적 내용연수(최종잔가는 없음)

철골조	철근콘크리트조
40	50

예시답안

Ⅰ. **평가개요**

「감정평가에 관한 규칙」 제15조에 의하여 원가법에 의하여 건물을 평가한다.

Ⅱ. **재조달원가**

1. **근린생활시설** : $800,000 + 60,000 + 40,000 = 900,000$원$/m^2$

2. **단독주택부분** : $1,000,000 + 60,000 + 40,000 + 150,000 = 1,250,000$원$/m^2$

3. **지층 근린생활시설** : $900,000 \times 0.8 = 720,000$원$/m^2$

Ⅲ. **적산가액**

1. **근린생활시설** : $900,000 \times \dfrac{42}{50} = 756,000$원$/m^2 (\times 150 = 113,400,000$원$)$

2. **단독주택부분** : $1,250,000 \times \dfrac{42}{50} = 1,050,000$원$/m^2 (\times 150 = 157,500,000$원$)$

3. **지층 근린생활시설** : $720,000 \times \dfrac{42}{50} = 604,800$원$/m^2 (\times 200 = 120,960,000$원$)$

4. **소계** : $391,860,000$원

---

(2) **정률법**

자산의 가치가 매년 일정한 비율로 감가된다는 가정하에 매년 말 잔존가치에 일정한 감가율을 곱하여 매년의 감가액을 구하는 방법이다. 이 방법은 감가액이 첫 해에 가장 크고 해가 갈수록 감가액이 점차 줄어드는 것으로, 기계·기구 등 동산, 수익용·임대용 부동산평가에 주로 활용된다.

① **최종잔가율 및 경제적 내용연수가 주어진 경우**

- 감가율(Dn) : $Dn = 1 - (S/C)^{n/N}$
- 잔가율(D_i) : $D_i = (S/C)^{n/N}$
- 적산가액(Vn) : $Vn = C \times (S/C)^{n/N}$

    C : 재조달원가 S : 잔존가치 N : 내용연수

    n : 경과연수 r : 전년대비 잔가율

② 매년감가율이 주어진 경우

> - 감가누계액(Dn) : $Dn = C\{1 - (1-K)^n\}$, $Dn = C\{1 - r^n\}$
> - 적산가액(Vn) : $Vn = C - Dn = C - C \times \{1 - (1-K)^n\} = C(1-K)^n = Cr^n$
>
> | | | |
> |---|---|---|
> | C: 재조달원가 | S: 잔존가치 | N: 내용연수 |
> | n: 경과연수 | r: 전년대비 잔가율 | K: 매년 감가율 |

기 본예제

기준시점 현재 재조달원가가 1억원인 사출기가 있다. 이 기계는 내용연수가 15년으로 판단되며 최종잔가율이 10%이다. 대상사출기를 사용한 지 5년이 경과했다면 이 기계의 기준시점 현재가격은 얼마인가? (다만, 감가수정은 정률법으로 하되, 경과연수 산정은 만년감가에 의한다.)

예시답안

1. 개요
   정률법을 활용하여 사출기의 적산가액을 산정함.

2. 잔가율
   $0.1^{(5/15)} \fallingdotseq 0.464$

3. 적산가액
   $100,000,000 \times 0.464 \fallingdotseq 46,400,000$원

---

(3) 상환기금법

대상물건의 내용연수 만료 시에 기준시점에서의 상태와 동일한 가치를 갖는 물건을 재취득하기 위하여 매년의 감가액을 외부에 축적(투자)하고, 그에 따른 복리의 이자도 발생한다는 것을 전제로 내용연수 만료 시에 감가누계액 및 그에 따른 복리이자상당액의 합계액이 감가 총액과 같아지도록 매년 일정액을 감가하는 방법을 말한다.

> - 매년감가액 $= C \times (1-R) \times \dfrac{i}{(1+i)^N - 1}$
>
> - 적산가액 $= P_n = C \times \left[1 - n \times (1-R) \times \dfrac{i}{(1+i)^N - 1}\right]$
>
> ≫ 적산가액은 아래와 같이 산출하는 것이 적절할 것이다(기간이자 반영 시).
>
> $$D_n = C \times (1-R) \times \frac{i}{(1+i)^N - 1} \times \frac{(1+i)^n - 1}{i}$$
>
> | | | |
> |---|---|---|
> | D: 매년의 감가액 | D_n: 감가누계액 | P_n: 적산가액 |
> | C: 재조달원가 | S: 내용연수 만료 시 잔존가격 | R: 최종잔가율 |
> | N: 경제적 내용연수 | n: 경과연수 | i: 축척이율(안전율) |

⑷ **내용연수의 조정**

신축 후 추가투자, 보수관리, 리모델링 등과 같은 건물의 변동사항(감가의 개별성)을 반영하기 위해 감정평가사가 객관적으로 판단하여 내용연수를 조정하는 것이다.

① **유효연수법**

유효연수법이란 대상 부동산에 대한 증·개축을 고려한 유효연수를 기준으로 하여 감가수정을 하는 방법이다.

㉠ 수정경과연수 = 유효연수(전내용연수 − 장래보존연수)

>> 실제경과연수에서 건물의 관리상태에 따라 건물의 내용연수를 +/−로 보정하는 것을 말한다.

㉡ 감가율(노후율) $= \dfrac{유효경과연수}{전내용연수}$

㉢ 잔존가치율(잔가율) $= \dfrac{전내용연수 − 유효경과연수}{전내용연수}$

② **미래수명법**

미래수명법은 잔존 경제적 수명(장래보존연수)을 보다 더 정확하게 알 수 있을 때, 잔존 경제적 수명에 건물의 경과연수를 더하여 전체수명(전내용연수)을 조정하는 방법이다.

㉠ 수정내용연수 = 실제경과연수 + 장래보존연수

㉡ 감가율(노후율) $= \dfrac{실제경과연수}{실제경과연수 + 장래보존연수} = \dfrac{n}{n + n'}$

㉢ 잔존가치율(잔가율) $= \dfrac{장래보존연수}{실제경과연수 + 장래보존연수} = \dfrac{n'}{n + n'}$

③ **증축의 경우 조정 및 조정방법** [11]

증축부분은 기존부분의 경제적 내용연수가 다하면 설사 증축부분의 내용연수가 더 남아 있다 하더라도, 증축부분은 기존부분과 운명을 같이 하는 것이기 때문에 기존부분과 경제적 잔존내용연수가 일치하도록 증축부분의 총 내용연수를 조정하여야 하는데, 그 조정방법은 일반적으로 다음과 같다.

㉠ 증축부분의 전내용연수 = 기존부분의 잔존내용연수 + 증축부분의 경과연수

㉡ 증축부분의 감가누계액

$$= 재조달원가(C) \times \dfrac{증축부분의 \ 경과연수}{기존부분의 \ 잔존내용연수 + 증축부분의 \ 경과연수}$$

---

11) 부대시설의 경우 내용연수 조정이 필요한가에 대하여 논란이 있다. 부대시설부분의 잔존내용연수가 기존 부분의 잔존내용연수 범위 내라면 그 기간 동안은 부대시설부분이 유지될 수 있을 것이므로, 부대시설부분의 잔존내용연수가 기존부분의 잔존내용연수보다 클 경우에만 내용연수 조정을 하는 것이 타당할 것으로 생각된다. 그러나 감가수정을 물리적 측면에서 바라볼 경우에는 이상의 이론이 타당할 수 있으나, 기능적 측면까지 고려한다면 부대시설부분에 대한 내용연수 조정도 필요하다는 반론이 있다.

ⓒ 증축부분의 적산가액

$$= \text{재조달원가(C)} \times \frac{\text{기존부분의 잔존내용연수}}{\text{기존부분의 잔존내용연수 + 증축부분의 경과연수}}$$

기 본예제

다음 건물의 이용상황별로 조정된 내용연수, 잔존내용연수 및 경과연수를 산정한 후, 각 이용상황
별로 잔존가치율을 산정하시오.

자료 1 ▶ 대상건물
1. 구조 : 일반철골조 판넬지붕 2층 건물
2. 이용상황 : 1층을 2017년 7월 1일에 신축한 후, 2023년 4월 1일에 2층을 증축하였음.
3. 기준시점 : 2027년 10월 1일
4. 건물의 구성 : 1층은 공장으로 2층은 사무실로 이용 중임.

자료 2 ▶ 기타자료
1. 이용상황별 내용연수 : 공장(30년), 사무실(35년)
2. 감가수정자료 : 정액법, 만년감가

예시답안

Ⅰ. 평가개요
　본건 건물은 증축건물인바, 내용연수를 조정하여야 함(기준시점 : 2027년 10월 1일).

Ⅱ. 1층 공장부분
　1. 내용연수 : 30년

　2. 경과연수(만년감가) : 10년

　3. 잔존내용연수 : 20년

　4. 잔존가치율 : 20/30 ≒ 0.667

Ⅲ. 2층 사무실부분
　1. 내용연수 조정 : 1층부분의 잔존내용연수에 2층부분의 경과연수를 더하여 내용연수를 결정함.
　　∴ 20년 + 4년 = 24년

　2. 경과연수 : 4년

　3. 잔존내용연수 : 20년

　4. 잔존가치율 : 20/24 ≒ 0.833

---

3) 관찰감가법

감정평가 주체가 대상물건의 전체 또는 구성부분을 면밀히 관찰하여 물리적·기능적·경제적 감가
요인을 분석하여 감가액을 직접 구하는 방법이다. 즉, 감가의 기준을 직접적으로 경과연수에 두지
않고, 대상건물의 전체 또는 구성부분별로 물리적·기능적·경제적 감가요인에 의한 감가액을 직접
관찰함으로써 감가액을 구하는 방법이다.

관찰감가법은 내용연수나 감가율 등 산식을 사용함이 없이 대상물건의 각 구성부분 또는 전체에 대

하여 그 실태를 조사하여 감가요인과 감가액을 직접 구하는 방법으로, 경제적 내용연수를 기준으로 구한 감가누계액이 대상물건의 적정한 감가액이 되지 아니하는 경우에는 관찰감가법을 적절히 활용하여 경과연수 또는 장래 보존연수 등을 조정·적용함으로써 감가누계액이 적정한 것이 되도록 하는 것이다.

이 방법은 감정평가사의 폭넓은 경험과 지식에 크게 의존한다. 관찰감가법은 충분한 시장증거가 지지된다면 유용한 감가수정방법이 될 수 있으나, 평가주체의 주관개입의 소지가 다분하여 타방법과 병용하는 것이 일반적이다.

4) 분해법(Breakdown Depreciation Method)

(1) 개념

분해법이란 대상 부동산에 대한 감가요인을 물리적·기능적·경제적 요인으로 세분한 후 각 감가요인별로 경제적 타당성을 기초로 회복가능, 회복불능으로 항목화하여 이에 대한 감가수정액을 각각 별도로 측정하고, 이것을 전부 합산하여 감가수정추계치를 산출하는 방법을 말한다.

(2) 치유가능 여부의 판단기준

치유가능항목과 치유불능항목의 판단기준은 물리적·기능적·경제적 판단으로서 ⅰ) 치유비용 이상의 가치증진이 있는 경우, ⅱ) 그 항목에 경제적 타당성이 없더라도 다른 항목의 가치하락을 그 이상으로 방지할 수 있는 경우 치유가능하다고 본다.

(3) 감가수정의 유형

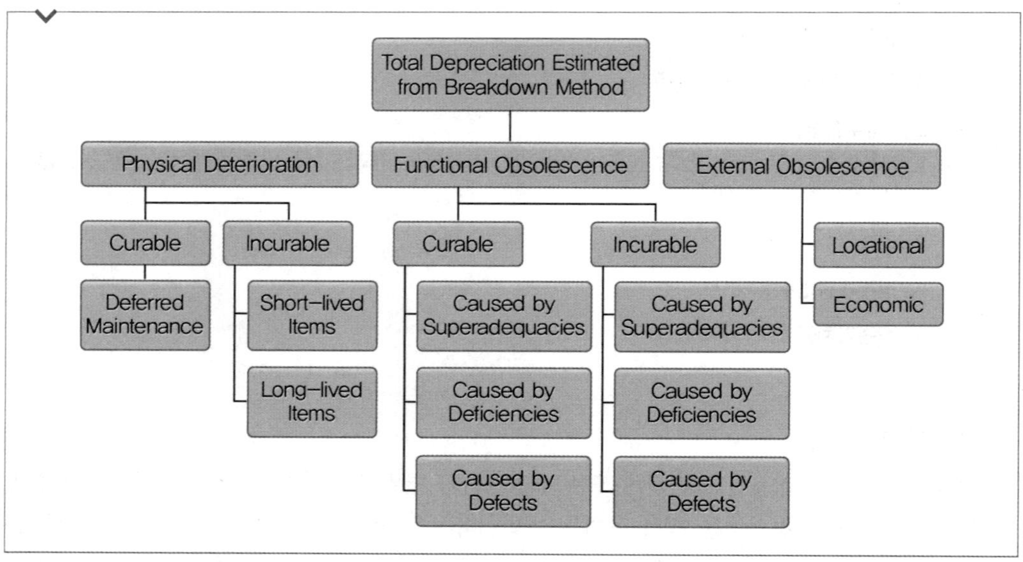

① **물리적 감가**(Physical Deterioration)

물리적 감가요인은 시간의 경과, 사용으로 인한 마모 또는 파손, 재해 등 우발적 사고로 인한 손상, 기타 물리적인 하자 등이 있다. 물리적으로 결함이 있는 부분에 대해 즉각적 교체 또는 보수가 필요한가의 여부, 보수가 필요하다면 소요되는 보수비용, 보수 후의 경제적 유용성이나 잔존 및 내용 연수 등에 대한 검토가 이루어져야 한다. 파손부분을 즉각적으로 교체하거나 보수할 필요가 없는 경우일지라도 부동산의 경제적 내용연수가 만료되기까지 교체의 필요성 여부, 치유 및 교체에 수반되는 비용 등에 대한 검토가 이루어져야 한다.

② **기능적 감가**(Functional Obsolescence)

기능적 감가요인은 부동산 사용자의 관리나 건설 당시의 설계와 같은 인위적인 요소가 많이 작용하는 것으로 형식의 구식화, 설비의 부족, 설계의 불량, 능률의 저하, 기타 기능적인 하자 등이 있다. 대상 부동산의 기능적 하자가 치유 가능한지 여부에 따라 기술적·경제적인 측면에서 검토해야 한다. 일반적으로 현대 건축기술의 발달로 인하여 기술적 측면은 그다지 중요하지 않으나, 대신 그 치유에 소요되는 비용과 회복 또는 증대되는 가치를 상호·비교하는 경제적 타당성을 주된 검토대상으로 한다. 즉, 기능적 하자의 치유에는 반드시 경제적으로 타당성이 있어야 한다.

인근지역의 변화 등 환경변화에 순응할 수 있는가의 여부, 즉 현재 및 장래의 기능적 적합성에 대한 검토가 필요하다. 만약 기능적 하자의 치유가 기준시점에서 경제적으로 가능하다 하더라도 부동산의 경제적 위치의 가변성을 전제로 생각할 때, 그러한 하자의 치유가 앞으로 인근지역의 변화에 적합할 수 있느냐의 문제가 더 중요하다.

③ **경제적 감가**(External Obsolescence)

경제적 감가요인은 주로 부동산이 가지는 물리적인 특성인 지리적 위치의 고정성에 의해 발생하며, 주위환경과의 부적합, 인근지역의 쇠퇴, 시장성의 감퇴, 기타 경제적인 하자 등이 있다. 경제적 감가요인은 외부적 요인에 의한 가치의 상실로 치유가 불가능한 감가요인으로 인근지역에 혐오시설이 들어서서 시장성이 감퇴하는 등 부동산 자체의 잘못이 없음에도 외부적 경제요인에 의한 가치하락을 가져오는 경우이다. 치유불능만 존재하고 토지, 건물 전체의 가치하락을 의미하기 때문에 건물분을 배분해야 한다.

(4) **각 감가유형별 감가수정방법**

① **물리적 감가**

　㉠ 치유가능 : 회복비용(치유비용법)(수리지연 항목)

　㉡ 치유불가능

　　ⓐ 단기항목

(단기부분의 재조달원가 − 단기항목 중 치유가능물리적 감가액)
× 감가상각률(경과연수/(단기)경제적 내용연수)

ⓑ 장기항목

> (장기부분의 재조달원가 − 장기항목 중 치유가능물리적 감가액)
> × 감가상각률(경과연수/(장기)경제적 내용연수)

ⓒ 손상 또는 반달리즘 : 별도 제시된 경우 물리적 감가로 본다.

② **기능적 감가**

㉠ 경제적 타당성 검토

ⓐ 단기부분의 치유 여부인 경우

> • 증가된 순수익 × 복리연금현가(잔존연수, 시장이자율)
>   vs 치유비용(or 신규설치비용 − 폐재가치)
> • 감소된 운영경비 × 복리연금현가(잔존연수, 시장이자율)
>   vs 치유비용(or 신규설치비용 − 폐재가치)

ⓑ 장기부분의 치유 여부인 경우

> • 증가된 순수익 / 건물환원이율 vs 치유비용(or 신규설치비용 − 폐재가치)
> • 감소된 유효조소득 × 유효조소득승수 vs 치유비용(or 신규설치비용 − 폐재가치)

⁞ 분해법 적용 시 치유타당성 분석

손실(증가)되는 현금흐름	감가가 있는 부분	현금등가	비고
총수익	주체	× 조소득승수	문제에서 별도의 조건이 있는 경우 그에 따른다.
	부대	× PVAF	
순수익 (＝ 총수익 × (1 − 경비비율))	주체	÷ 건물환원이율	
	부대	× PVAF	

》 상기의 현금흐름과 치유비용(폐재가치 있는 경우 공제된)과 비교하여 치유타당성을 검토한다.

㉡ 기능적 감가수정액 결정

ⓐ 치유가능 시 기능적 감가상각

• 새로운 부가물 설치의 결핍(부족)으로 인한 치유가능 기능적 감가상각 : 대상 부동산과 유사한 다른 부동산이 가지고 있는 어떤 부가물을 대상 부동산은 가지고 있지 않기 때문에 발생하는 감가상각으로 치유하였을 경우에 치유비용보다 가치의 증가가 큰 경우가 여기에 해당된다. 이때의 감가상각액은 초과비용(＝ 치유비용 − 평가시점 당시 신축 시 설치비용[12])으로 측정한다.

---

12) 치유비용에 신규시설에 대한 구입·설치비용이 포함되어 있으면 감가수정액 산정 시 항상 "기준시점의 신축 시 설치비용"이 공제된다.

- **기존 설치물 대체나 현대화의 결핍으로 인한 치유가능 기능적 감가상각**: 현재 평가대상 부동산에 설치되어 있기는 하지만 그것이 유사한 다른 부동산과 비교할 때 기준에 못 미치거나 결함이 있어 설비의 대체를 요하는 경우가 여기에 해당한다. 이때의 감가상각액은 치유에 드는 초과비용(= 치유비용 − 신축 시 설치비용)과 현존 설비의 잔존가치를 합하여 측정한다.
- **경제적으로 치유 가능한 과잉에 의한 치유가능 기능적 감가상각**: 과잉이란 평가대상 부동산에 있는 어떤 항목이 유사한 다른 부동산에 비해서 초과설치되었지만 그 초과된 부분이 대상 부동산의 가치를 증가시키지 못하는 경우를 의미하며, 과잉을 제거할 경우 폐재가치와 부동산의 가치증가의 합이 제거비용보다 클 때 치유가능한 과잉에 의한 치유가능 기능적 감가상각에 해당하게 된다.

> - 과잉부분만을 제거할 수 있는 경우: 치유비용 + 과잉부분의 가격
> - 과잉부분만을 제거할 수 없는 경우(과잉부분과 적정부분 일부를 제거하고 신규 설비를 설치해야 하는 경우):
>   치유비용 + 과잉부분 및 일부 적정 부분의 가격 − 신축 시 설치비용

ⓑ **치유불능 시 기능적 감가상각**

- **결핍(부조화)으로 인한 치유불능 기능적 감가상각**: 대상 부동산과 유사한 다른 부동산이 가지고 있는 어떤 부가물을 대상 부동산은 가지고 있지 않기 때문에 발생하는 감가상각으로 치유하였을 경우에 증가되는 가치보다 치유비용이 큰 경우가 여기에 해당되며 이때의 감가상각액은 해당 항목이 애초에 존재하지 않으므로 가치손실분(= 결핍된 부가물설치 시 가치증가분 − 신축 시 설치비용)만으로 측정한다. 그러나 대체를 요하는 기존시설물이 치유불능인 경우에는 현존 물건의 잔존가치(= 대체를 요하는 기존시설물 재조달원가 − 대체를 요하는 기존시설물 물리적 감가액)와 가치손실분(= 결핍된 부가물설치 시 가치증가분 − 신축 시 설치비용)으로 감가상각액을 측정한다.
- **과잉으로 인한 치유불능 기능적 감가상각**: 평가대상 부동산에 있는 어떤 항목이 유사한 다른 부동산에 비해서 초과설치되었지만 초과된 부분이 대상 부동산의 가치를 증가시키지 못하는 경우로 과잉을 제거할 경우 제거비용이 폐재가치와 부동산의 가치증가의 합보다 큰 경우가 여기에 해당한다. 이 경우에는 과잉부분의 가격과 과잉부분으로 인한 추가비용환원액이 감가상각액이 된다.
  - **》 대치원가로 재조달원가 산정 시 기능적 감가추계과정**: 대치원가로 재조달원가를 산정 시 과잉인 경우 과잉인 부분은 애초에 재조달원가로 추계되지 않기 때문에 과잉부분의 기능적 감가상각 추계 시 과잉부분의 가격을 감가수정액으로 산입할 필요가 없다.

ⓒ 기능적 감가상각 요약(재생산원가로 재조달원가 산정 시)

항목	치유가능 기능적 감가				치유불능 기능적 감가		
	결핍 (부족)	대체	과대		과소	부조화	과대
			전체	초과			
기존항목 재조달원가	×	○	○	○	×	○	○
− 발생감가	×	○	○	○	×	○	○
+ 치유비용(가치손실액)	○	○	○	○	○	○	○
− 신축 시 설치비용(기준시점)	○	○	○	×	○	○	×

③ **경제적 감가**(외부적 감가)

ㄱ 경제적 감가상각이 무한한 경우

ⓐ 방법 1: 소득손실분 / 종합환원율 × 건물가격구성비

ⓑ 방법 2: 건물귀속수익 / 건물환원이율

  》 순수익 구성비가 주어졌을 때: 순수익손실 × 건물순수익구성비 × 1/건물환원이율

  가격 구성비가 주어졌을 때: 순수익손실 × 1/종합환원이율 × 건물가격구성비

ㄴ 경제적 감가상각이 유한한 경우: 소득손실분 × 복리연금현가 × 건물가격구성비

  》 경제적 감가로 인한 시장가치 대비 토지가격 하락분이 제시된 경우는 토지건물가격구성비를 적용하는 것보다 토지가격하락분을 직접 차감함이 타당하다.

  》 경제적 감가상각은 토지와 건물 전체에 대하여 발생하므로 토지와 건물을 개별평가하는 경우 토지가격에도 고려하여야 한다(예를 들어 토지평가 시 지역, 개별요인비교 시 환경조건이 고려되었다면 토지가격에 경제적 감가가 이미 반영된 것으로 볼 수 있을 것이다).

④ **감가누계액**

> 감가누계액 = 물리적 감가액 + 기능적 감가액 + 경제적 감가액

5) 시장추출법(Market Extraction Method)

(1) 개념

시장참여자의 거래에 기초하여 감가를 구하는 방법으로서 이 방법은 거래사례의 유용성과 신뢰성에 영향을 많이 받는다. 시장추출법은 대상 부동산의 감가수정을 시장에서 수집한 유사 부동산의 거래사례자료를 적용하여 구하는 방법이다. 기본적으로 토지에는 발생감가가 없고, 정착물에만 감가수정액이 발생한다는 전제하에 복합부동산의 감가수정액은 토지가격과 최유효이용상태의 재조달원가를 합한 가격에 미달하는 금액으로 계산한다.

(2) 추계절차

> 거래사례 선정 → 사례건물의 거래가격 추출(배분법) → 사례건물의 연간감가상각률 추계
→ 본건 건물에 적용

(3) 연간감가상각률 추계

거래사례는 본건과 유사한 거래사례를 선정해야 한다.

$$연간감가상각률 = \frac{사례거래시점\ 당시\ 재조달원가 - 사례건물거래가격}{사례의\ 거래시점\ 당시\ 재조달원가} \div 사례건물\ 거래시점\ 당시\ 경과연수$$

(4) 감가수정액

$$감가수정액 = 재조달원가 \times 연간감가상각률 \times 본건\ 경과연수$$

> **참고**
>
> **거래사례를 통한 건물의 경제적 내용연수 추정**
>
> 1. 개요
>   건물의 경제적 내용연수는 일반적으로 건물의 구조나 용도 등에 따라 결정된다. 그러나 거래사례를 통하여 주변에서의 건물의 가치변화율을 참고하여 건물의 내용연수를 추정할 수 있는 방법도 있다. 구체적으로는 아래의 산식에 의한다.
>
> 2. 경제적 내용연수 추정
>   거래사례를 통한 건물의 경제적 내용연수를 추정하는 경우에는 복합부동산(토지, 건물)의 거래사례를 이용한다. 거래사례의 거래금액은 아래와 같이 토지와 건물의 거래가액이다.
>   - 거래사례의 거래금액 = 거래사례의 거래 당시의 토지가격 + 거래사례의 거래 당시의 건물가격
>   이 중 거래사례의 거래 당시의 토지가격을 차감하면 거래사례의 건물가격이 산출될 것이다.
>   - 거래사례 거래 당시의 건물가격 = 거래사례의 거래금액 - 거래사례의 거래 당시의 토지가격
>   한편, 거래사례의 건물가격은 거래사례의 재조달원가와 거래시점 당시의 잔가율을 고려한 값으로 결정되어진다.
>   - 거래사례의 거래 당시의 건물가격
>
> $$= 거래\ 당시의\ 재조달원가 \times \frac{거래사례\ 건물의\ 내용연수(N) - 거래사례\ 건물의\ 거래\ 당시\ 경과\ 연수}{거래사례\ 건물의\ 내용연수(N)}$$
>
>   따라서 상기의 산식을 통해 거래사례 건물의 경제적 내용연수를 추정하는 방법은 아래와 같다.
>   - 거래사례 건물의 내용연수(N) = 1 ÷ 거래사례 건물의 연간 감가율
>   - 거래사례 건물의 연간 감가율 = [(거래사례 건물의 재조달원가 - 거래사례 건물의 거래가격) ÷ 거래사례 건물의 재조달원가] ÷ 거래사례 건물의 거래 당시 경과연수

기본예제

01 아래 건물의 감가수정액을 구하시오(기준시점 : 2027.06.15.).

>> 연간감가율을 산정하되, 백분율 기준으로 반올림하여 소수점 첫째자리까지 산정한다.

02 아래 거래사례를 통하여 경제적 내용연수를 판단하시오.

>> 경제적 내용연수는 절사하여 산정한다.

– 재조달원가 : 500,000,000원
– 사용승인일 : 2016.07.05.
– 거래사례 정보

거래가액	토지면적(m^2) 건물면적(m^2)	토지가액	사례 건물의 재조달원가	건물의 사용승인일	거래시점
950,000,000	500 1,200	m^2당 800,000원	(기준시점) @900,000 (거래시점) @850,000	2008.05.01.	2027.01.01.

◢예시답안

Ⅰ. **(물음 1) 건물의 감가상각액**

   1. 사례 건물의 거래가격 : $950,000,000 - 800,000 \times 500 = 550,000,000$원
   2. 사례 건물의 거래시점의 재조달원가 : $850,000 \times 1,200 = 1,020,000,000$원
   3. 연간감가율(거래당시 18년이 경과한 건물임)

   $(1 - \dfrac{550,000,000}{1,020,000,000}) \div 18 ≒ 2.6\%$

   4. 본건 건물의 감가상각액(10년 경과함) : $500,000,000 \times 0.026 \times 10 = 130,000,000$원

Ⅱ. **(물음 2) 경제적 내용연수 추정**

   $\dfrac{1}{0.026} ≒ 38.4$년(38년으로 결정한다.)

기 본예제

다음 물음에 답하시오.
1. 평가대상 건물의 기준시점 현재의 재조달원가를 구하시오.
2. 분해법에 의한 발생감가상각액을 산정하시오.
3. 평가대상 건물의 감정평가액을 구하시오.

풀이영상

자료 1 개요
1. 건물의 소재지: S시 K구 A동 100
2. 구조: 철근콘크리트조 슬래브지붕, 지하 1층 지상 3층
3. 용도: 숙박시설
4. 기준시점: 2027년 6월 1일
5. 사용승인일: 2023년 6월 1일
6. 완공일: 2023년 4월 1일

자료 2 대상건물의 건축비 내역 등(2023.6.1.)

구분	직접공사비		간접공사비
	주체부분	부대부분	
건축비	280,000,000	90,000,000	직접공사비의 30%
경제적 내용연수	50	15	–

>> 본건 건물의 건축비는 해당 건물에 대한 표준적인 건축비이다.

자료 3 대상건물의 관한 사항
1. 대상건물은 내·외부 도장상태가 일부 불량하여 재도장이 요구되고 있으며, 그 비용은 900,000원이 소요된다. 또한 지붕누수 보수에 850,000원이 소요된다(수리해야 할 비용은 모두 부대부분임).
2. 대상건물은 공기조화설비(공기조화설비는 단기항목이다)를 갖추지 못하고 있음에 따라 연간 500,000원의 임대료손실이 나타난다. 현재 공기조화설비를 갖추는 데는 1,500,000원이 소요되며, 건물준공 시 이러한 설비를 갖추는 데는 1,300,000원이 소요된다.
3. 대상건물의 전기설비(전기설비는 단기항목임) 중 일부는 110V이나 주위 건물들의 일반적 설비규모는 220V이다. 이러한 규격차이로 인하여 연간 600,000원의 운영경비의 추가지출이 나타나고 있다. 기존 구식설비의 기준시점 현재 적정한 재조달원가는 2,000,000원이며, 220V로의 전환비용은 2,200,000원이 소요된다. 현재기준으로 준공 당시 220V로 시공했다면, 2,050,000원이 소요되었을 것이다. 현 전기설비의 장래내용연수는 11년이고, 신규설비의 전 내용연수도 기존설비와 동일하다.
4. 대상건물은 유류보일러설비(유류보일러 설비는 단기항목임)를 갖추고 있으나, 최근 인근지역에 도시가스 설비가 갖추어짐에 따라 인근 도시가스보일러가 갖추어진 건물에 비하여 연간 450,000원의 영업경비 손실을 입고 있다. 기존 보일러의 재조달원가는 1,100,000원이고, 이러한 도시가스보일러로의 시설교체비용은 2,000,000원이다. 기준시점 현재 대상 유류보일러의 폐재가치는 500,000원으로 판단되며 만약 준공 당시에 도시가스로 시공했다면 1,200,000원이 든다. 현 보일러는 장래 내용연수는 11년이고 신규설비의 전 내용연수는 기존과 동일하다(모든 비용은 기준시점기준임).
5. 대상건물은 승강기가 없는 관계로 연간 2,500,000원의 조소득 손실을 보이고 있으나, 대상건물은 현재 구조적으로 승강기를 추가할 수 없다. 그러나 현재시점에서 신축 시 승강기를 설치한다면 5,000,000원의 비용이 소요된다.
6. 대상 건물의 옥탑에는 종전에 사용하던 물탱크실 및 물탱크설비가 있다. 이를 창고 등으로 활용하면 연간 150,000원의 순수익이 증가할 것으로 판단되나, 전환비용이 과다하게 소요되어 치유불능에 해당한다. 해당 물탱크실 등의 현재 재조달원가는 15,500,000원이다.

7. 본건 건물이 속하는 가로의 인접거리에는 신축된 지 28년이 지난 창고가 있다. 이 창고는 관리소홀로 인하여 매우 노후화되어 본건 부동산에 불리한 영향을 주고 있으며(이러한 불리한 영향은 영구적으로 지속될 것으로 판단된다), 이로 인하여 본건 부동산의 순영업소득수준은 이러한 영향으로부터 완전히 독립적인 동 유형의 다른 부동산에 비해 연 160,000원 정도 낮게 형성되고 있다. 한편, 토지의 순수익구성비율은 60%이다.

자료 4 ▶ **기타자료**

1. 분리환원이율

   토지환원이율 : 6.0%, 건물의 상각전 환원이율 : 10.5%

2. 시장의 전형적인 조소득승수(PGIM) : 7.5

3. 시장할인율 : 12%

4. 경제적 타당성 분석 시, 건물의 환원이율, 조소득승수 또는 할인방식에 의한 타당성을 검토하되, 환원이율의 적용 시는 직접법을 적용한다.

자료 5 ▶ **건축비 변동 등**

1. 건축시점부터 현재시점까지의 연간 건축비상승률은 3%로 이러한 변동추세는 건축비 구성의 개별항목에도 대체적으로 균일하게 적용되는 것으로 조사되었다.

2. 재조달원가 및 감가상각액은 반올림하여 천원 단위까지 표시한다.

◀예시답안

Ⅰ. 평가개요

본건은 S시 K구 A동에 소재하는 건물에 대한 일반거래목적의 감정평가로서 감정평가에 관한 규칙에 따라 원가법으로 평가하되, 기준시점은 2027년 6월 1일이다.

Ⅱ. (물음 1) 재조달원가(직접법)

1. 주체부분의 재조달원가

$280,000,000 \times 1.30 \times 1.03^4 ≒ 409,685,000$원

2. 부대부분의 재조달원가

$90,000,000 \times 1.30 \times 1.03^4 ≒ 131,685,000$원

3. 재조달원가

$409,685,000 + 131,685,000 = 541,370,000$원

Ⅲ. (물음 2) 감가수정

1. 물리적 감가

(1) 치유가능 : $900,000 + 850,000 = 1,750,000$원

(2) 치유불능

① 주체부분 : $409,685,000 \times 4/50 = 32,775,000$원

② 부대부분 : $(131,685,000 - 1,750,000) \times 4/15 = 34,649,000$원

(3) 물리적 감가 : $1,750,000 + 32,775,000 + 34,649,000 = 69,174,000$원

2. 기능적 감가

(1) 공기조화설비

① 치유타당성 : $500,000 \times \dfrac{1.12^{15} - 1}{0.12 \times 1.12^{15}} - 1,500,000 > 0$ (치유가능)

② 감가수정액 : $1,500,000 - 1,300,000 = 200,000$원

(2) 전기설비

① 치유타당성 : $600,000 \times \dfrac{1.12^{11} - 1}{0.12 \times 1.12^{11}} - 2,200,000 > 0$ (치유가능)

    ② 감가수정액 : 2,200,000 + 2,000,000 × 11/15 − 2,050,000 ≒ 1,617,000원

(3) 유류보일러

    ① 치유타당성 : $450,000 \times \dfrac{1.12^{11}-1}{0.12 \times 1.12^{11}} - (2,000,000 - 500,000) > 0$ (치유가능)

    ② 감가수정액 : (2,000,000 − 500,000) + 1,100,000 × 11/15 − 1,200,000 ≒ 1,107,000원

(4) 승강기(치유불능) : 2,500,000 × 7.5 − 5,000,000 = 13,750,000원

(5) 물탱크실(치유불능) : (150,000 ÷ 0.105) + 15,500,000 × 46/50 ≒ 15,689,000원

(6) 기능적 감가 : 200,000 + 1,617,000 + 1,107,000 + 13,750,000 + 15,689,000 = 32,363,000원

3. 경제적 감가 : (160,000 × 0.4) ÷ 0.105 ≒ 610,000원

4. 감가수정액 : 물리적 감가액 + 기능적 감가액 + 경제적 감가액 = 102,147,000원

IV. (물음 3) 건물의 감정평가액 결정

541,370,000 − 102,147,000 = 439,223,000원

---

6) 임대료손실 환원법

감가요인으로 감소된 순수익을 자본환원하여 감가액을 추출하는 방법으로 시장추출법과 마찬가지로 시장자료의 신뢰성이 높아야 감가상각의 신뢰도가 높아진다. 대상과 사례의 단위당 임대료의 차이를 자본환원(직접환원법, 조소득승수법)하여 산정한다.

$$\text{임대료손실환원법에 의한 감가수정액} = \frac{\text{감가요인으로 인한 순수익의 감소분}}{\text{순수익 감소분에 대한 환원율}}$$

기 본예제

K평가사는 (주)K에서 의뢰된 건물의 가격을 평가하고 있다. 대상건물과 유사성이 많은 인근 사례를 수집하여 임대료손실환원법으로 산정하고자 한다.

자료 1 ▶ 대상건물자료

1. 위치 : 서울 서초구 P동 1번지
2. 구조 : 철근콘크리트조 슬래브지붕 2층 건물
3. 이용상황 및 면적 : 상업용, 500m²
4. 건축시점 : 2022년 8월 1일

자료 2 ▶ 인근 건물자료

1. 위치 : 서울 서초구 P동 2번지
2. 구조 : 철근콘크리트조 슬래브지붕 2층 건물
3. 이용상황 및 면적 : 상업용, 600m²
4. 수익자료 : 최근 1년의 전체 순수익 45,000,000원
5. 건축시점 : 2017년 8월 1일

자료 3 **기타자료**

1. 인근에 소재하는 최근에 신축건물의 경우 평당 300,000원의 순수익이 발생하는 것으로 조사됨.
2. 기준시점 : 2027년 8월 1일
3. 건물의 특징은 매년 일정하게 감가가 발생하며, 순수익 또한 매년 일정하게 감소하는 것으로 조사됨.
4. 신축건물의 재조달원가 : 1,000,000원/m²
5. 감가된 부분에 적용되는 환원이율 : 5%

예시답안

Ⅰ. 평가개요

본건은 건물평가로 임대료손실환원법을 활용하여 감가액을 산정하며 2027년 8월 1일을 기준한 가격을 산정한다.

Ⅱ. 매년의 임대료손실 산정

1. 신축건물 순수익

$300,000 \times 121/400 \fallingdotseq 90,750$원/m²

2. 감가상각된 사례의 순수익

$45,000,000 \div 600 \fallingdotseq 75,000$원/m²

3. 매년의 임대료손실

$(90,750 - 75,000) \div 10^{*} \fallingdotseq 1,575$원/m²

* 임대료의 손실(90,750 − 75,000)이 10년간 누적되어온 손실이므로 연간 임대료손실을 구하기 위함이다.

Ⅲ. 매년의 감가액 산정

$\dfrac{1,575}{0.05} \fallingdotseq 31,500$원/m²

Ⅳ. 건물가격 산정

1. 재조달원가

$1,000,000$원 $\times 500$m² $= 500,000,000$원

2. 감가누계액

$31,500$원 $\times 5$년 $\times 500$m² $\fallingdotseq 78,750,000$원

3. 건물가격

$500,000,000$원 $- 78,750,000$원 $\fallingdotseq 421,250,000$원

PART 02

제4절   토지 및 건물의 다른 방식의 감정평가

01   원가법에 따른 토지의 평가

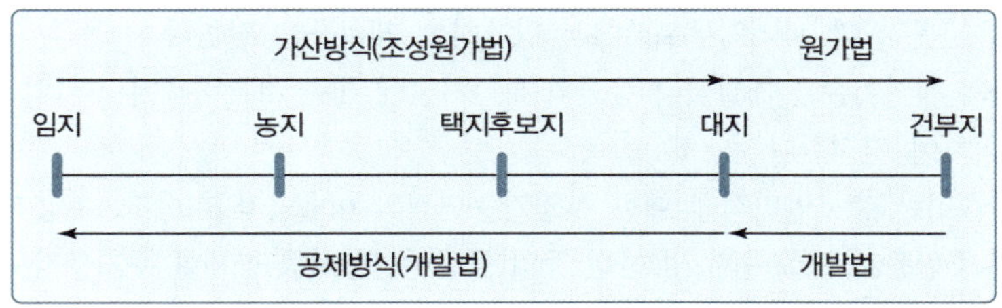

1. 조성원가법(가산방식)

> • 조성택지 준공시점의 감정평가액(원/m²)
> (소지가액 + 조성공사비 + 공공공익시설부담금 + 판매비 및 일반관리비 + 농지조성비 등
> + 개발업자의 적정이윤) ÷ 유효택지면적(m²)
> • 대상토지의 가액 = 조성택지 준공시점의 감정평가액 × 시점수정(지가변동률)(성숙도 수정)

1) 준공시점 기준 토지가격 [13]

(1) 소지가격

소지매입비용(소지매입비용이 적절하지 않은 경우에는 소지 상태의 감정평가액) × 시점수정(투하
자본수익률, 지가변동률 활용)을 기준한다. 소지가액을 결정하기 위해서는 소지의 매입에 따른 부
대비용을 정확히 파악하고, 소지의 취득가액을 결정할 때, 어느 시점을 기준으로 해야 하는가를
정확히 파악해야 한다.

(2) 조성비용 등

조성공사비, 개발업자 적정이윤 등(농지보전부담금, 개발부담금 고려)을 고려하되 비용의 투하시
점에 따라 준공시점으로 미래가치한다. 한편, 조성공사비는 개발업자(도급인)가 건설업자(수급인)
에게 지불할 표준적인 건설비를 말한다. 표준적인 공사비는 직접공사비(재료비, 노무비, 경비)에
일반관리비, 수급인의 적정이윤을 가산한 금액으로 한다. 통상의 조성공사비를 직접 구할 수 없거나
불합리한 경우에는 인근지역 및 동일수급권 내 유사지역의 조성공사비를 비교·수정하여 결정할
수 있다.

---

13) 감정평가실무기준 해설서(Ⅰ) 총론편, 한국감정평가사협회 등, 2014.02, p.312

공공공익시설부담금은 도로, 상·하수도시설 등의 간접시설에 대한 공사비를 의미한다. 공공공익시설부담금에는 조성택지의 효용증가와 관계있는 것과, 관계없는 것이 있다. 그중에서 조성원가에 포함되어야 할 것은 조성택지의 효용증가와 관계가 있는 것이다. 그러나 공공공익시설부담금이 과중한 경우가 있으며, 때로는 효용증가와 직접 관계가 없는 것이 포함되어 있는 경우도 많다. 판매비는 조성택지의 분양에 따른 광고선전비 기타 판매에 소요된 비용을 말하고, 일반관리비는 기업의 유지를 위한 관리업무부분에서 발생하는 제비용을 말한다.

개발업자의 적정이윤은 개발기간 동안의 투하자본에 대한 자본비용에 기업의 경영위험 및 재무위험을 고려하여 결정한다.

유효택지율이란 총사업면적에 대한 분양가능면적의 비율을 의미한다. 분양가능면적이란 총사업면적에서 공원용지, 도로용지 및 하천 등의 공공시설용지를 공제한 주거용지, 상업용지, 학교용지, 인접생활용지 및 행정업무용지 등을 의미한다.

≫ 건축공사비에 포함되는 조성비용은 토지가치와 무관하기 때문에 조성비용에 포함하지 않는다.

2) 기준시점 기준 토지가격

> 준공시점기준 토지가격 × 성숙도 수정(지가변동률 사용)

≫ **성숙도** : 토지의 용도가 변화하는 과정에서 사회적, 경제적, 행정적 관점에서 판단하여 객관적 조건이 어느 정도 갖춰졌는지를 판단하는 것으로서 택지개발을 위한 객관적 조건이 갖추어질 때까지의 대기기간의 위험성을 고려하기 위해 택지예정지 평가 등의 경우 성숙도 수정이 필요하다.

2. 개발법(Development Method)

1) 개념 및 적용

대상토지를 개발했을 경우 예상되는 총 매매(분양)가격의 현재가치에서 개발비용의 현재가치를 공제한 값을 토지가치로 하는 방법으로서, 현금흐름할인분석법의 절차를 이용하여 개발대상 토지의 가액을 산정한다.

법적·물리적·경제적으로 분할 가능한 최적의 획지수를 분석한 후, 분할된 획지의 시장가치와 개발에 소요되는 제비용을 계산하여 개발에서 분양이 완료될 때까지의 매기간의 현금수지를 예측하고, 이를 현재가치로 할인해서 개발대상토지의 가액을 산정한다.

> 대상토지의 가액 = 분양판매총액의 현가 − 조성공사비 등 각종 비용의 현가

2) 세부내용

(1) 분양수입 현가

대상토지를 개발했을 경우의 예상되는 총 예정 부동산의 가치에 대해서 시장에 판매되는 시점 등을 고려한 흡수율 분석을 진행하여 예상 현금흐름을 예상하고 이를 현재가치하여 산정한다.

(2) **개발비용 현가**

대상 부동산을 개발함에 소요되는 비용을 기준하되, 개발단계별로 비용의 투하비율에 따라 현재
가치화한다.

(3) **유의사항**

① 예정 부동산은 개발 후에 공급되므로 공급시점에서의 부동산가치를 산정하는 것이 원칙이며,
예정 부동산을 기준으로 인근의 거래사례나 수익사례를 기준으로 산정한다.
② 할인율은 해당 부동산 개발의 위험을 반영한 할인율을 기준해야 한다.
③ 상정된 건축계획이 최유효이용의 관점에서 합당한지 판단해야 한다.

3. 공제방식

택지화된 후의 나지로 상정한 가액에서 조성공사비, 발주자의 통상적인 부대비용 등을 공제하여 구한
금액을 해당 택지후보지의 성숙도에 따라 적정하게 수정하여 택지후보지의 소지가액을 구한다.

> 대상토지의 가액 = {총분양가격 − (조성공사비 + 공공시설부담금 + 판매관리비 + 개발부담금
> + 업자이윤)} × 택지성숙도 보정

기 본예제

01 다음 조성토지의 가격을 2027.8.13.을 기준시점으로 하여 산정하시오. 토지단가는 반올림하여
만원 단위까지 결정한다.

자료 ▶ 조성토지

1. 소재지 : A시 B동 대, 400m²
2. 조성 전 토지 매입가격 : 1,000,000원/m²(2025년 9월 1일 매입)
3. 조성공사비 : 300,000,000원
4. 공사비 지급시기 : 2026.1.1. / 2026.7.1. / 2026.12.31.로서 3회 균등지불
5. 공사계획 : 2026.1.1. 착공하여 2026.12.31. 완공예정
6. 수급인의 이윤은 조성공사비의 10%임(공사비와 동일한 방식으로 지급).
7. 투하자본수익률 : 연 12%
8. 지가변동률 : 2027년 7월 누계 + 1.200%, 당월 + 0.200%
9. 소지는 매입시점부터 원가로 봄.

예시답안

Ⅰ. **평가개요**
본건은 조성택지의 평가로서, 공사완료 시점의 토지가격을 구한 후 기준시점까지는 성숙도 수정을 가
하여 적산가액을 산정한다(기준시점 : 2027.8.13.).

Ⅱ. **조성완료 시 토지가격(2026.12.31.)**
　　1. 소지가격
　　　　$1,000,000 \times 400 \times (1 + 0.01)^{16} ≒ 469,031,000$

2. 공사비 및 수급인의 이윤

$$300,000,000 \times 1.1 \times \frac{1}{3} \times (1.01^{12} + 1.01^{6} + 1) ≒ 350,718,000$$

>> 수급인의 이윤도 공사비와 동일한 방식으로 지불된 것으로 본다.

3. 조성완료 시 토지가격
819,749,000(2,049,373원/m²)

III. 기준시점 토지가격
$2,049,373 \times 1.01285^{*} ≒ 2,080,000$원/m²($\times 400 = 832,000,000$원)
* 시점수정(성숙도수정), 2027.1.1.~8.13.(지가변동률) : $1.01200 \times (1 + 0.002 \times 13/31)$

02 柳 씨는 다세대주택의 건축용지로 사용하기 위해 구입한 토지의 가격을 알아보기 위해 K평가사에게 평가를 의뢰하였다. 이에 따라 K평가사는 다음 자료의 건축설계안을 기준으로 토지가격을 적산가액(개발법)으로 산정하고자 한다.

자료 1 **건축예정주택**
철근콘크리트조 4층, 토지면적 800m², 건축연면적 2,400m²

자료 2 **분양예정면적**
전용면적 m²당 330,000원(단, 전용면적은 건축연면적의 80%로 함)

자료 3 **필요경비 등**
1. 건축공사비 : 136,000원/m²(다만, 공사부담금, 일조보상 등은 발생하지 않는 것으로 확인되었으며, 공사비지불은 공사착공 시, 공사중간 시, 공사준공 시에 각각 1/3씩 지불하는 것으로 함)
2. 판매관리비는 총분양가격의 1%(공사준공 시 발생)
3. 정상이윤은 총분양가의 10%(공사준공 시 발생)
4. 공사기간은 1년(준공 즉시 분양완료되는 것으로 함)
5. 금리는 연 9%(할인율도 9%로 함)

예시답안

I. 평가개요
본건은 토지가격 산정으로 개발법으로 평가한다.

II. 분양가액현가
$330,000 \times 2,400 \times 0.8 \times 1/1.09 ≒ 581,284,000$

III. 총공사비현가

1. 공사비
$136,000 \times 2,400 \times 1/3 \times \{1 + 1/(1 + 0.09/12)^{6} + 1/(1 + 0.09/12)^{12}\} ≒ 312,299,000$

2. 판매관리비 및 이윤
$581,284,000 \times 0.11 ≒ 63,941,000$

3. 계
376,240,000

IV. 토지가격 산정
$581,284,000 - 376,240,000 ≒ 205,044,000(256,000$원/m²)

02 거래사례비교법에 따른 건물의 평가

1. 개념 및 산식

거래사례비교법으로 감정평가할 때에는 적절한 건물의 거래사례를 선정하여 사정보정, 시점수정, 개별요인비교를 하여 비준가액을 산정한다. 예를 들어, 국·공유지에 건물이 소재하는 경우 일반적인 건물에 비하여 높거나 낮게 거래가격이 형성된다. 이 경우 거래가격, 감정평가선례 등을 고려하여 거래사례비교법으로 감정평가할 수 있다.

> 건물비준가액 = 건물사례가격 × 사정보정 × 시점수정 × 개별요인비교(잔가율비교 별도) × 면적비교

2. 사례선택 및 사정보정

구조 및 용도가 같거나 유사한 사례를 선정한다. 대체적으로 위치적 유사성을 고려할 필요는 없다. 다만, 적절한 건물만의 거래사례가 없는 경우에는 토지와 건물을 일체로 한 거래사례를 선정하여 토지가액을 빼는 공제방식이나 토지와 건물의 가액구성비율을 적용하는 비율방식 등을 적용하여 건물가액을 배분할 수 있다.

3. 지역요인 보정 및 시점수정

건물을 거래사례비교법으로 평가하는 경우 지역요인 비교는 특수한 경우를 제외하고 하지 않는다. 시점수정 시에는 건축비지수(또는 생산자물가지수)를 활용하며 월할계산한다.

4. 잔가율 비교

본건의 기준시점 당시의 잔가율을 거래사례의 거래시점 당시의 잔가율로 나누어 산정한다.

> - 잔가율 = 주체비율 × $\dfrac{\text{주체잔존내용연수}}{\text{주체전내용연수}}$ + 부대설비비율 × $\dfrac{\text{부대시설잔존내용연수}}{\text{부대설비전내용연수}}$
>
> - 잔가율비교치 = $\dfrac{\text{대상건물잔가율(기준시점)}}{\text{사례건물잔가율(거래시점)}}$

>> 건물의 가격평가 시에는 잔가율이 중요한 개념으로서 일반적으로 개별요인이 제시되면 잔가율이 포함되지 않은 것으로 보아 별도로 잔가율을 계산하지만, 임대료평가 시에는 잔가율이 개별요인에 포함된 것으로 보는 경향이 있다.

>> 잔가율이 개별요인에 포함되는 경우는 별도로 비교할 필요 없다.

5. 면적비교

연면적을 기준한다(수량요소가 개별요인에 포함되어 있으면 별도로 비교할 필요는 없다).

기본예제

다음 건물을 거래사례비교법에 의하여 감정평가하시오. 건물의 단가는 반올림하여 천원 단위까지 결정한다.

》 기준시점 : 2027년 9월 1일

구분	구조	용도	연면적(㎡)	사용승인일	건물평점 (잔가율제외)
본건	철골조	창고시설	1,000	2011.07.01.	100
거래사례	철골조	창고시설	1,100	2015.07.01.	105

- 거래금액 : 550,000,000원(건물만의 거래임)
- 거래시점 : 2026.09.01.
- 건물의 내용연수 : 45년(최종잔가율 0%)
- 생산자물가지수

구분	2026년 8월	2027년 8월
지수	114.77	119.27

예시답안

1. 사례의 적부 : 용도, 구조 등이 유사한 건물만의 거래사례로서 적정하다(550,000,000 ÷ 1,100 = @500,000).
2. 시점수정치(생산자물가지수) : 2027년 8월 ÷ 2026년 8월 = 119.27 ÷ 114.77 ≒ 1.03921

3. 개별요인 비교치

$$\frac{100}{105} \times \frac{29/45}{34/45} \fallingdotseq 0.812$$

4. 비준가액

500,000 × 1.000(사정) × 1.03921 × 0.812 ≒ @422,000(×1,000 = 422,000,000원)

제5절	**토지 및 건물의 일괄평가 및 기타 감정평가방법**

01 토지 및 건물(복합부동산)의 일괄감정평가

1. 개요

감정평가에 관한 규칙 제7조에서는 개별물건평가원칙을 규정하고 있다. 단, 둘 이상의 물건이 일체로 거래되거나 대상물건 상호 간에 용도상 불가분의 관계가 있는 경우에는 일괄하여 감정평가할 수 있도록 규정하고 있다. 집합건물에 대해서는 별도의 규정(일괄평가)이 있기 때문에 아래 내용은 토지, 건물 (복합부동산)에 대한 일괄평가이다.

감정평가실무기준에서는 복합부동산의 감정평가방법에 대하여 개별평가를 원칙으로 하면서도 일체로 거래되는 경우에는 일괄하여 감정평가할 수 있도록 규정하고 있다. 일괄로 감정평가하는 경우에는 거래사례비교법을 적용해야 하며, 합리적인 배분기준에 따라 토지가액과 건물가액을 구분하여 표시할 수 있도록 규정하고 있다.

> **감정평가에 관한 규칙 제16조**(토지와 건물의 일괄감정평가)
>
> 감정평가법인등은 「집합건물의 소유 및 관리에 관한 법률」에 따른 구분소유권의 대상이 되는 건물부분과 그 대지사용권을 일괄하여 감정평가하는 경우 등 제7조 제2항에 따라 토지와 건물을 일괄하여 감정평가할 때에는 거래사례비교법을 적용해야 한다. 이 경우 감정평가액은 합리적인 기준에 따라 토지가액과 건물가액으로 구분하여 표시할 수 있다.

2. 토지, 건물을 일체로 평가하는 유형

토지, 건물을 일체로 평가하는 경우는 업무시설(대형 오피스) 및 숙박시설, 상업시설, 물류창고 등 건물의 단위면적(원/m²)당 시장가치 수준이 존재하는 경우에 활용된다. 대형 수익성 부동산의 경우 토지, 건물을 일체로 감정평가해야 하는 경우가 많다.

3. 구체적인 평가방법 등

1) 거래사례비교법

⑴ 일체요인비교치를 사용하는 방법

　① 산식

> 거래가격(건물 단위면적당 거래가격) × 사정보정 × 일체시점수정 × 지역요인
> × 개별요인(토지, 건물요인 및 일체품등비교)
> = 본건 단위면적(건물)당 비준가액(× 수량(본건 연면적) = 총액)

② **거래사례의 선택**

복합부동산의 이용상황 등이 유사한 사례를 선정해야 한다. 특히 본건과 대체가능성이 있는 이용상황의 복합부동산 거래사례를 선택해야 한다.

③ **거래가격(건물 단위면적당 거래가격)**

복합부동산을 일괄로 평가하는 경우는 건물의 단위면적당 거래가격에 대한 시가수준이 존재하는 경우이다. 따라서 거래사례의 단위건물면적당 거래가격을 추출한다.

> **예** 거래금액 700억원, 토지면적 3,000m², 건물의 연면적 35,000m²인 경우 단위 건물 연면적당 거래가격은 다음과 같다. 70,000,000,000원 ÷ 35,000m² = 2,000,000원/m²

④ **일체시점수정**

복합부동산의 일괄 거래사례비교법의 시점수정에 있어서는 한국부동산원에서 조사 및 발표하는 상업용 부동산의 자본수익률(매장용, 업무용)을 활용하거나 생산자물가지수(부동산지수) 등 해당 복합부동산의 가치변동에 적절한 시점수정치를 사용한다.

⑤ **지역요인비교**

인근지역이 아닌 동일수급권 내 유사지역에서 거래사례를 선택한 경우 가격수준에 따른 지역요인 비교가 필요하다.

⑥ **개별요인비교**

외부요인(토지요인), 내부요인(건물요인) 및 개별적 요인으로 구분되며, 복합부동산의 가치형성요인에 영향을 줄 수 있는 요인을 비교한다.

⑦ **문제풀이 시의 목차구성**

> 1. 거래사례 선택
> 2. 시점수정치
> 3. 가치형성요인비교치
>   해당 물건의 가치형성요인 별 수정사항을 비교
> 4. 일체 비준가액
>   사례 거래가격(원/m²) × 사정보정 × 시점수정 × 가치형성요인비교치 ≒ 일체 비준가액(원/m²)
>   (× 본건면적 = 일체 비준가액)

(2) **가격구성비(토지, 건물)를 이용하는 방법**

① **토지와 건물의 시점수정, 지역요인, 개별요인을 별도로 비교하는 방법**

$$거래가격(원/m^2) \times 사정보정 \times \begin{bmatrix} 토지가격구성비율 \times 토지시점수정 \times 지역요인 \times 토지개별요인 \\ 건물가격구성비율 \times 건물시점수정 \times 건물개별요인 \end{bmatrix} \times 일체품등비교$$

② **토지와 건물의 지역요인, 개별요인을 별도로 비교하는 방법**

$$거래가격(원/m^2) \times 사정보정 \times 일체시점수정 \times \begin{bmatrix} 토지가격구성비율 \times 지역요인 \times 토지개별요인 \\ 건물가격구성비율 \times 건물개별요인 \end{bmatrix} \times 일체품등비교$$

» 가격구성비율은 거래시점을 기준으로 산정한다.

③ **문제풀이 시의 목차구성**

1. 거래사례 선택
2. 시점수정치
3. 토지, 건물의 가격구성비 산출
4. 가치형성요인비교치
   (1) 토지요인비교
   (2) 건물요인비교
5. 일체 비준가액
   사례 거래가격(원/m²) × 사정보정 × 시점수정 × (토지가격구성비 × 토지요인비교 + 건물가격구성비 × 건물요인비교) × 일체품등비교 ≒ 일체 비준가액(원/m²)(× 본건면적 = 일체 비준가액)

(3) **복합부동산의 일괄거래사례비교법의 실무**

토지, 건물의 일체 감정평가에 있어서는 "일체요인비교치를 사용하는 방법"을 실무적으로는 더 많이 활용하나, 수험목적상 각 방법을 모두 이해할 필요가 있다.

2) 수익환원법

부동산에서 창출되는 수익을 기준으로 환원이나 할인하여 가격을 결정하는 방법으로서 자세한 방법은 후술하도록 한다.

3) 원가법

토지는 공시지가기준법 등의 평가방법에 따라 평가하고 건물은 원가법으로 평가한 금액을 합산하여 결정한다.

4) 토지, 건물의 가격배분

우리나라에서는 토지와 건물을 별개의 부동산으로 보고 각각 공부에 등재되고 있다. 이에 따라 복합부동산을 일괄하여 감정평가한 가액을 토지 및 건물의 가격으로 합리적으로 구분하여야 하는 경우가 발생할 수 있다.

이러한 경우에는 거래사례비교법에 의한 비준가액 등의 감정평가액을 합리적인 배분기준을 적용하여 토지가액과 건물가액으로 표시할 수 있다. 배분기준은 해당 지역의 거래관행 및 특성을 고려하여 합리적인 배분비율을 적용하거나, 토지 또는 건물만의 가액을 합리적으로 구할 수 있는 경우에는 이를 구하여 공제하는 방법을 적용할 수 있을 것이다.

4. 유형별 일괄평가 시 3방식의 적용(개별평가 및 일체평가)

(1) 오피스빌딩(업무시설)의 감정평가

평가방법	평가기준	주요 검토사항
개별평가 (원가방식)	토지가격 + 건물가격	–
일괄평가 (거래사례비교법)	유사건물의 거래단가(건물 단위면적당 거래가격) × 시점수정(오피스 매매가격 변동률, 생산자물가상승률) × 지역요인 × 개별요인(토지 및 건물요인)	권역별 매매사례 및 거래동향 검토
일괄평가 (수익환원법)	직접환원법 / 할인현금수지분석법	• 임대시장 및 공실률 • 거래사례들의 시장자본환원율(Cap Rate 분석) • 본건 임대차내역의 적정성 검토(장기임대차, 책임임대차, Rent Free 조건부 계약)

● 오피스빌딩 등급의 분류기준

PRIME	A	B	C
상위 10% 권역 내 최고수준의 랜드마크 빌딩	20% 권역 평균을 상회하는 우수한 빌딩	30% 권역 내에서 인지도를 보유한 빌딩	40% 평균 이하의 인지도 낮은 빌딩

구분	PRIME	A	B	C
건축연면적	50,000m² 이상	33,000~50,000m²	16,500~33,000m²	16,500m² 이하
월임대료(m²당)	24,000원 이상	21,000~23,999원	18,000~20,999원	17,999원 이하
지하철까지 거리	인접	도보 5분 이내	도보 10분 이내	도보 10분 이상
접도수	4개 이상	3개	2개	1개
건물연수	5년 이하	6~10년	11~15년	16년 이상

(2) 숙박시설(호텔 및 리조트)의 감정평가

평가방법	평가기준	주요 검토사항
개별평가 (원가방식)	토지가격 + 건물가격	–
일괄평가 (거래사례비교법)	유사건물의 거래단가(건물 단위면적(객실)당 거래가격) × 시점수정(숙박시설 매매가격 변동률, 생산자물가상승률) × 지역요인 × 개별요인(토지 및 건물요인)	• 유사 숙박시설의 매매사례 및 거래동향 검토 • 관광객 동향 검토

일괄평가 (수익환원법)	직접환원법 / 할인현금수지분석법	• 마스터리스 등 부가조건 검토 • 동일 유사호텔의 ADR(평균객실단가) 및 OCC(객실점유율) 검토 • 부대시설 수입 여부 등 검토

숙박시설의 주요 성과측정지표 및 예상매출액 추정예시

1. OCC(Occupancy)(객실점유율)

$$= \frac{판매된\ 객실수}{판매가능객실수(객실수 \times 연간일수)} \times 100(\%)$$

2. ADR(Average Daily Rate)(평균객실판매단가)

$$= \frac{객실수입액}{판매된\ 객실수(판매가능객실수 \times OCC)} \times 100(\%)$$

$$= (객실\ 한\ 개\ 호수를\ 1일\ 판매할\ 때의\ 평균판매단가)$$

숙박시설의 총수입 산정예시

구분		내용
객실매출	객실수	400개
	판매가능객실수(객실수 × 365일)	146,000객실
	OCC	75%
	ADR	190,000원
	객실매출	20,805,000,000원
부대시설매출		25,999,680,000원
총수입		46,804,680,000원

(3) 물류창고

평가방법	평가기준	주요 검토사항
개별평가 (원가방식)	토지가격 + 건물가격	–
일괄평가 (거래사례비교법)	유사건물의 거래단가(건물 단위면적당 거래가격) × 시점수정(창고 등 매매가격 변동률, 생산자물가상승률) × 지역요인 × 개별요인(토지 및 건물요인)	• 물류창고의 수요와 공급분석 • 물류창고의 내부설비(냉동, 냉장, 상온창고별 가격 차이 존재) • 접근성(고속도로 IC와의 거리) • 입지별 차이
일괄평가 (수익환원법)	직접환원법 / 할인현금수지분석법	• 단위면적당 임대료수준 분석 • 냉동, 냉장, 상온창고별 임대료 차이 존재 • 관리비의 부담주체에 따른 분석

(4) 대형판매시설(백화점, 마트 등)

평가방법	평가기준	주요 검토사항
개별평가 (원가방식)	토지가격 + 건물가격	–
일괄평가 (거래사례비교법)	유사건물의 거래단가(건물 단위면적당 거래가격) × 시점수정(판매시설 매매가격 변동률, 생산자물가상승률) × 지역요인 × 개별요인(토지 및 건물요인)	• 소매업의 수요 및 공급현황 • 유사 시설의 현황
일괄평가 (수익환원법)	직접환원법 / 할인현금수지분석법	• 장기임대차 여부 • 매출액 연동 임대료(본건 매출액 분석, 유사 부동산의 단위면적당 매출액 분석) 분석

기본예제

01 감정평가사 A 씨는 甲 씨가 매수예정에 있는 S시 A동에 소재하는 부동산에 대한 시가참조목적의 감정평가를 의뢰받았다. 아래의 자료를 활용하여 매입예정부동산의 감정평가액을 결정하시오.

자료 1 매입예정부동산

구분	토지면적(m^2)	건물연면적(m^2)	사용승인일	기준시점
대상 부동산 A	1,500	6,000	2024.06.30.	2027.06.30.

자료 2 인근지역의 거래사례부동산

구분	토지면적(m^2)	건물연면적(m^2)	사용승인일	거래금액	거래시점	토지 : 건물 가격구성비
거래사례 1	1,400	5,900	2021.07.30.	59억	2027.01.01.	6 : 4
거래사례 2	1,500	2,500	2004.05.30.	40억	2027.01.01.	8 : 2

자료 3 시점수정자료

1. 지가변동률(2027년 5월): 당월 0.262%, 2027년 5월 누계치 2.374%(2027년 6월분 미고시)
2. 생산자물가지수: 2026년 12월 119.21, 2027년 5월 121.74(2027년 6월분 미고시)

자료 4 개별요인 평점

구분	본건	거래사례 1	거래사례 2
토지	100	95	110
건물	100	110	60

자료 5

비교단위는 건물의 단위면적당 가격을 기준하되, 단위면적당 가격은 반올림하여 만원 단위까지 표시하고, 최종 감정평가액은 반올림하여 백만원 단위까지 표시한다.

예시답안

Ⅰ. 평가개요
본건은 甲 씨의 매입예정부동산에 대한 감정평가로서 2027년 6월 30일을 기준시점으로 한다.

Ⅱ. 거래사례 선택
본건 부동산과 건물의 내용연수, 면적 및 개별요인이 유사한 거래사례 1을 선택한다(m²당 1,000,000원).

Ⅲ. 시점수정치(2027.01.01. ~ 2027.06.30.)

1. 토지 시점수정치(지가변동률)
$1.02374 \times (1+0.00262 \times 30/31) ≒ 1.02634$

2. 건물 시점수정치(생산자물가지수)
2027년 5월 / 2026년 12월 = 121.74 / 119.21 ≒ 1.02122

3. 시점수정치 결정
$0.6 \times 1.02634 + 0.4 \times 1.02122 ≒ 1.02429$

Ⅳ. 가치형성요인 비교치
$0.6 \times 100/95 + 0.4 \times 100/110 ≒ 0.995$

Ⅴ. 평가액 결정
$1,000,000 \times 1.000(사정) \times 1.02429 \times 0.995 ≒ 1,020,000원/m²(\times 6,000 = 6,120,000,000원)$

---

02 SLA감정평가사무소 소장인 유평가사는 서울특별시 영등포구 여의도동에 소재하는 업무시설에 대한 감정평가를 의뢰받고 아래와 같은 자료를 수집하였다. 본 평가물건의 시장에서의 거래관행을 반영한 평가방법을 적용하여 감정평가를 진행하도록 하시오.

자료 1 평가개요

1. 소재지: 서울특별시 영등포구 여의도동 25-1
2. 대지현황: 대, 3,624.1m², 일반상업지역
3. 연면적: 철골철근콘크리트조, 업무시설, 46,116.5m²
4. 사용승인일: 2021년 3월 6일

풀이영상

자료 2 인근지역의 적정한 거래사례

구분	거래사례 1	거래사례 2
대지위치	여의도동 22-1	여의도동 23-1
대지면적(m²)	3,711.6	4,625
건물면적(m²)	47,612	53,162
거래시점	2026.4.6.	2026.12.1.
거래가격	1,800억원	2,200억원
도로조건	광대로각지	소로각지
지하철역과의 거리(m)	270	520
전용률(%)	60	62
신축연도	2018.2.5.	2023.6.30.

자료 3 자본수익률(오피스)

구분	2026년 2분기	2026년 3분기	2026년 4분기	2027년 1분기	2027년 2분기
단위(%)	0.58	0.47	0.49	0.63	미고시

자료 4 본건 및 거래사례의 평점

구분	거래사례 1	거래사례 2	본건
입지성	105	95	100
건물의 연식 및 관리상태	105	120	100

자료 5 기타자료

1. 기준시점은 2027년 6월 30일이다.
2. 본 평가는 일반거래목적의 평가이다.
3. 둘 이상의 거래사례 선택이 가능하며, 최종 감정평가액은 시산가액(단가)의 평균치를 기준하고, 최종 감정평가액은 반올림하여 억 단위까지 결정한다.
4. 본건과 같은 건물은 거래 시 건물의 면적당 가격으로 토지를 포함하여 가격이 형성되고 거래되는 것으로 판단되며, 평가단가는 반올림하여 원 단위, 평가액은 억 단위에서 반올림하여 결정한다.
5. 둘 이상의 거래사례에 의한 시산가액(단가)은 산술평균하여 결정한다.

예시답안

Ⅰ. 평가개요

　　1. 본건은 서울특별시 영등포구 여의도동에 소재하는 업무시설에 대한 일반거래목적의 감정평가로서 2027년 6월 30일을 기준시점으로 평가한다.

　　2. 감정평가에 관한 규칙상 토지, 건물의 개별평가가 원칙이나 본 물건의 경우 토지, 건물 일체의 가격수준이 존재하는바, 일괄평가한다.

　　3. 제시된 거래사례는 본건과 위치적, 물적 유사성이 있으며 적정한 거래사례로 판단되는바, 모두 선정한다.

Ⅱ. 거래사례 1 기준 비준가액

　　1. 사례의 거래가격

　　　180,000,000,000 ÷ 47,612(사례건물의 연면적) ≒ 3,780,560원/m^2

　　2. 사례 1 기준 비준가액

　　　$3,780,000 \times 1.000(사정) \times 1.02806^* \times 1.000(지역) \times (100/105 \times 100/105) ≒ 3,525,299$원/$m^2$

　　　* 2026.4.6.~2027.6.30. 자본수익률

　　　　$(1 + 0.0058 \times 86/91) \times 1.0047 \times 1.0049 \times 1.0063 \times (1 + 0.0063 \times 91/90)$

Ⅲ. 거래사례 2 기준 비준가액

　　1. 사례의 거래가격

　　　220,000,000,000 ÷ 53,162(사례 건물의 연면적) ≒ 4,138,294원/m^2

　　2. 사례 2 기준 비준가액

　　　$4,140,000 \times 1.000(사정) \times 1.01438^* \times 1.000(지역) \times (100/95 \times 100/120) ≒ 3,682,283$원/$m^2$

　　　* 2026.12.1.~2027.6.30. 자본수익률 : $(1 + 0.0049 \times 31/92) \times 1.0063 \times (1 + 0.0063 \times 91/90)$

Ⅳ. 감정평가액 결정

　　시산가액의 산술평균치로 결정한다.

　　$(3,525,299+3,682,283) ÷ 2 = 3,603,791$원/$m^2$($\times$ 46,116.5 ≒ 166,200,000,000원)

02 기타평가방법 – 회귀분석, 노선가식평가 등

1. 회귀분석법(Regression Analysis)

(1) 적용절차

① **변수의 결정**: 독립변수와 종속변수에 어떤 데이터를 넣을지 선택한다.

② **사례의 선택**: 제시된 사례 중 적정하지 못한 사례가 있으면 배제한다.

③ **회귀식 추정**(결정계수 표시)

④ **적용**

(2) 장단점

통계적 방법으로서 객관적이고 대량평가에 유용하다. 그러나 통계적인 가정에 따른 단점이 있다(정규분포가정 등).

(3) 단순선형회귀분석

① **산식**

$$y = a + bx$$

y : 종속변수   x : 독립변수   a : 회귀상수   b : 회귀계수

② **회귀상수의 결정**

$$a = \bar{y} - b\bar{x} \ \text{또는} \ a = \frac{\Sigma y \cdot \Sigma x^2 - \Sigma x \cdot \Sigma xy}{n\Sigma x^2 - (\Sigma x)^2}$$

a: 회귀상수   b: 회귀계수 $\bar{y}$: y(종속변수)의 평균값
$\bar{x}$: x(독립변수)의 평균값   n: 표본의 수

③ **회귀계수의 결정**

$$b = \frac{n\Sigma xy - \Sigma x \cdot \Sigma y}{n \cdot \Sigma x^2 - (\Sigma x)^2} = \frac{\Sigma(x - \bar{x})(y - \bar{y})}{\Sigma(x - \bar{x})^2}$$

④ **결정계수**

$$\text{결정계수}(R^2) = \frac{\text{회귀모형에 의해 설명되는 변량(SSR)}}{\text{총변량(SST = SSR + SSE)}}$$

$$= \frac{\Sigma(y' - \bar{y})^2}{\Sigma(y - \bar{y})^2} = \frac{\Sigma(y' - \bar{y})^2}{\Sigma(y' - \bar{y})^2 + \Sigma(y - y')^2}$$

y' : 회귀모형으로 산정된 종속변수의 값

(4) 다중회귀분석

$$y = a + b_1 x_1 + b_2 x_2 + \cdots + b_n x_n + \varepsilon$$

y : 종속변수(토지 또는 부동산가격)　　　x : 독립변수　　　a : 회귀상수
b : 회귀계수　　　ε : 오차

(5) 유의사항

① 독립변수가 종속변수에 영향을 주는 중요한 요소인지 판단해야 한다.

② 자료가 일정 수 이상이고 독립적이라면 회귀분석의 활용을 검토해 볼 수 있다.

③ 결정계수를 통해서 유의성을 점검해야 한다(R^2).

　》 소급평가 시 기준시점 이후의 자료를 통해 회귀분석을 사용하면 안 된다.

기 본예제

郭평가사는 수습평가사인 金평가사에게 건물평가를 위하여 다음과 같이 건물거래사례를 수집·정리하도록 하였다. 회귀분석법을 이용하여 대상건물에 적용할 수 있는 m^2당 재조달원가와 경제적 내용연수, 연간 감가상각률을 구하라. 제시된 자료는 모두 최근의 적정한 거래사례이다.

자료 1 ▶ 거래사례자료

거래사례	m^2당 건물(거래)가격	경과연수
1	214,300	20
2	442,900	4
3	314,300	13
4	285,700	15
5	471,400	2
6	371,400	9
7	428,600	5
8	342,800	11
9	171,400	23
10	257,100	17

자료 2 ▶ 기타자료

1. 감가수정방법 : 정액법
2. 잔가율 : 0
3. 대상건물면적 : 300m^2
4. 대상건물경과연수 : 7년

풀이영상

예시답안

Ⅰ. 평가개요

　본건은 회귀분석법을 활용한 m^2당 재조달원가, 경제적 내용연수, 연간 감가상각률 산정으로 단순회귀분석법의 산식은 다음과 같다.

Ⅱ. 회귀모형의 결정

1. 사례의 선정

거래사례 모두 적정한 거래사례로 선정하도록 한다.

2. 변수의 설정($y = ax + b$)

(1) 독립변수 : 건물의 경과연수

(2) 종속변수 : m²당 건물의 가격

3. 회귀모형 결정

$y = 500{,}000 - 14{,}287x$ ($R^2 = 95\%$ 이상으로서 유의하다.)

Ⅲ. m²당 재조달원가($x = 0$)

$y = 500{,}000 - 14{,}287x$

$y = 500{,}000 - (14{,}287 \times 0) \quad \therefore \; y(재조달원가) = 500{,}000원/m^2$

Ⅳ. 경제적 내용연수($y=0$)

$y = 500{,}000 - 14{,}287x$

$0 = 500{,}000 - 14{,}287x \quad x = \dfrac{500{,}000}{14{,}287} \fallingdotseq 34.997(\therefore \; 35년)$

Ⅴ. 연간 감가상각률

$\dfrac{1}{35} \fallingdotseq 0.0286(\therefore \; 2.86\%)$

Ⅵ. 건물가격

1. 재조달원가

$500{,}000 \times 300 \fallingdotseq 150{,}000{,}000원$

2. 건물가격

$150{,}000{,}000 \times (1 - 0.0286 \times 7) \fallingdotseq 119{,}970{,}000원$

Check Point!

▶ 계산기의 활용방법(단순회귀분석) ▶ ▶ ▶

풀이영상

1. **Regression − Stats menu에서 F2(Calc, Calculation) → F3(REG) 기능**
   ① 최소자승법(Ordinary Least Square Method, OLS)에 따라서 계산하게 된다.
   ② Regression은 기본적으로 2개의 변량(Independent Variable, Dependent Variable)이 필요하다(Mutiple Regression은 3개 이상이 필요하며 수험목적상으로는 이론적으로만 이해하면 됨).

2. **Linear Regression 기능 : F3(REG) → F1(X)**
   실행하면 Linear Regression의 결과치가 산출된다.

> $y = ax + b$
> - a(회귀계수, Coefficient of Regression)
> - b(회귀상수, Regression Constant)
> - R^2(결정계수, Coefficient of Determination)
> - MSE(Mean Squared Error of Estimate), SSE(Sum of Squared Error) 역시 회귀식의 유의성을 판단하는 자료로 활용된다.

2. 노선가식평가법

(1) **개요**

노선가란 가로에 연접한 표준획지의 단가를 말하는 것으로 노선가식평가법이란 접근성이 유사한 가로별로 노선가를 설정하고 이에 깊이 가격체감률 및 토지형상 등의 획지조건에 따른 각종 보정률을 적용하여 개별획지의 가격을 구하는 방법이다.

(2) **노선가식평가의 장단점**

① **장점**: 평가자의 주관이 개입될 여지가 적으며, 대량평가에 적합하다.

② **단점**: 각 토지의 개별성을 정확하게 반영하기 어렵다.

(3) **평가방법**

① **일면이 가로와 접한 획지**

$$획지가격 = \{노선가 \times 정면가로깊이 \ 가격체감률(안기장 \ 가격체감률)\} \times 획지면적$$

② **여러 개의 가로와 접한 획지** [14]

㉠ 일반적인 각지의 노선가

$$일반적인 \ 각지가격 = (기본단가 + 가산단가) \times 획지면적$$

》 기본단가 = 정면노선가 × 정면가로깊이 가격체감률
》 가산단가 = 측면노선가 × 측면깊이 가격체감률 × 측면가로 영향가산율

㉡ 이면가로에 접한 획지의 노선가

$$이면가로에 \ 접한 \ 획지가격 = (기본단가 + 가산단가) \times 획지면적$$

》 기본단가 = 정면노선가 × 정면가로깊이 가격체감률
》 가산단가 = 이면노선가 × 이면가로깊이 가격체감률 × 이면가로 영향가산율

㉢ 삼각획지의 경우

$$획지가격 = \{정면노선가 \times 정면가로깊이 \ 가격체감률 \times 삼각획지보정률\} \times 획지면적$$

》 삼각획지보정률은 각도보정률과 면적보정률 중에서 큰 쪽 하나만을 선택한다.

---

14) 정면노선가는 도로의 너비와 관계없이 노선가가 최고인 것을 의미하고 획지가 좌·우 또는 이면노선에 접한 경우에는 동일한 방법으로 가산단가를 산정하여 반영한다.

ㄹ 역삼각지의 경우

$$\text{획지가격} = \{\text{정면노선가} \times \text{정면가로깊이 가격체감률} \times \text{삼각획지보정률}^{15)} \\ \times \text{접면너비협소보정률}\} \times \text{획지면적}$$

기 본예제

01 黃평가사는 다음과 같이 사각형의 토지를 평가하고자 노선가를 조사하였다. 다음 자료를 참고하여 100번지의 토지가격을 평가하시오.

자료 1 대상토지의 인근상황

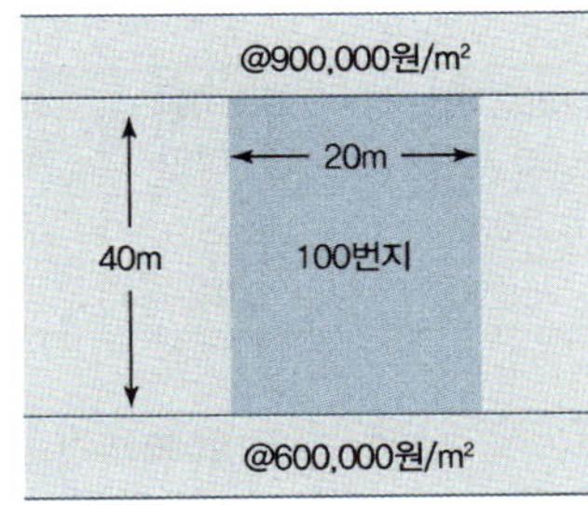

자료 2 기타자료
1. 20m의 깊이가격체감률 : 0.95
2. 40m의 깊이가격체감률 : 0.85
3. 이면가로 영향가산율 : 0.10

예시답안

Ⅰ. **평가개요**
   본건은 각지의 토지평가로 노선가를 활용하여 평가하되, 주노선은 노선가가 높은 @900,000원/m²을 기준한다.

Ⅱ. **대상토지평가액**
   1. **기본단가**
      $900,000 \times 0.85 = 765,000원/m^2$

   2. **가산단가**
      $600,000 \times 0.85 \times 0.10 = 51,000원/m^2$

   3. **대상토지단가**
      $765,000 + 51,000 = 816,000원/m^2$

   4. **대상토지평가액**
      $816,000 \times (20 \times 40) = 652,800,000원$

02 감정평가사인 당신은 李 씨로부터 주거지대 내 삼각지의 획지가격평가를 의뢰받았다. 대상토지가격을 평가하시오. 토지단가는 반올림하여 천원 단위까지 결정한다.

---

15) 역삼각지의 경우는 최소각을 삼각지와는 달리 대각으로 보아 각도보정률을 결정한다. 즉, 각도보정률과 면적보정률 비교 시 각도보정률은 대각만을 활용한다.

자료 1 대상토지의 지적상황

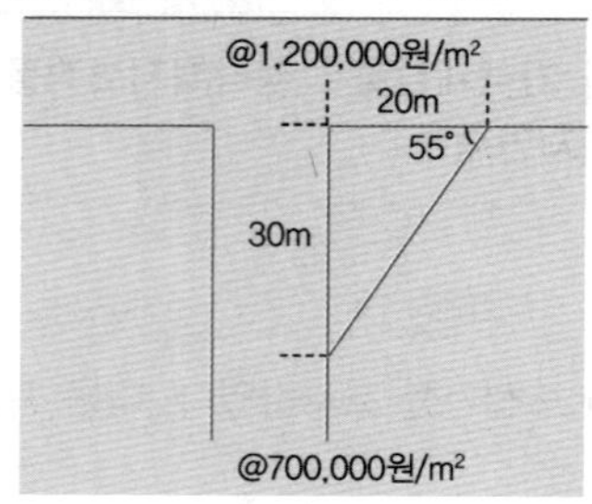

자료 2 기타자료

1. 깊이 30m의 깊이 가격체감률 : 0.95
2. 깊이 20m의 깊이 가격체감률 : 1.0
3. 주거지대 내 토지의 측면가로 영향가산율 : 0.10

자료 3 각도 및 면적보정률

1. 각도보정률

최소각	10° 미만	10° 이상 15° 미만	15° 이상 20° 미만	20° 이상 30° 미만	30° 이상 45° 미만	45° 이상 70° 미만
저각	0.8	0.85	0.89	0.92	0.95	0.97
대각	0.75	0.81	0.86	0.90	0.93	0.95

2. 면적보정률

면적(m²) / 최소각	100m² 미만	100~130 미만	130~170 미만	170~300 미만	300~1,000 미만	1,000~3,000 미만	3,000 이상
30°미만	0.75	0.75	0.80	0.85	0.90	0.95	0.98
30°이상	0.80	0.85	0.85	0.90	0.95	0.98	0.98

예시답안

Ⅰ. 평가개요

본건은 삼각지의 노선가산정으로 기본단가와 가산단가를 산정하여 삼각지의 획지단가를 산정한다.

Ⅱ. 평가액 산정

1. 기본단가

$1,200,000 \times 0.95 \times 0.95 ≒ 1,083,000$원/m²
           깊   삼*

* 삼각지보정률 : 최소각이 대각인 35° 각도보정률(0.93)과 30° 이상 면적($20 \times 30/2 = 300$m²)보정률 (0.95) 중 큰 면적보정률을 기준한다.

2. 가산단가

$700,000 \times 1.0 \times 0.95 \times 0.10 ≒ 67,000$원/m²
         깊   삼*   측

* 삼각지보정률 : 최소각이 저각인 35° 각도보정률(0.95)과 30° 이상 면적($20 \times 30/2 = 300$m²)보정률 (0.95)이 동일하므로 0.95를 기준한다.

3. 획지단가

$1,083,000 + 67,000 ≒ 1,150,000$원/m²

4. 대상토지평가액

$1,150,000 \times 300 ≒ 345,000,000$원

3. 총임료승수법(GRM), 총수익승수법(GIM)[16]

(1) 개념

대상 부동산의 총임료에 총임료(조임료)승수(GRM)를 곱하여 대상 부동산의 가격을 산정하는 방법을 GRM법이라 하고 총수익에 총수익(조소득)승수(GIM)를 곱하여 대상 부동산의 가격을 산출하는 방법을 GIM법이라 한다.

(2) 방법

① GRM, GIM 추출(GRM = 거래가격/사례의 GR, GIM = 거래가격/사례의 GI)
② 대상 부동산의 Gross Income, Gross Rent에 적용한다.

(3) 장단점

간단하여 적용하기 쉽다는 장점이 있지만, 총임료, 총수익 이외의 가격형성요인(공실률, 부동산 유형, 수익의 질, 영업경비 등)을 반영하지 못하는 단점이 있다.

기 본예제

아래 단지형 연립주택에 대해서 조소득승수법에 의한 평가액을 구하시오.

자료 1 ▶ 대상 부동산의 개요
총 10개호로서 각 호별 월 50만원에 공실 없이 임대 중임(2룸구조).

자료 2 ▶ 인근 부동산의 매매사례
사례 1 : 총 10개호의 연립주택으로서 2룸구조이며, 보증금 없이 모두 월 45만원에 임대되어 있으며, 10.8억원에 매매되었다.
사례 2 : 총 10개호의 연립주택으로서 3룸구조이며, 보증금 없이 모두 월 55만원에 임대되어 있으며, 13억원에 매매되었다.

예시답안

Ⅰ. 조소득승수 산정

1. 사례의 선택 : 본건과 주택유형이 유사한 사례 1을 선정한다.

2. 조소득승수 : $\dfrac{1,080,000,000}{450,000 \times 10 \times 12} = 20$

Ⅱ. 평가액 결정

$(500,000 \times 10 \times 12) \times 20 = 1,200,000,000$원

---

16) 해당 평가방법은 수익환원법으로 분류될 수도 있다.

4. 대쌍비교법

대쌍비교법이란 특정의 비교요소를 가지고 있는 부동산과 그렇지 않은 부동산을 비교분석하여, 해당 요소에 의한 수정량을 분리하여 측정하는 방법이다.

기 본예제

다음 공동주택 거래사례를 통해 발코니 확장이 가치에 미치는 영향을 설명하시오.

자료 1

1. 거래사례 A: 1,000,000,000원
2. 거래사례 B: 1,030,000,000원

자료 2

1. A는 발코니 미확장되었으며 B는 발코니가 확장되었음.
2. 각 사례는 최근 거래사례이며 층, 위치, 타입, 관리상태 등 제반 요인은 유사함.

예시답안

발코니 확장은 3%의 가치상승요인이다.
(1,030,000,000 ÷ 1,000,000,000 = 1.03)

토지 및 건물의 감정평가(수익방식)

01 수익환원법의 개념 등

1. 수익환원법의 개념

수익환원법이란 대상물건이 장래 산출할 것으로 기대되는 순수익이나 미래의 현금흐름을 환원하거나 할인하여 대상물건의 가액을 산정하는 감정평가방법을 말한다.[1]

수익가액이란 수익환원법에 따라 산정된 가액을 말한다.

2. 직접환원법, 할인현금수지분석법 및 적용

직접환원법은 단일기간의 순수익을 적절한 환원율로 환원하여 대상물건의 가액을 산정하는 방법을 말한다.

할인현금흐름분석법은 대상물건의 보유기간에 발생하는 복수기간의 순수익(이하 "현금흐름"이라 한다)과 보유기간 말의 복귀가액에 적절한 할인율을 적용하여 현재가치로 할인한 후 더하여 대상물건의 가액을 산정하는 방법을 말한다.

수익환원법으로 감정평가할 때에는 직접환원법이나 할인현금흐름분석법 중에서 감정평가 목적이나 대상물건에 적절한 방법을 선택하여 적용한다. 다만, 부동산의 증권화와 관련한 감정평가 등 매기의 순수익을 예상해야 하는 경우에는 할인현금흐름분석법을 원칙으로 하고 직접환원법으로 합리성을 검토한다.

02 수익환원법의 구조

순수익의 산정
- 직접법/간접법
- 총수익/총비용

수익가액의 산정 – 할인현금수지분석법(DCF)
- NOI 할인모델
- BTCF 할인모델
- ATCF 할인모델

수익가액의 산정 – 직접환원법(P = NOI/R)
- 순수익의 안정화
- 환원이율의 결정

수익환원법에서의 개별평가(토지, 건물)**논리**
- 자본회수
- 잔여환원법

---

[1] 감정평가에 관한 규칙 제2조

01 순수익(직접법에 따른 순수익 산정) [2]

순수익이란 대상물건에 귀속하는 적절한 수익으로서 유효총수익에서 운영경비를 공제하여 산정한다. 감정평가에서는 부동산의 시장가치를 구하는 것이 목적이고 시장가치는 최유효이용을 기준으로 하여 형성되므로, 순수익 또는 현금흐름도 최유효이용의 요건을 충족해야 한다. 즉, 수익가액의 기초가 되는 순수익은 대상 부동산에서 창출되는 현재의 순수익을 기준으로 하는 것이 아니고 장래에 발생될 순수익을 기초로 하기 때문에 산정 시에는 단순히 과거의 순수익이나 수익사례를 그대로 적용하여서는 안 된다.

1. 산식

순수익 = 유효총수익 − 운영경비(필요제경비)

① 일반적으로 1년 단위로 산정된다.
② 부동산의 종별, 유형에 따라 총수익, 총지출에 포함되는 항목이 다르다.

순수익, 세전현금흐름, 세후현금흐름의 계산과정

```
    보증금(전세금) 운용수익
  + 연간 임대료
  + 연간 관리비 수입
  + 주차수입, 광고수입, 그 밖에 대상물건의 운용에 따른 주된 수입
    가능총수익(PGI · Potential Gross Income)
  - 공실손실상당액(Loss and Vacancy)
  - 손실충당금(Loss)
    유효총수익(EGI · Effective Gross Income)
  - 운영경비(OE · Operating Expenses)
    순수익(NOI · Net Operating Income)
  - 저당지불액(DS · Debt Service)
    세전현금흐름(BTCF · Before Tax Cash Flow)
  - 영업소득세 등(Operation Tax)
    세후현금흐름(ATCF · After Tax Cash Flow)
```

---

2) 감정평가실무기준 해설서(Ⅰ) 총론편, 한국감정평가사협회 등, 2014.02, pp.168~174

2. 유효총수익

유효총수익은 가능총수익에서 공실손실상당액 및 손실충당금을 공제하여 산정한다. 유효총수익은 해당 부동산의 과거 또는 현재의 유효총수익을 파악하고, 비정상적이고 일시적으로 발생한 유효총수익에 대하여 정상적이고 지속가능한 상황을 가정한 조정이 필요하다. 대상 부동산의 현재 이용상태에 대한 분석을 통해 현행 유효총수익 수준의 적절성 여부를 판단하고, 비정상적인 임대차계약에 의한 유효총수익의 증감 여부 역시 조사하여야 한다.

1) 구성항목

(1) 연간 임대료 및 연간 관리비 수입

매년, 매월 임차인이 임대인에게 지불하는 성격의 임대료로서 월차임 및 관리비가 해당된다. 임차인이 실비를 부담하는 것이 통상적인 상업용 부동산의 경우에는 관리비를 거의 수취하지 않으며, 일부 업무용 부동산과 오피스텔 등 임차인이 실비를 부담하지 않는 경우 관리비 수입이 커진다.

(2) 보증금(전세금) 운용수익(예금적 성격)

가능총수익을 구성하는 항목 중 하나로 임대료의 연체·미지불을 대비하기 위해 임차인이 임대인에게 입주 시에 일시불로 지불하는 보증금이 있다. 이때 보증금은 전세계약의 경우 전세보증금을 의미하며, 보증부 월세의 경우 보증금을 의미한다.

이러한 보증금을 가능총수익으로 처리하는 방법은 보증금에 보증금운용이율을 적용하여 보증금 운용수익을 산정한 후 이를 가능총수익에 가산하는 것이다.

(3) 권리금상각액 및 미상각액운용익(선불적 성격)

지불임대료를 일시에 지불한 경우(권리금) 이를 기간에 안분하여 인식하는 개념이다.

(4) 주차수입, 광고수입, 그 밖에 대상물건의 운용에 따른 주된 수입

임대공간 이외에서 발생하는 수입으로서 대표적으로 주차장수입, 자판기수입 등이 있다. 그 외에 발생하는 수입으로는 광고수입 및 송신탑 임대수입, 공중전화, 자동판매기 장소임대료, 행사장 대여임대료 등이 있다.

(5) 공실손실상당액 및 손실충당금

공실손실상당액은 공실로 인하여 발생하는 손실분을 계상하는 것이다. 공실은 임차자들의 정상적인 전출입이나 대상 부동산과 대체·경쟁 부동산의 수급변화로부터 발생한다. 기준시점 현재 공실이 전혀 없어 점유율이 100%라고 하더라도, 최소한의 공실률은 계상하여야 한다. 왜냐하면 현재 부동산의 점유율이 100%라고 하는 것은 지역사회에 어느 정도 충분한 수요가 있다는 것을 나타내는 것으로, 장래에 대상 부동산과 대체·경쟁이 될 수 있는 부동산의 공급을 예측할 수 있다. 이러한 대체·경쟁 부동산은 대상 부동산보다 신축건물이므로 시설, 디자인, 설계 등의 측면에서 우수할 것이고, 이에 따라 임차인의 이동을 예상할 수 있는 것이다.

손실충당금은 임차인이 임대차기간 중 임대료를 지급하지 아니할 경우를 대비하여 통상적으로 일정액으로 계상되며, 미국의 경우 기업회계에서는 이를 운영경비에 포함하나, 부동산회계에서는 가능총수익에 대한 정상적인 공제로 처리한다.

2) 구체적 산정

(1) 보증금 운용익

① 보증금 × 보증금운용이율

② 보증금운용이율의 적용과 관련하여 보증금은 임대차기간 만료 시 임차인에게 반환하여야 할 반환채무이므로 적극적인 운용이 곤란하기 때문에 국·공채수익률이나 정기예금이자율을 적용해야 한다는 견해와 요구수익률, 환원율 등을 적용해야 한다는 견해가 있다.[3] 따라서 수익환원법 적용 시 보증금운용이율은 투자의 수익률, 전환율, 금리 등을 종합적으로 고려하여 결정해야 한다.

(2) 연간 임대료 수입

① 매월임대료 × 12개월

② **임대료를 매월 초 수령하는 경우**: 매월임대료 × (1 + 월운용이율) × 12개월

(3) 연간 관리비 수입

① 매월관리비 × 12개월

② 임대인이 관리비 명목으로 일정금액을 수령하는 경우는 총수입에 포함하고, 임차인이 실제 소요되는 관리비를 실비로 정산하는 경우는 총수입에 포함하지 않는다.

③ **공익비**(부동산의 공용부분에서 발생하는 요금) **처리**

공익비를 임대인이 관리비 명목으로 수취한다면 관리비 성격으로서 지불임대료에 포함될 것이다.

> Check
> Point!

> ● 공익비 처리에 관한 개념 이해
>
> 공익비는 공용부분에서 발생하는 비용으로서 부동산의 운영에 따른 정상적인 비용에 포함하여 평가하여야 한다. 다만, 공익비는 임차인이 직접 부담하는 경우가 있거나 임대인이 수익을 추계함에 있어서 공익비 부분을 애초에 수익에서 공제하는 경우가 있다. 이런 경우에는 비용에서 뺀 후 계산하여야 할 것이다. 공익비의 성격과 임대료 및 관리비 지급행태만 정확하게 이해하면 혼동하지 않을 수 있는 부분이다.

---

3) 보증금의 또 다른 운영 측면은 부동산의 투자재원 중 대출금의 상환금으로 활용할 수 있다는 것이고, 이 경우 여신금리를 운용이율로 활용할 수 있을 것이다.

⑷ **권리금(선불적 일시금)상각액 및 미상각액 운용액**

① 권리금 × MC(저당상수)

② MC에 적용되는 할인율은 보증금운용이율보다는 위험을 더 반영할 수 있다.

3) 부동산의 총수익

부동산의 총수익은 최유효이용으로 대상 부동산을 이용할 경우에 임대자가 임차자로부터 수취할 수 있는 경제적인 이익의 총합을 의미한다.

기본예제

다음 제시된 부동산의 순수익을 산정하시오.

자료 1 ▶ 본건 부동산의 현황

1. 소재지: 충청남도 아산시 배방읍 갈매리 4-1, 창고용지
2. 건물: 위 지상 철골조 창고, 13,000m² 2개동(창고 1동, 창고 2동)
3. 이용상황: 물류창고

자료 2 ▶ 본 물류창고의 임대차계약서 현황

1. 창고 1동

구분	내용
임대차 물건	창고 1동
임차인	A
보증금	m²당 20,000원(20,000 × 13,000m² = 260,000,000원)
월임대료	m²당 10,000원(10,000 × 13,000m² = 130,000,000원)
관리비	임차인이 실비정산한다.
임대차기간	최근으로부터 3년

2. 창고 2동

구분	내용
임대차 물건	창고 2동
임차인	B
보증금	m²당 18,000원(18,000 × 13,000m² = 234,000,000원)
월임대료	m²당 9,000원(9,000 × 13,000m² = 117,000,000원)
관리비	임차인이 실비정산한다.
임대차기간	최근으로부터 3년

자료 3 ▶ 공실률 및 영업경비비율

인근 유사용도의 표준적인 공실률은 5%이며, 영업경비비율은 유효총소득 대비 20%이다.

자료 4 ▶ 보증금 운용이율

보증금 운용이율은 연 3.0%이다.

◢ 예시답안

Ⅰ. 평가개요
본건은 물류창고에 대한 순수익의 산정과 관련된 건으로서 현시점을 기준으로 한다.

Ⅱ. 가능총수익(PGI)

1. 창고 1동

$260,000,000 \times 0.03 + 130,000,000 \times 12월 = 1,567,800,000원$

2. 창고 2동

$234,000,000 \times 0.03 + 117,000,000 \times 12월 = 1,411,020,000원$

3. 가능총수익

$1,567,800,000 + 1,411,020,000 = 2,978,820,000원$

Ⅲ. 순수익

1. 유효총수익

$2,978,820,000 \times (1 - 0.05) = 2,829,879,000원$

2. 순수익

$2,829,879,000 \times (1 - 0.2) = 2,263,903,200원$

---

3. 운영경비

1) 구성항목

(1) 용역인건비 · 직영인건비 · 수도광열비

용역인건비는 건물의 유지관리를 위하여 소요되는 인건비를 말한다. 청소를 위해 소요되는 비용이 이에 속하는데, 청소비에는 직영으로 하는 경우와 외부에 외주로 처리하는 경우가 있다. 직영으로 하는 경우에는 직영인건비, 외주인 경우에는 외부용역비, 쓰레기수거비, 소모품비 등이 해당된다. 수도광열비는 건물의 공용부분에 관련되는 비용을 말한다. 수도광열비는 전기료, 수도료, 연료비 등의 공익비로서 이론상 임차인이 부담하여 경비에 계상되지 않는 항목이나, 우리나라의 일부 부동산의 경우 이를 임대인이 임차인으로부터 징수하여 납부하고 있다. 특히 전기료는 공용면적분과 임대면적분으로 나눌 수 있는데, 공용면적분은 복도조명, 승강기 등에 부과되는 경비이며, 임대면적분은 임대공간 안에서 소비되는 경비이다.

(2) 수선유지비

① 일반관리비

일반관리비는 건물을 관리하기 위해 통상적으로 소요되는 관리비용을 말한다. 예를 들면, 소모품비, 비품의 감가상각액 등이 해당된다.

② 시설유지비

내외벽, 천장, 바닥 등의 보수와 부품대체비, 엘리베이터, 에스컬레이터 등 보수비 등이 해당된다. 관리비는 대상 부동산의 종류, 위치, 질 등에 따라 많은 차이를 보이고 있다. 또한 전체 가능총수익의 규모가 클수록 그 비율은 낮고, 작을수록 비율은 높아진다.

(3) 세금 · 공과금

부동산에 대하여 부과되는 재산세, 공동시설세, 재산세 도시지역분 등의 세금항목과 도로점용료, 과밀부담금, 교통유발부담금 등 공과금 등이 해당된다. 부동산임대소득에 대해 부과되는 세금(부동산임대소득세, 법인세 등), 부동산 취득 관련 세금(취득세, 등록세, 상속세, 증여세, 면허세 등) 및 부동산 양도 관련 세금(양도소득세, 특별부가세 등)은 제세공과금에 포함되지 않는다.

: 부동산 보유단계에 따른 세금[4]

구분	국세	지방세제	
		지방세	관련 부가세
취득 시	• 인지세(계약서 작성 시) • 상속세(상속받은 경우) • 증여세(증여받은 경우)	취득세	• 농어촌특별세(국세) • 지방교육세
보유 시	• 종합부동산세(일정기준금액 초과 시) • 농어촌특별세(종합부동산세 관련 부가세)	재산세	• 지방교육세 • 지역자원시설세
처분 시	• 양도소득세	지방소득세(소득분)	–

(4) 손해보험료

보험료는 임대부동산에 대한 화재 및 손해보험료를 말한다. 이러한 보험료는 계약조건에 따라 소멸성과 비소멸성이 있으나, 대상 부동산을 임대차하기 위해서 필요한 경비를 운영경비에 계상하기 때문에 소멸성만이 이에 해당된다. 그러나 만기일에 원금을 회수하는 비소멸성 보험일 경우에도 연간불입액 중 회수금을 현가화하여 그 차액(소멸성)만큼만을 경비로 계상해야 한다.

구분	손해보험료 귀속비용 산정방식
보험료를 기초에 일시불로 납입 시	전액 소멸성인 경우 : 보험료 × MC(시장이자율)
	계약만료 시 일정액이 환급되는 경우 : 보험료 × MC(시장이자율) − 환급액 × SFF(시장이자율)
	약관금리(보험이자율)에 의해 산정된 금액으로 환급되는 경우 : 보험료 × MC(시장이자율) − 기초 환급원금 × 종가(보험이자율) × SFF(시장이자율)
보험료를 매기 말에 일정액씩 납입 시	전액 소멸성인 경우 : 보험료
	계약만료 시 일정액이 환급되는 경우 : 보험료 − 환급액 × SFF(시장이자율)
	약관금리(보험이자율)에 의해 산정된 금액으로 환급되는 경우 : 보험료 − 보험료 × 연금종가(보험이자율) × SFF(시장이자율)

---

4) 감정평가강의 제7판, 이홍규 외, p.141

기본예제

다음 자료를 기초로 필요제경비로 계상할 연간 보험료를 각각 산정하시오.

자료 1 공통사항

1. 보험계약기간: 5년
2. 할인율: 12%/연

자료 2 각 조건

1. 화재보험료가 총액 5,000,000원이며 전액 소멸성일 경우
2. 화재보험료가 연간 2,000,000원이고 전액 소멸성일 경우
3. 화재보험료가 총액 5,000,000원이며 만기 시에 연 6%의 이자를 가산해서 환급될 경우
4. 연간 보험료가 2,000,000원이며 만기 시에 연간 6%의 이자를 가산해서 환급될 경우
5. 연간 보험료가 2,000,000원이며 만기 시 3,000,000원을 환급할 경우
6. 보험료 총액이 5,000,000원이며 만기 시 1,000,000원을 환급할 경우

예시답안

1. $5,000,000 \times MC(12\%,\ 5) = 5,000,000 \times \dfrac{1.12^5 \times 0.12}{1.12^5 - 1} = 1,387,000$원

2. $2,000,000$원

3. $5,000,000 \times \dfrac{1.12^5 \times 0.12}{1.12^5 - 1} - 5,000,000 \times 1.06^5 \times \dfrac{0.12}{1.12^5 - 1} = 334,000$원

4. $2,000,000 - 2,000,000 \times \dfrac{1.06^5 - 1}{0.06} \times \dfrac{0.12}{1.12^5 - 1} = 225,000$원

5. $2,000,000 - 3,000,000 \times \dfrac{0.12}{1.12^5 - 1} = 1,528,000$원

6. $5,000,000 \times \dfrac{0.12 \times 1.12^5}{1.12^5 - 1} - 1,000,000 \times \dfrac{0.12}{1.12^5 - 1} = 1,230,000$원

---

(5) 대체충당금

대체충당금은 본체보다 내용연수가 짧고 정기적으로 교체되어야 할 구성부분의 교체를 위하여 매기 적립해야 할 경비를 말한다. 주거용인 경우에는 냉장고, 세탁기, 가스레인지, 가구 등과 같은 가사용품 등이 대체충당금 설정품목에 해당된다.

그러나 우리나라의 관행은 부동산의 보유기간 중 실제로 대체충당금에 해당하는 지출이 이루어진 경우에 이를 자본적 지출로 취급하여, 내용연수 동안 그 경비를 안분하여 건물부분의 감가상각비와 함께 취급하고 있다. 따라서 여기서 말하는 대체충당금은 대상 부동산의 효용이나 가치를 단순히 유지시키기 위한 수익적 지출로서 취급되는 것만을 의미한다. 그러므로 대상 부동산의 효용이나 가치를 증진시키는 경비는 자본적 지출로서 운영경비에 포함되는 것이 아니라 감가상각비 항목에 포함되어야 할 것이다.

만약 임대아파트 내부에 10년마다 교체되어야 할 가구의 재조달원가가 200만원이라고 하면 가구의 연간 경비는 한 대당 20만원이며, 총 임대아파트수가 50가구이면 연간 대체충당금은 1,000만원을 설정하여야 한다.

(6) 광고선전비 등 그 밖의 경비

광고선전비는 대상 부동산의 임대상황을 개선시키기 위한 광고선전 활동에 소요되는 비용을 말하는 것으로, 이러한 활동도 임대를 위해 활동의 범위 안에 포함시킬 수 있으므로 운영경비에 포함시켜야 한다. 그 밖에 임대부동산의 운영과 유지를 위해 소요되는 비용이 있다면 운영경비에 포함시켜야 한다. 이러한 예의 하나로 정상운전자금이자를 들 수 있다. 정상운전자금이자란 임대영업을 영위하기 위한 정상적인 운전자금에 대한 이자로, 임대수입의 수금일과 제 경비의 지출일이 불일치하게 됨에 따라 일정액의 운전자금이 필요하게 되는데, 예를 들어 조세공과의 일시납입, 종업원에 대한 일시 상여금 지급 등이 이에 해당한다. 미국의 경우 이러한 정상운전자금이자상당액을 운영경비에 명시적으로 포함하고 있지 않지만, 정상운전자금이 필요한 경우 그에 대한 이자는 당연히 운영경비로 계상하여야 할 것이다.

2) 그 밖의 운영경비 관련 사항

(1) 감가상각비를 포함하지 않는 이유

감가상각비는 고정경비이지만, 수익방식을 적용할 경우에는 실제 경비의 지출이 아니기 때문에 운영경비에 포함시키면 안 된다. 이는 시간의 경과에 따라 감가상각의 정도가 심한 부동산의 경우에는 총수익이 감소하게 되는데, 이에 감가상각비를 운영경비에 포함시켜 다시 총수익에서 공제하게 되면 이중계산이 되기 때문이다. 수익방식에서는 감가상각비의 처리를 총수익에서 공제하는 방법보다는 자본회수율을 감안한 환원율로 처리하는 것이 일반적인 방법이다.

수익방식에서의 감가상각비는 미래에 대한 감가상각(Future Depreciation)이지만 순수익 산정 시의 감가상각은 발생 감가상각(Accrued Depreciation)이기 때문이다(Future Depreciation과 Accrued Depreciation의 차이점).

(2) 관리비

매기 임차인이 임대인에게 지불하는 임대료의 성격으로서의 '관리비'가 있고, 임대인이 임대차를 유지하기 위해 소요되는 비용으로서의 '관리비'가 있다. 양자는 같은 용어를 사용하지만 그 의미는 다르다. 전자는 총수익의 성격에 포함되어야 하나 후자는 경비에 포함되어야 할 것이다.

(3) 고정경비와 가변경비

부동산의 점유율에 연동하여 발생하는 경비를 가변경비(변동경비)라고 하며, 점유율과 관계없이 일정하게 발생하는 경비를 고정경비라고 한다.

⑷ 대체충당금

매기 설정하는 금액에 대해서는 정상적인 비용으로 인식하는 경우도 있으나, 세금의 문제에 있어서 성격상 자본적 지출로 분류되어 공제 항목이 아니므로 경비에 포함되어 있을 경우 별도로 가산하여 세금을 부과한다.

3) 그 밖의 유의사항

총지출도 총수익과 마찬가지로 대상 부동산이 최유효이용으로 이용되고 있을 경우의 비용을 구해야 하기 때문에 소유자의 개별적인 사정으로 인한 비용의 과다산출은 배제하여 판단해야 한다.

또한 임대차계약의 내용 및 대상물건의 종류에 따라 수익환원법 적용 시 포함하여야 할 운영경비 항목의 세부적인 내용은 달라질 수 있다는 점에 유의하여야 한다. 예를 들면, 수도광열비는 주거용 부동산의 경우에는 임대인의 경비에 해당하지 않으나, 일부 상업용 건물이나 월임대차(Monthly Lease) 또는 연임대차 형식으로 운영되지 않는 호텔, 모텔과 같은 일임대차(Daily Lease)의 경우에는 임대인의 경비로 처리되는 경우가 있다.

기 본예제

다음과 같은 임대조건을 갖고 있는 부동산의 연간 순수익을 산정하시오.

자료 조건

1. 임대기간: 3년
2. 임대내역

구분	현재의 임대차내역		표준적인 임대차내역	
	보증금	월임대료	보증금	월임대료
지하 1층	10,000,000	1,000,000	20,000,000	2,000,000
지상 1층	50,000,000	5,000,000	50,000,000	5,000,000
지상 2층	30,000,000	3,000,000	30,000,000	3,000,000
지상 3층	공실		25,000,000	2,500,000
지상 4층	공실		25,000,000	2,500,000
소계	90,000,000	9,000,000	150,000,000	15,000,000

>> 각 층별로 관리비는 매월 500,000원을 수취한다.

3. 필요제경비
   ⑴ 대손준비비 및 공실손실상당액: 총수익의 5%(해당 건물의 공실률: 40%)
   ⑵ 각 층별 관리비 수입 중 80%는 실비로 소요된다.
4. 보증금 운용이율은 시장이자율과 같은 연 3%이다.

예시답안

1. 유효총수익

⑴ 보증금 운용이익: 150,000,000 × 0.03 = 4,500,000원

⑵ 임대료 및 관리비 수입: (15,000,000 + 500,000 × 5) × 12개월 = 210,000,000원

　　(3) 가능총수익 : 214,500,000원

　　(4) 유효총수익 : 214,500,000 × 0.95 = 203,775,000원

2. 운영경비(총비용, 필요제경비)

500,000 × 5 × 12 × (1 − 0.05) × 80% = 22,800,000원

3. 순수익

203,775,000 − 22,800,000 = 180,975,000원

02 　**순수익**(간접법에 따른 순수익 산정)

1. 총수익을 비준하는 방법

1) 총수익의 비준

> 사례의 총수익(단위면적당 임대료) × 사정보정 × 시점수정(임대료지수 등) × 지역요인
> × 개별요인(임대료 형성요인, 토지 및 건물) = 대상의 단위면적당 임대료(× 면적 = 총액)

》 단위면적당 총수익에 있어서 단위면적은 임대면적(전유면적 + 공용면적)이 사용될 수도 있고, 전유면적이 사용될 수도 있다.

》 최근 1년은 현시점 계약된 상황을 의미하며, 지난 1년은 1년 이전에 계약된 것을 의미한다.

기 본예제

다음 제시된 본건의 총수익을 산정하시오,

자료

1. 본건 : A동 100번지 A아파트 상가동 제101호(전유면적 : 50m², 임대면적 : 100m²)
2. 임대사례 : A동 100번지 A아파트 상가동 제102호(전유면적 : 60m², 임대면적 : 120m²)
3. 임대사례의 임대료 : 보증금 30,000,000원, 월차임 1,200,000원(최근 임대차계약)
4. 보증금운용이율 : 3.0%
5. 위치별효용비에서 본건이 임대사례보다 5% 우세하다.

예시답안

1. 사례의 총수익

(30,000,000 × 0.03 + 1,200,000 × 12) ÷ 60 = 255,000원/전유·m²

2. 본건의 총수익

255,000 × 1.000(사정) × 1.000(시점) × 1.050(임대료형성요인) = 267,750원/전유·m²(× 50 = 13,387,500원)

2) 경비비율의 적용

(1) 본건의 경비를 적용하는 방법(직접법)

본건에서 실제 발생한 경비를 적용하여 순수익을 산정할 수 있다.

(2) 유사한 부동산의 경비비율을 적용하는 방법(간접법)

본건과 유사한 부동산의 총수익 또는 관리비수익 대비 경비비율을 적용할 수 있다.

✿ 20XX. 1/4분기 매장용 빌딩 유효조소득 구성비율

구분	유효조소득(EGI)	임대수입	기타수입	영업경비
서울/소계	100.0%	79.9%	0.9%	19.2%

기본예제

다음 제시된 대상부동산 A, B의 순수익을 산정하시오(다만, 표준적 공실률은 5.0%, 보증금운용이율은 3.0%이다).

자료 1 대상부동산 A(근린생활시설)

1. 보증금 50,000,000원
2. 월임대료 2,000,000원
3. 관리비는 임차인 실비정산
4. 운영경비는 유효총수입의 10%

자료 2 대상부동산 B(업무시설)

1. 보증금 50,000,000원
2. 월임대료 2,000,000원
3. 월관리비 800,000원
4. 운영경비는 관리비수입 대비 70%

예시답안

1. 대상부동산 A

$(50,000,000 \times 0.03 + 2,000,000 \times 12) \times (1 - 0.05) \times (1 - 0.1) = 21,802,500$원

2. 대상부동산 B

$(50,000,000 \times 0.03 + 2,000,000 \times 12 + 800,000 \times 12) \times (1 - 0.05) - 800,000 \times 12 \times (1 - 0.05) \times 0.7$
$= 26,961,000$원

---

2. 순수익을 비준하는 방법

사례의 순수익(단위면적당 순수익) × 사정보정 × [(토지순수익구성비율 × 토지시점수정 × 토지지역요인비교 × 토지개별요인비교) + (건물순수익구성비율 × 건물시점수정 × 건물개별요인(잔가율 포함)] × 품등비교 = 대상의 순수익

03 순수익의 안정화 및 조정(환원이율의 조정)

1. 안정화의 목적

수익환원법에서 순수익의 환원방법 중 직접환원을 하기 위해서는 매기의 순수익이 아닌 안정화된 순수익이 필요하기 때문에 이를 안정화해야 한다.

2. 순영업소득의 안정화

1) K계수

순영업소득이 매년 일정비율씩 (1기부터) 증감하는 형태에 적용한다.

$$K = \cfrac{1 - \left(\cfrac{1+g}{1+y}\right)^{t}}{(y-g) \times \cfrac{(1+y)^{t}-1}{y \times (1+y)^{t}}}$$

$$y = \text{할인율} \qquad g = \text{상승률} \qquad t = \text{상승기간}$$

(1) 순영업소득의 조정

$$\text{조정후 순영업소득} = \text{조정전 순영업소득} \times \text{K계수}$$

(2) 환원이율의 조정

$$\text{조정후 환원이율(R)} = \frac{\text{조정전 환원이율(r)}}{\text{K계수}}$$

☞ J계수는 0기 NOI를, K계수는 1기 NOI를 기준으로 함에 주의한다.

> **참고**
>
> 정률(g%) 상승하는 현금흐름 t회를 할인율(y%)로 할인한다면 아래의 산식을 활용할 수 있다.
>
> $$\text{K계수} \times \text{PVAF} = \cfrac{1 - \left(\cfrac{1+g}{1+y}\right)^{t}}{y-g}$$

2) J계수

순영업소득이 감채기금 형식으로 매기간마다 누적적으로 증감

$$J = SFF \times \left(\frac{t}{1-(1+y)^{-t}} - \frac{1}{y} \right) = SFF \times \left(\frac{t \times (1+y)^t}{(1+y)^t - 1} - \frac{1}{y} \right)$$

$$= \frac{y}{(1+y)^t - 1} \times \left(\frac{t \times (1+y)^t}{(1+y)^t - 1} - \frac{1}{y} \right)$$

(1) 순영업소득의 조정

$$조정후\ 순영업소득 = 조정전\ 순영업소득 \times (1 + \triangle^* \times J계수)$$

* 보유기간 동안 순영업소득의 변화율

(2) 환원이율의 조정

$$조정후\ 환원이율(R) = \frac{조정전\ 환원이율(r)}{(1 + \triangle \times J계수)}$$

기 본예제

01 다음 부동산의 수익가치를 결정하시오(환원이율은 백분율 기준 반올림하여 소수점 둘째자리
까지 결정, 평가액은 만원 단위까지 결정한다).

자료 ▶ 부동산

1. 조정전 환원이율: 11.75%
2. 순영업소득: 첫해는 10,000,000원이지만, 매년 5%씩 5년 동안 상승한다.
3. 할인율: 연 14%

예시답안

1. 조정전 환원이율 산정
   11.75%

2. 조정후 환원이율 산정

$$(1)\ K계수 = \frac{1-\left(\dfrac{1+g}{1+y}\right)^t}{(y-g) \times PVAF^*_{y,\,t}} \fallingdotseq \frac{1-(1.05/1.14)^5}{(0.14-0.05) \times 3.433} \fallingdotseq 1.0912$$

$$*\ PVAF = \frac{1.14^5 - 1}{0.14 \times 1.14^5} \fallingdotseq 3.433$$

(2) 조정후 환원이율: $0.1175 \div 1.0912 \fallingdotseq 0.1077$

3. 부동산 수익가치
   $10,000,000 \div 0.1077 \fallingdotseq 92,850,000원$

02 다음 부동산의 수익가치를 결정하되, 반올림하여 천원 단위까지 결정한다.

> **자료**
>
> 1. 부동산의 수익가치는 보유기간 중의 순영업소득의 현재가치합과 기간 말의 복귀가치의 현재가치의 합으로 구성됨.
> 2. 할인율: 14%
> 3. 전형적인 보유기간: 5년
> 4. 5년 후 대상 부동산의 가치: 100,000,000원
> 5. 순영업소득: 첫해는 10,000,000원이지만, 매년 5%씩 상승함.

예시답안

1. 보유기간 중 순영업소득의 현재가치합

$$10,000,000 \times \frac{1-(1.05/1.14)^{5\,*}}{(0.14-0.05)} \fallingdotseq 37,460,000원$$

* K계수 × PVAF

2. 기간 말 복귀가치의 현재가치

$$100,000,000 \times \frac{1}{1.14^5} \fallingdotseq 51,937,000원$$

3. 부동산 수익가치

$$37,460,000 + 51,937,000 \fallingdotseq 89,397,000원$$

03 다음과 같은 임대자료를 가지고 있는 부동산의 수익가액을 산정하되, 천원 단위까지 반올림하여 결정한다.

> **자료** 수익자료
>
> 1. 기준시점 직전 해의 순영업소득은 20,000,000원이며, 5년 후의 순영업소득은 30,000,000원으로 예측됨.
> 2. 다만, 순영업소득은 감채기금 형식으로 증가하리라 예상됨.
> 3. 조정전 환원이율은 0.1175로 가정함.
> 4. 대상 부동산의 전형적인 지분수익률: 14%
> 5. 환원이율은 백분율기준 소수점 셋째자리까지 결정한다.

예시답안

1. 조정전 환원이율

0.1175

2. 조정후 환원이율

(1) J계수 : $\dfrac{0.14}{1.14^5-1} \times \left(\dfrac{5}{1-1.14^{-5}} - \dfrac{1}{0.14}\right) \fallingdotseq 0.4932$

(2) 조정후 환원이율 : $\dfrac{0.1175}{(1+0.5 \times 0.4932)} \fallingdotseq 0.09426$

$$\gg \triangle = \frac{30,000,000-20,000,000}{20,000,000} \fallingdotseq 0.5$$

3. 부동산 수익가치

$$20,000,000 \div 0.09426 \fallingdotseq 212,179,000원$$

제2절 　수익환원법(환원이율의 결정)

01　직접환원법 및 자본환원이율

감정평가 실무기준에 의하면 직접환원법은 단일기간의 순수익을 환원율로 환원하여 대상물건의 가액을 산정하는 방법을 말한다고 정의되어 있으며, 직접환원법에서 사용할 환원율은 시장추출법으로 구하는 것을 원칙으로 하나, 시장추출법의 적용이 적절하지 않은 때에는 요소구성법, 투자결합법, 유효총수익승수에 의한 결정방법, 시장에서 발표된 환원율 등을 고려하여 적절한 방법으로 구할 수 있도록 규정되어 있다.

02　산정방법

1) 시장추출법(Market Extraction Method)

시장추출법은 시장으로부터 직접 환원율을 추출하는 방법으로서 대상 부동산과 유사한 최근의 거래사례로부터 환원율을 찾아내는 방법이다. 시장에서 환원율을 추출하는 경우 사례 부동산의 선정 시 위치나 지역이 유사해야 하며, 내용연수 및 상태나 질 등 물적인 유사성이 있어야 할 것이다.

(1) 직접시장비교법

대상과 물적 위치적 유사성이 뛰어난 사례의 환원이율을 추출해야 한다.

> 시장추출률 = 사례 부동산의 순영업소득(거래시점) / 사례 부동산의 거래가격

(2) 투자시장질적(평점)비교법

시장추출률을 일정한 항목에 의하여 비교하여 대상의 환원이율을 구하는 방법(직접시장비교법 + 비교절차)이다.

> **환원이율의 비교방법**
>
> 사례 부동산의 환원이율(종합환원이율) × $\dfrac{\text{사례 부동산의 평점합계}}{\text{대상 부동산의 평점합계}}$ (역수로 비교한다)
>
> » 평점이 높을수록 해당 부동산의 수익의 질(안정성)이 우수하다는 것을 의미하므로 환원이율은 낮아져야 한다.

기본예제

시장추출법에 의해 대상물건에 적용할 환원이율을 결정하시오.

자료 1 대상 부동산과 유사한 사례 부동산의 내역(단위 : 천원)

구분	사례 1	사례 2	사례 3
상각전 순수익	230,000	219,000	160,000
총수익	322,000	309,000	233,000
거래가격	2,100,000	2,000,000	1,500,000

자료 2 대상 및 사례 부동산의 투자성 요인구성비와 상대적 백분율

투자성 판단요인	요인구성비	요인별 상대적 백분율			
		사례 1	사례 2	사례 3	대상물건
예상수익성	20%	100	95	80	90
환가성	20%	85	90	100	95
관리비지출	15%	80	80	100	90
가격안정성	20%	90	80	100	100
증가성	25%	100	100	90	90
계	100%				

자료 3

산출된 추출률을 기준으로 산술평균하여 최종결정치를 구하되, 백분율 기준 소수점 둘째자리까지 결정한다.

예시답안

Ⅰ. 처리방침

직접시장비교법, 투자시장질적평점비교법에 의한 각각의 환원이율을 구하되, 백분율 기준 소수점 둘째자리까지 결정한다.

Ⅱ. 직접시장비교법에 의한 환원이율

사례 1	사례 2	사례 3	평균
$\frac{230,000}{2,100,000} \fallingdotseq 0.1095$	$\frac{219,000}{2,000,000} \fallingdotseq 0.1095$	$\frac{160,000}{1,500,000} \fallingdotseq 0.1067$	0.1086

Ⅲ. 투자시장질적비교법에 의한 환원이율

투자성 판단요인	요인구성비	투자성평점			
		사례 1	사례 2	사례 3	대상물건
계	100%	92	90	93.5	93

1. 사례 1

$0.1095 \times 92/93 \fallingdotseq 0.1083$

2. 사례 2

$0.1095 \times 90/93 \fallingdotseq 0.1060$

3. 사례 3

$0.1067 \times 93.5/93 \fallingdotseq 0.1073$

4. 평균

$$\frac{0.1083 + 0.1060 + 0.1073}{3} = 0.1072$$

---

(3) 조소득승수법

부동산 평가방법으로서의 조소득승수법의 산식을 활용하여 시장의 표준적인 환원이율을 유효총수익승수(Gross Income Multiplier)를 활용하여 추출하는 방법이다. 여기서 유효총수익승수는 시장의 거래사례의 거래금액을 유효총수익으로 나눈 값으로, 거래사례가 활발하게 이루어지고 수익의 내역을 정확하게 파악할 수 있는 경우에 유용한 방법이다.

$$\text{환원율} = \frac{1 - \text{운영경비율}}{\text{유효총수익승수}} = \frac{1 - \text{운영경비율}}{\text{거래사례가격/유효총수익}} = \frac{\text{유효총수익}(1 - \text{운영경비율})}{\text{거래사례가격}}$$

$$= \frac{\text{순수익}}{\text{거래사례가격}}$$

> **Check Point!**
>
> ❯ **GRM**(Gross Rent Multiplier)**과 GIM**(Gross Income Multiplier)**의 차이**
> 조소득승수(GIM)라는 용어는 조소득 중에 임대소득 외의 소득도 포함되어 있을 때 사용하고, 조소득의 전부가 임대소득일 때에는 조임대료승수(GRM)라는 용어를 사용한다.

기 본예제

대상 부동산에 적용할 자본환원이율을 구하고자 한다. 다음 자료를 근거하여 사례를 기준으로 조소득승수를 산정하고 대상의 영업경비비율을 기준하여 자본환원이율을 산정하시오(산출된 추출률을 기준으로 산술평균하여 최종결정치를 구한다).

매매사례	가능조소득	유효조소득	영업경비	거래가격
1	15,000,000	가능조소득의 95%	가능조소득의 20%	120,000,000
2	20,000,000	가능조소득의 97%	가능조소득의 25%	165,000,000
대상	–	가능조소득의 95%	가능조소득의 20%	–

예시답안

Ⅰ. 평가개요

조소득승수를 산정하고 조소득승수법으로 자본환원이율을 산정한다.

Ⅱ. (유효)조소득승수(EGIM) 산정

1. 사례 1

$$\frac{120,000,000}{15,000,000 \times (1 - 0.05)} \fallingdotseq 8.42$$

  2. 사례 2

$$\frac{165,000,000}{20,000,000 \times (1 - 0.03)} \fallingdotseq 8.51$$

  3. 조소득승수 결정

$$\frac{8.42 + 8.51}{2} \fallingdotseq 8.47$$

III. 자본환원이율 산정

  1. 대상의 영업경비비율(OER)산정

$$\frac{0.2}{1 - 0.05} \fallingdotseq 0.211$$

  2. 자본환원이율 $\left(R = \dfrac{1 - OER}{(E)GIM}\right)$

$$\frac{1 - 0.211}{8.47} \fallingdotseq 0.093$$

(4) 회귀분석법(Regression Method)

원리는 시장추출법과 동일하다. 순영업소득을 종속변수(y), 시장가격을 독립변수(x)로 해서 산정하면 회귀계수(b)가 자본환원율이 된다.

> **예** $y = 0.082x + 25,000,000(R^2 = 98\%)$
>
> x : 부동산의 가격   y : 부동산의 순수익   환원이율 : 0.082

2) 요소구성법(조성법, Built-up Method)

(1) 개념

요소구성법이란 무위험율을 바탕으로 대상 부동산에 관한 위험을 여러 가지 구성요소로 분해하고, 개별적인 위험에 따라 위험할증률을 더해감으로써 환원율을 구하는 방법이다.

(2) 무위험률

무위험률로는 일반적으로 은행의 정기예금이자율, 3년·5년 만기 국채수익률 등을 사용할 수 있다.

(3) 위험률

다양한 위험요소를 고려한 위험할증률은 시장에서의 표준적인 것을 적용하되, 대상물건의 지역적, 개별적 상태를 고려하여 결정해야 할 것이다. 위험할증률은 위험성, 비유동성, 관리의 난이성, 자금의 안정성 등을 참작한 것이라고 할 수 있다.

» 구 「감정평가에 관한 규칙」상의 원칙적인 환원이율 산정방법이었다.

> 환원이율 = 무위험률 + 위험할증률

기 본예제

은행 정기예금이자율이 3%이고 대상 부동산의 추가위험이 다음과 같을 때 조성법에 의한 종합환원이율을 산정하시오.

구분	위험성	비유동성	관리의 난이성	자금의 불안정성
가산율(%)	1	2	1.5	2

예시답안

$0.03 + (0.01 + 0.02 + 0.015 + 0.02) ≒ 0.095$

3) 투자결합법

(1) 물리적 투자결합법

부동산을 물리적인 측면에서 바라보고 토지와 건물의 구성비로 결합시켜 환원이율을 산정하는 방법이다. 단, 시장의 사례에서 대상 부동산에 적용하기 위한 환원이율을 산정하기 위해서는 사례의 수익 및 토지 및 건물의 가격구성비 등 결합상태가 인근지역의 일반적인 행태를 띄고 있는 사례를 선택하여야 할 것이다.

$$R = \frac{P_L}{P} \times R_L + \frac{P_B}{P} \times R_B$$

P : 부동산가치 $\qquad\qquad$ P_L : 토지가치

P_B : 건물가치 $\qquad\qquad$ R_L : 토지환원이율(자본수익률)

R_B : 건물환원이율(건물상각후 환원이율 + 건물회수율)

기 본예제

다음 자료를 이용하여 투자결합법으로 종합환원이율을 산정하시오(백분율 기준 소수점 첫째자리까지 결정한다).

자료

1. 토지가격 : 100,000,000원
2. 건물가격 : 150,000,000원
3. 토지의 환원이율 : 10%
4. 건물의 상각후 환원이율 : 12%
5. 건물의 내용연수 : 45

예시답안

$$\frac{100,000,000}{100,000,000+150,000,000} \times 0.1 + \frac{150,000,000}{100,000,000+150,000,000} \times (0.12 + \frac{1}{45}) ≒ 0.125(12.5\%)$$

(2) 금융적 투자결합법

부동산을 금융적인 측면에서 바라보고 부동산의 소유구조를 지분과 저당으로 나누어 이를 지분 및 저당비율별로 가중평균하여 환원이율을 구하는 방법이다. 단, 물리적 투자결합법과 마찬가지로 시장의 사례에서 대상 부동산에 적용하기 위한 환원이율을 산정하기 위해서는 사례의 수익과 사례의 지분, 저당비율을 일반적인 경우를 선택하여야 할 것이다.

① Ross에 의한 방법

$$R = E/V \times R_E + L/V \times i$$

E/V : 지분비율 $\qquad$ R_E : 지분배당률
L/V : 저당비율 $\qquad$ i : 저당이자율

기본예제

거래가격의 30%를 연리 10%, 20년간 은행에서 대부하여 부동산을 매입한 사례를 수집하였다. 인근 비교부동산으로부터 도출된 시장의 전형적인 지분환원이율이 8%라 할 때, Ross에 의한 종합환원이율을 산정하시오.

예시답안

$0.7 \times 0.08 + 0.3 \times 0.10 \fallingdotseq 0.086$

② Kazdin에 의한 방법

$$R = E/V \times R_E + L/V \times MC$$

E/V : 지분비율 $\qquad$ R_E : 지분배당률
L/V : 저당비율 $\qquad$ MC : 저당상수

기본예제

거래가격의 60%를 연리 13%, 10년간 매월 균등상환하는 조건으로 은행에서 차입하였다. 비교부동산으로부터 도출된 시장의 전형적인 지분환원이율이 10%라 할 때, Kazdin법에 의한 종합환원이율을 산정하시오(소수점 넷째자리까지 결정한다).

예시답안

$$0.4 \times 0.1 + 0.6 \times \frac{0.13/12 \times (1+0.13/12)^{120}}{(1+0.13/12)^{120} - 1} \times 12개월 \fallingdotseq 0.1475$$

(3) 양자의 적용

물리적 투자결합법의 경우에는 우리나라와 같이 토지와 건물을 별개의 부동산으로 보는 것이 일반적인 경우에 그 산정상의 타당성 및 시장참여자의 행태를 반영하는 방법으로서 인정되며, 금융적 투자결합법의 경우 장기의 저당대부가 일반화되고 금융구조가 안정적이어서 금융 측면에서 시장참여자의 행태를 반영하는 것이 타당할 경우 유용하다.

4) Ellwood법(저당지분환원법)

(1) 개념

부동산의 소유행태가 ⅰ) 단기적이고, ⅱ) 일반적으로 금융을 고려하여 부동산의 가치를 형성한다는 시장참여자의 행태를 기본으로 하여 이에 따른 환원이율을 추출한 방법이다.

(2) 산식

$$R = y - L/V \times (y + p \cdot SFF_{(y\%, n)} - MC_{(i, N)}) \pm \triangle \times SFF_{(y\%, n)}$$

y : 지분수익률
n : 전형적인 보유기간
$\triangle$: 부동산가치증감률
i : 이자율

C : 저당계수$(= y + p \cdot SFF_{(y\%, n)} - MC_{(i, N)})$
N : 저당기간
P : 상환비율

* 상환비율(1 − 잔금비율) $P = \dfrac{(1+i)^n - 1}{(1+i)^N - 1} = \dfrac{MC_{i.N} - i}{MC_{i.n} - i}$

(3) 각 요소의 성질

① 지분수익률

시장가치평가 시 유사부동산으로부터 추출한 전형적이고 예견적인 수익률(Typical & Prospective Yield Rate)을 적용한다.

② LTV(Loan to Value)

대상 부동산과 유사한 부동산을 매입함에 따른 일반적으로 차입가능한 저당비율을 말한다.

③ SFF

부동산 보유기간 중 누적적으로 발생하는 요인을 연(年)으로 안분하기 위한 개념이다.

④ △

전형적인 보유기간 동안의 부동산가치의 증감, 부동산가치 증가예상 시 (−), 부동산가치 감소예상 시 (+)를 적용한다.

Ellwood 공식변형

1. **저당대부가 없는 부동산의 환원이율**

   $R = y \pm \triangle \times SFF_{(y\%, \ n)}$

2. **매기 이자만 지급하고 기간 말에 원금 일시 상환하는 부동산의 환원이율**

   $R = y - L/V \times (y - i) \pm \triangle \times SFF_{(y\%, \ n)}$

3. **Ellwood 공식에 의한 분리환원이율 산정**

   (1) 토지환원이율 : $R = y - L/V \times (y + p \cdot SFF_{(y\%, \ n)} - MC_{(i, \ N)}) \pm \triangle(토지가격변동분) \times SFF_{(y\%, \ n)}$

   (2) 건물환원이율 : $R = y - L/V \times (y + p \cdot SFF_{(y\%, \ n)} - MC_{(i, \ N)}) \pm \triangle(건물가격변동분) \times SFF_{(y\%, \ n)}$

기 본예제

다음에 제시된 자료를 근거하여 Ellwood법에 의한 종합환원이율을 산정하시오.

풀이영상

자료 1 이자율

1. 자기자본수익률 : 12%
2. 저당의 대출이율 : 10%

자료 2 대부조건

1. 대부비율 : 65%
2. 대부기간 : 25년
3. 상환조건 : 매년 원리금 균등상환

자료 3 기타자료

1. 예상보유기간 : 5년
2. 투자대상 부동산 가격변동 : 보유기간 동안 매년 부동산가치가 2% 상승
3. 기타 : 계산 시 소수점 다섯째 자리 이하는 반올림할 것

예시답안

1. 산식

$R = y - L/V \times C* \pm \Delta \times SFF_{(y\%, \ t)}$

$* \ C = y + P \times SFF_{(y\%, \ t)} - MC$

2. 저당상수(MC)

$\dfrac{0.1 \times 1.1^{25}}{1.1^{25} - 1} \fallingdotseq 0.1102$

3. SFF

$\dfrac{0.12}{1.12^5 - 1} \fallingdotseq 0.1574$

4. 상환비율(P)

$\dfrac{1.1^5 - 1}{1.1^{25} - 1} \fallingdotseq 0.0621$

5. 자산가치변화율

$1.02^5 - 1 \fallingdotseq 0.1041$

6. 환원이율산정

$0.12 - 0.65 \times (0.12 + 0.0621 \times 0.1574 - 0.1102) - 0.1041 \times 0.1574 \fallingdotseq 0.0909$

---

5) 부채감당법(Gettel 법)

(1) 개념

부동산을 소유함에 있어서 시장투자자들이 부동산의 가치를 저당투자자(대출기관)의 입장에서 형성하는 부분이 크다고 생각하고 이를 기준으로 하여 환원이율을 추출한 산정방법

(2) 산식

> - $R_0 = DCR \times (L/V) \times MC$
> - $DCR = NOI \div DS(Debt\ Service)$

(3) DCR의 성질

저당투자자 입장에서 판단하는 대상 부동산의 자금상환능력으로서 저당투자자 중심의 방법으로서 사내환원이율(In-House Capitalization Rate)이라고도 한다.

> **기 본예제**
>
> 거래가격의 60%를 연리 15%, 10년간 매년 원리금 균등상환의 조건으로 대출하고자 할 경우에, 은행 입장에서의 환원이율을 산정하시오(DCR = 1.2).
>
> **예시답안**
>
> $1.2 \times 0.6 \times \dfrac{0.15 \times 1.15^{10}}{1.15^{10} - 1} \fallingdotseq 0.1435$

---

6) 시장에서 발표된 환원율

감정평가를 수행할 때 환원율을 직접 산정하지 않고 시장에서 발표된 환원율이 있는 경우 이를 활용할 수 있다. 시장에서 발표된 환원율은 대상이 되는 부동산 및 기간 등이 통일되어 있지 않은 경우가 많다. 따라서 환원율의 발표 주체, 적용 대상, 적용 기간 등에 대한 면밀한 검토가 선행되어야 한다. 또한 시장에서 발표된 환원율은 대부분 과거시점으로부터 작성시점까지의 자료에 기반한 것으로, 장래 기대편익의 현재가치를 산정하는 감정평가에 적용하기 위해서는 세심한 주의를 기울여야 한다. 지역적인 격차가 발생하는 경우에는 적절한 보정이 이루어져야 하며, 현실적인 상황을 반영할 수 있도록

금융자산 등 대체·경쟁관계에 있는 자산들과의 비교도 필요하다. 그리고 시장에서 발표된 환원율은 일반적인 시장의 표준적인 수준을 나타내는 경우가 많으므로, 대상물건의 개별성을 반영할 수 있도록 추가적인 조정이 요구된다.

> **참고**
>
> **시장에서 발표되는 환원율 예시**
>
> 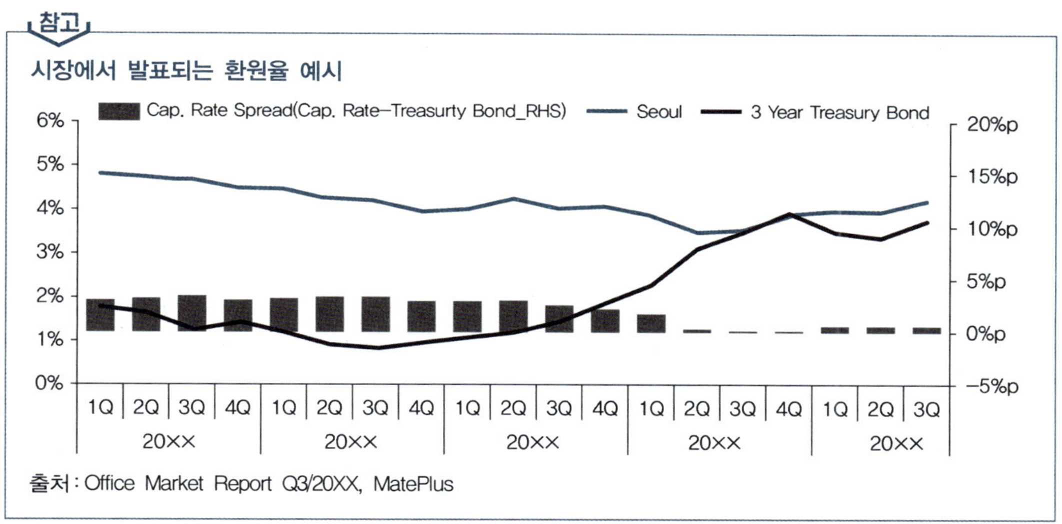
>
>
> 출처: Office Market Report Q3/20XX, MatePlus

기 본예제

아래 수익률 중 적정한 수익률을 기준으로 하여 직접환원방식의 수익환원법 적용 시 적정한 환원이율을 산정하시오.

구분	20××년 1분기	20××년 2분기	20××년 3분기	20××년 4분기
소득수익률	1.51%	1.41%	0.79%	1.39%
자본수익률	0.32%	0.34%	0.35%	0.31%
투자수익률	1.83%	1.75%	1.14%	1.70%

환원이율은 백분율 기준 소수점 2자리 이하는 절사하여 표시한다.

예시답안

- 환원이율에 적정한 벤치마크는 소득수익률로서 연간 소득수익률을 기준한다.

- 연간 소득수익률
  $1.0151 \times 1.0141 \times 1.0079 \times 1.0139 \fallingdotseq 1.0519$[5]

- 환원이율 결정 : $1.0519 - 1 \fallingdotseq 5.1\%$

---

5) 소득수익률을 연간화할 때 상승식, 총화식으로 모두 처리가 가능할 것이나, 투자수익률 연간화 산정방식(한국부동산원 상업용 부동산 임대동향조사 보고서)을 준용하여 상승식을 적용하는 것이 타당할 것으로 보인다.

  – 연간 투자수익률 $= [(1+\frac{r_{t-3}}{100}) \times (1+\frac{r_{t-2}}{100}) \times (1+\frac{r_{t-1}}{100}) \times (1+\frac{r_t}{100}) - 1] \times 100$

    (여기서, r : 분기별 투자수익률 / t : 해당분기)

03 환원이율 결정방법

직접환원법에서 사용할 환원율은 시장추출법으로 구하는 것을 원칙으로 한다. 다만, 시장추출법의 적용이 적절하지 않은 때에는 요소구성법, 투자결합법, 유효총수익승수에 의한 결정방법, 시장에서 발표된 환원율 등을 고려하여 적절한 방법으로 구할 수 있다.

Check Point!

> **소득모델과 재산모델**

1. **소득모델(Income Model)**
   소득흐름의 현재가치를 구하고, 별도로 복귀가격 또는 처분정리비의 현가를 가산하거나 차감하여 부동산 가치를 구하는 방법이다.
   소득모델에서는 대상 부동산의 가격상승이나 하락을 고려하지 않는다. 소득모델에서는 대상 부동산 투자자본을 보유기간 중에 전액 회수하는 것으로 하고 보유기간 말의 복귀액에 대하여 별도로 현재가치를 구하여 소득흐름의 현재가치에 합산하여 대상 부동산의 가치를 추정한다.

2. **재산모델(Property Model)**
   재산모델에서는 대상 부동산의 가치상승 혹은 하락을 소득흐름과 함께 고려하여 자본환원이율을 산정하고 이렇게 구한 자본환원이율을 이용하여 부동산평가의 일반적인 산식인 "부동산가치 = 순영업소득 ÷ 자본환원이율"에 의하여 대상 부동산의 가치를 산정한다.

제3절   수익환원법(할인현금흐름분석법)

01 할인현금흐름분석법 및 직접환원법

감정평가 실무기준에 의하면 할인현금흐름분석법은 대상물건의 보유기간에 발생하는 복수기간의 순수익(이하 "현금흐름"이라 한다)과 보유기간 말의 복귀가액에 적절한 할인율을 적용하여 현재가치로 할인한 후 더하여 대상물건의 가액을 산정하는 방법으로 규정되어 있다.

또한 수익환원법에 의하여 감정평가할 때에는 직접환원법이나 할인현금흐름분석법 중 감정평가 목적이나 대상물건에 적절한 방법을 선택하여 적용하여야 하도록 규정되어 있다. 다만, 부동산의 증권화와 관련한 감정평가 등 매기의 순수익을 예상하여야 하는 경우에는 할인현금흐름분석법을 원칙으로 하고 직접환원법으로 합리성을 검토하도록 규정하고 있다.

1. 직접환원법

한 해의 안정화된 소득을 환원이율로 환원시키는 방법으로 전통적인 직접(소득)환원법을 의미하며, 잔여환원법에서 이 방법을 사용한다(내용연수 무한, 순수익 영속, 자본회수 불필요, 환원율 불변을 가정한다).

$$V = \frac{a}{R}$$

a : 안정화된 소득 $\qquad$ R : 환원이율

2. DCF법(할인현금흐름분석법)

할인현금흐름분석법(DCF법 · Discounted Cash Flow Method)은 미래의 현금흐름과 보유기간 말의 복귀가액에 적절한 할인율을 적용하여 현재가치로 할인한 후 대상물건의 수익가액을 산정하는 방법이다. 할인현금흐름분석법은 직접환원법이 가정하고 있는 여러 가지 사항들이 현실에 부합하지 않는다는 점을 지적하면서 발전해 왔다. 할인현금흐름분석법에서 사용하는 미래의 현금흐름은 순수익, 세전현금흐름 및 세후현금흐름으로 나눌 수 있다.

순수익, 세전현금흐름, 세후현금흐름의 계산과정

```
    보증금(전세금) 운용수익
 +  연간 임대료
 +  연간 관리비 수입
 +  주차수입, 광고수입, 그 밖에 대상물건의 운용에 따른 주된 수입
    가능총수익(PGI · Potential Gross Income)
 -  공실손실상당액(Loss and Vacancy)
 -  손실충당금(Loss)
    유효총수익(EGI · Effective Gross Income)
 -  운영경비(OE · Operating Expenses)
    순수익(NOI · Net Operating Income)            - NOI 할인모델
 -  저당지불액(DS · Debt Service)
    세전현금흐름(BTCF · Before Tax Cash Flow)      - BTCF 할인모델
 -  영업소득세 등(Operation Tax)
    세후현금흐름(ATCF · After Tax Cash Flow)        - ATCF 할인모델
```

02 할인현금수지분석법

1. NOI 할인모델

가장 보편적으로 사용하는 할인현금수지분석모델로서 부동산의 가정된 보유기간 중의 순영업소득의 합과 기말복귀가치 현재가치의 합으로 수익가액을 평가한다.

1) 산식

$$V = \frac{NOI_1}{(1+r)} + \frac{NOI_2}{(1+r)^2} + \cdots + \frac{NOI_n}{(1+r)^n} + \frac{V_n}{(1+r)^n}$$

V : 부동산가치 NOI : 순영업소득
r : 할인율 V_n : 보유기간말복귀가치

2) 각 구성요소(순영업소득 및 적용률)의 결정

(1) 순영업소득 및 순영업소득 상승률(Escalation Rate)

상기의 순영업소득 산정방법에 따르며, 순영업소득의 상승률은 임대료 변동률로서 물가상승률 등에 따른다.

(2) 할인율(Discount Rate) [6]

① 할인율의 적용

감정평가실무기준에서는 할인율의 결정에 있어서 투자자조사법(지분할인율), 투자결합법(종합할인율), 시장에서 발표된 할인율 등을 고려하여 대상물건의 위험이 적절히 반영되도록 결정하되 추정된 현금흐름에 맞는 할인율을 적용하도록 규정하고 있다. NOI 할인모델에서는 NOI와 같은 현금흐름의 성격에 부합하는 종합할인율을 적용하는 것이 타당할 것이다.

② 투자자조사법(지분할인율)

투자자조사법은 시장에 참가하고 있는 투자자 또는 잠재적 투자자를 대상으로 하여 할인율을 추정하는 방법을 말한다.

③ 투자결합법(종합할인율)

투자결합법은 대상 부동산에 대한 투자자본과 그것의 구성비율을 결합하여 할인율을 구하는 방법으로서, 물리적 투자결합법과 금융적 투자결합법으로 나뉜다. 물리적 투자결합법은 토지와 건물의 구성비율에 각각 토지할인율과 건물할인율을 곱하고, 이들을 합산하여 할인율을 구한다.

$$할인율 = \frac{토지가치}{토지가치 + 건물가치} \times 토지할인율 + \frac{건물가치}{토지가치 + 건물가치} \times 건물할인율$$

---

6) 감정평가실무기준 해설서(Ⅰ) 총론편, 한국감정평가사협회 등, 2014.02, pp.180~181

금융적 투자결합법은 저당투자자의 요구수익률과 지분투자자의 요구수익률이 서로 다르다는 점에 착안한 것으로, 할인율은 저당비율에 저당할인율을 곱하고, 지분비율에 지분할인율을 곱한 후 이들을 합하여 구한다.

$$\text{할인율} = \frac{\text{저당액}}{\text{저당액} + \text{지분액}} \times \text{저당할인율} + \frac{\text{지분액}}{\text{저당액} + \text{지분액}} \times \text{지분할인율}$$

④ **시장에서 발표된 할인율**

할인율을 직접 산정하지 않고 시장에서 발표된 할인율이 있는 경우 이를 활용할 수 있다. 시장에서 발표된 할인율은 대상이 되는 부동산 및 기간 등이 통일되어 있지 않은 경우가 많으므로, 발표 주체, 적용 대상, 적용 기간 등에 주의해야 한다.

또한 시장에서 발표된 할인율은 대부분 과거의 자료에 기반하여 산정되기 때문에 장래 기대편익의 현재가치를 산정하는 감정평가에 적용하기 위해서는 세심한 주의를 기울여야 한다. 지역적인 격차가 발생하는 경우에는 적절한 보정이 이루어져야 하며, 현실적인 상황을 반영할 수 있도록 금융자산 등 대체·경쟁관계에 있는 자산들과의 비교도 필요하다. 그리고 시장에서 발표된 할인율은 일반적인 시장의 표준적인 수준을 나타내는 경우가 많으므로, 대상물건의 개별성을 반영할 수 있도록 추가적인 조정이 요구된다.

기 본예제

아래 수익률 중 적정한 수익률을 기준으로 하여 할인현금수지분석법(DCF) 방식 적용 시 적정한 할인율을 산정하시오.

구분	20××년 1분기	20××년 2분기	20××년 3분기	20××년 4분기
소득수익률	1.51%	1.41%	0.79%	1.39%
자본수익률	0.32%	0.34%	0.35%	0.31%
투자수익률	1.83%	1.75%	1.14%	1.70%

할인율은 백분율 기준 소수점 2자리 이하는 절사하여 표시한다.

예시답안

- 할인율에 적정한 벤치마크는 투자수익률로서 연간 투자수익률을 기준한다.

- 연간 투자수익률
  $1.0183 \times 1.0175 \times 1.0114 \times 1.0170 \fallingdotseq 1.0657$

- 할인율 결정 : $1.0657 - 1 \fallingdotseq 6.5\%$

(3) **기말복귀가액**

복귀가액은 대상물건의 보유기간 말 재매도가치(Resale Value)에서 매도비용 등을 차감하여 산정하게 되는데, 이는 보유기간 말 대상 부동산의 매도를 통해 매도자가 얻게 되는 순매도액이다.

① **내부추계법**

기간 말이나 기간 말 다음 해의 순영업소득을 적절한 자본환원율(기출환원이율, Going-out Cap-italization Rate)로 환원하여 재매도가치를 추계하는 방법이다. 복귀가액 산정을 위한 최종환원율은 환원율에 장기위험프리미엄·성장률·소비자물가상승률 등을 고려하여 결정한다. 내부추계법에서 최종환원율은 보유기간 중의 순수익에 적용되는 통상적인 환원율에 비해 높게 형성되는 경우가 많다.

② **외부추계법**

외부추계법은 가치와 여러 변수의 관계, 과거의 가치성장률 등을 고려하여 보유기간 말의 복귀가액을 산정하는 방법이다. 여기서 과거의 성장추세로부터 복귀가액을 산정할 경우에는 성장률과 인플레이션의 관계 등에 유의해야 한다.

③ **적용**

상기의 방법으로 추계된 재매도가치에 매도비용(중개수수료, 감정평가비용 등)을 공제하여 기말복귀가액을 결정하며, 내부추계법에 의하여 산정하는 것이 원칙이다.

기 본예제

아래 부동산에 대하여 보유기간(5년을 가정함) 이후의 매각가격을 내부추계법과 외부추계법으로 각각 결정하되, 반올림하여 백만원 단위까지 결정한다.

> • 매입가격 : 1,000,000,000원
> (토지 : 600,000,000원, 건물 : 400,000,000원(신축, 내용연수 : 50년))
> • 1차년도 순수익 : 50,000,000원
> • 임대료상승률 : 연 3.0%를 가정한다.
> • 기출환원이율은 기입환원이율 대비 0.5%p를 가산하여 결정한다.
> • 토지가격변동률은 연간 5.0%씩 상승하며, 건물가격은 감가수정을 반영한다.
> • 기말매각가액은 반올림하여 백만원단위까지 표시한다.

예시답안

1. 내부추계법에 의한 기말매각가액

6차년도 순수익 : $50,000,000 \times 1.03^5 ≒ 58,000,000$원

기출환원이율 : $\dfrac{50,000,000}{1,000,000,000} + 0.005 = 5.5\%$

기말매각가액 : $\dfrac{58,000,000}{0.055} ≒ 1,055,000,000$원

2. 외부추계법에 의한 기말매각가액

보유기간 말 토지가치 : $600,000,000 \times 1.05^5 ≒ 766,000,000$원

보유기간 말 건물가치 : $400,000,000 \times \dfrac{45}{50} = 360,000,000$원

기말매각가액 $= 766,000,000 + 360,000,000 = 1,126,000,000$원

⑷ **주요 적용률의 결정에 참작되는 내용 정리**

구분	참작되는 내용
보증금운용이율	CD수익률, 국고채이자율(3년), 회사채수익률(3년, AA−), 정기예금이자율 등 주요 시장금리지표를 반영함.
할인율	순수익률에 위험프리미엄(부동산운영위험, 비유동성 등)을 고려하고 시중금리 고려
재매도환원율 (기출환원율)	재매도 시 적용되는 환원이율로서 현재 환원이율 수준에 위험프리미엄 등을 고려하여 결정
시장임대료상승률	계약서, 생산자물가지수 등
공실률	• 분기별 오피스, 매장용 빌딩 임대료조사 및 투자수익률 추계 결과보고서 • 현재 본건의 공실률 참작
운영경비	• 분기별 오피스, 매장용 빌딩 임대료조사 및 투자수익률 추계 결과보고서 • 본 건물의 경비내역서 • 인근 부동산의 경비비율 분석

⑸ NOI-DCF **현금흐름분석**

가정 : 5년 보유, 종합할인율 5%, 재매도환원율 10% 가정, 임대료상승률 약 3%

구분	1차년도	2차년도	3차년도	4차년도	5차년도	6차년도
순수익	100	103	106	109	112	115
기말복귀가치	−	−	−	−	1,150	−
현금흐름	100	103	106	109	1,262	−
현가(5%)	95.2	93.4	91.6	89.7	988.8	
현가합	1,357.7					−

2. BTCF 할인모델

대상 부동산에 대한 연간 지분수익과 저당대부의 원리금상환으로 인한 지분형성분 그리고 보유기간 말의 복귀가치를 고려한 환원이율을 통하여 부동산의 가치를 추계하는 방법으로 부동산의 가치를 지분가치와 저당가치의 합으로 본다.

1) 산식

$$V = \frac{BTCF_1}{(1+y)} + \frac{BTCF_2}{(1+y)^2} + \cdots + \underbrace{\frac{BTCF_n}{(1+y)^n} + \frac{V_n - L_n}{(1+y)^n}}_{\text{지분가치(E)}} + \underbrace{L}_{\text{저당가치}}$$

V : 부동산가치	BTCF : 세전현금수지	y : 세전지분수익률
V_n : 보유기간 말 복귀가치	L_n : 보유기간 말 저당잔금	L : 저당대부액

2) 각 구성요소의 결정

(1) BTCF **결정**

순영업소득에서 저당서비스액을 차감하여 결정한다(NOI–DS).

(2) **할인율**(Discount Rate)

감정평가실무기준에서는 할인율의 결정에 있어서 투자자조사법(지분할인율), 투자결합법(종합할인율), 시장에서 발표된 할인율 등을 고려하여 대상물건의 위험이 적절히 반영되도록 결정하되 추정된 현금흐름에 맞는 할인율을 적용하도록 규정하고 있다. BTCF의 성격이 자기지분에 대한 현금흐름임을 고려하여 지분할인율을 사용하는 것이 타당할 것이다.

(3) **지분 기말복귀가치**(Equity Resale Value)

NOI 할인모델의 기말복귀가치 산정 시와 동일하며, 보유기간 말 저당잔금을 공제하여 결정한다.

(4) BTCF–DCF **현금흐름분석**

가정: 5년 보유, 세전지분할인율 7%, 재매도환원율 10% 가정, 임대료상승률 약 3%, 대출금액 500, 대출이자율 4%, 이자지급 후 만기원금 일시납 조건

구분	1차년도	2차년도	3차년도	4차년도	5차년도	6차년도
순수익	100	103	106	109	112	115
이자비용	20	20	20	20	20	
기말복귀가치	–	–	–	–	1,150	–
원금상환액					500	
현금흐름	80	83	86	89	742	–
현가(7%)	74.8	72.5	70.2	67.9	529	–
현가합	814.4					–
부동산가치	814.4 + 500 = 1,314.4					–

3. ATCF 할인모델

1) 산식

$$V = \frac{ATCF_1}{(1+y)} + \frac{ATCF_2}{(1+y)^2} + \cdots + \frac{ATCF_n}{(1+y)^n} + \frac{V_n - L_n - tax}{(1+y)^n} + L$$

지분가치(E)   저당가치

V : 부동산가치 $ATCF$: 세후현금수지 y : 세후지분수익률
V_n : 보유기간말복귀가치 L_n : 보유기간말저당잔금 L : 저당대부액
tax : 자본이득세

2) 각 구성요소의 결정

(1) 매기 ATCF

① 세전현금흐름(BTCF)에서 영업소득세를 차감하여 결정한다.

② **영업소득세 산정방법** : 부동산 임대소득에 부과되는 세금으로는 소득세 또는 법인세가 있다. 부동산 임대소득에 대하여는 이자소득, 배당소득, 사업소득, 근로소득, 기타소득과 함께 종합소득으로 과세된다. 따라서 한계세율에 따라 특정 부동산에 대한 부동산 임대소득세가 달라지는 점이 있다.

방법 1	방법 2
순영업소득(NOI) − 이자지급분* − 감가상각비***	세전현금수지(BTCF) + 원금상환분** − 감가상각비
과세표준 세율 = 영업소득세(유효법인세)	

≫ 계산편의상 방법 2를 많이 활용한다.

* 이자지급분 = 직전연도 저당잔금 × 이자율

** 원금상환분 = 직전연도 저당잔금 − 해당 연도 저당잔금

　1기의 원금상환분은 "DS − 대출원금 × 이자율"이며, 이후에 저당이자율로 복리상승한다.

*** 감가상각비 : 세금공제 대상이다.

(2) 할인율

할인율의 결정방법은 NOI 및 BTCF에서의 할인율 결정방법과 유사하다. 하지만 ATCF는 세후현금흐름이기 때문에 이에 대응하는 할인율을 사용해야 한다. 따라서 세후지분할인율을 사용함이 타당하다.

(3) 세율

해당 부동산을 보유함에 따른 통상적인 세율을 적용함이 타당하다. 법정세율보다는 유효세율을 활용해야 할 것이다.

(4) 기말 세후 복귀가치

세후지분복귀액의 산정

　재매도가치*

− 매도경비

　순매도액

− 미상환 저당잔금**

　세전지분복귀액

− 자본이득세(또는 양도소득세)*** 등

　세후지분복귀액

* 재매도가치 : NOI 할인모델과 동일하다.
** 미상환 저당잔금 = 저당대부액 × 잔금비율
*** 자본이득세

자본이득세의 산정

    순매도액(net sales proceeds)
− 장부가치(net book value)

    매도이득(gain on sale)
− 초과감가상각액(excess depreciation)

    자본이득
− 세제상 공제액

    과세대상 자본이득
× 세율

    자본이득세

(5) ATCF-DCF 현금흐름분석

가정 : 5년 보유, 세후지분할인율 6%, 재매도환원율 10% 가정, 임대료상승률 약 3%, 대출금액 500, 대출이자율 4%, 이자지급 후 만기원금 일시납 조건, 영업소득세율 20%, 자본이득세율 25%, 초기장부가액 1,000(장부가액 중 500이 건물이며 건물의 내용연수는 50년 가정)

구분	1차년도	2차년도	3차년도	4차년도	5차년도	6차년도
순수익	100	103	106	109	112	115
이자비용	20	20	20	20	20	
BTCF	80	83	86	89	92	
영업소득세	14	14.6	15.2	15.8	16.4	
감가상각비	10	10	10	10	10	
원금상환분	−	−	−	−	−	
ATCF	66	68.4	70.8	73.2	75.6	
기말복귀가치	−	−	−	−	1,150	−
원금상환액					500	
자본이득세					50	
세후기말복귀가치					600	
세후현금흐름	66	68.4	70.8	73.2	675.6	−
현가(6%)	62.3	60.9	59.4	58.0	504.8	−
현가합	745.4					−
부동산가치	745.4 + 500 = 1,245.4					−

기 본예제

01 다음 부동산의 감정평가액을 수익환원법에 의하여 평가하시오.

풀이영상

자료 1 **부동산의 개요**

1. 소재지: 서울특별시 마포구 상암동 600
2. 토지이용계획 등: 대지, 2,088.4m², 일반상업지역, 중심지미관지구, 건축선지정
3. 건물의 현황: 철골철근콘크리트조 슬래브지붕, 연면적(임대면적 총합) 33,000m², 2002.10.5. 준공
4. 이용상황: 업무시설

자료 2 **기준임대료**

1. 보증금: 150,000원/m²
2. 월임대료: 15,000원/m²
3. 월관리비: 6,000원/m²

자료 3 **각종 적용률**

1. 연임대료(보증금 및 관리비 포함) 상승률: 3.0%
2. 보증금운용이율: 3.0%
3. 공실 및 손실률: 5.0%
4. 운영경비율(유효 관리비수입대비): 70.0%
5. 기출환원이율: 8.0%
6. 할인율: 7.0%
7. 재매도 시 경비비율: 2.0%
8. 보유기간: 5년

자료 4

최종 감정평가액 결정 후 건물의 단위면적(m²)당 가액을 표시할 것

예시답안

Ⅰ. 평가개요

본건은 서울시 마포구 상암동에 소재하는 업무시설에 대한 시가참조목적의 감정평가로서 수익환원법에 의하여 감정평가한다.

Ⅱ. 순수익

1. 유효총수익

(1) 가능총수익: $(150,000 \times 0.03 + 15,000 \times 12 + 6,000 \times 12) \times 33,000 = 8,464,500,000$원

(2) 유효총수익: $8,464,500,000 \times (1 - 0.05) = 8,041,275,000$원

2. 운영경비

$6,000 \times 12월 \times (1 - 0.05) \times 0.7 \times 33,000m² = 1,580,040,000$원

3. 순수익

$8,041,275,000 - 1,580,040,000 = 6,461,235,000$원

III. 수익가액

1. 매기 순수익(단위: 천원)

1기	2기	3기	4기	5기
6,461,235	6,655,072	6,854,724	7,060,366	7,272,177

현가합(7.0%): 28,018,113천원

2. 기말복귀가치

$(7,272,177,000 \times 1.03) \div 0.08 \times (1 - 0.02) ≒ 91,756,692,000$원

3. 수익가액

$28,018,113,000 + 91,756,692,000/1.07^5 ≒ 93,439,366,000$원(m²당 2,831,000원)

02 N 씨는 5년 후 매각을 전제로 다음 수익용 부동산을 구입하고자 한다. 이에 따라 (주)D감정평가법인의 L평가사에게 수익환원법을 이용하여 시장가치를 산정해 달라고 평가를 의뢰하였다. L평가사는 N 씨의 의뢰에 따라 다음의 소득흐름을 가진 부동산을 할인현금수지분석법으로 평가하려고 한다. 다음에 제시된 제 자료를 이용하여 시장가치를 산정하시오.

자료 1 대상 부동산의 매수가격

1. 토지: 100,000,000원
2. 건물: 150,000,000원

자료 2 소득 및 경비에 관한 사항

1. 첫해의 예상가능조소득: 40,000,000원이지만, 매년 5%씩 상승할 것으로 예상됨.
2. 공실 및 불량부채상당액: 가능조소득의 5%
3. 영업경비: 유효조소득의 30%

자료 3 저당대부에 관한 사항

1. 저당대부비율 60%(매수금액 대비)
2. 저당이자율 13%
3. 기간 20년(매년 저당원리금 균등상환)

자료 4 세율 등 기타 사항

1. 영업소득세율: 25%
2. 자본이득세율: 30%
3. 투자에 따른 기대수익률: 14%
4. 대상건물의 잔존 경제적 내용연수: 40년(감가상각은 직선법 활용)
5. 예상보유기간: 5년
6. 기출환원이율(Going-out Capitalization Rate): 10.0%(매도경비는 없는 것으로 봄)

예시답안

I. 평가개요

본건은 수익성 부동산 평가로 DCF법에 의거 시장가치를 산정한다.

II. 현금흐름의 분석

1. 1기의 NOI

$40,000,000 \times (1 - 0.05) \times (1 - 0.3) ≒ 26,600,000$원

2. 부채서비스액

$$250,000,000 \times 0.6 \times \frac{0.13 \times 1.13^{20}}{1.13^{20} - 1} ≒ 21,353,000원$$

3. 매년 감가상각비

$$150,000,000 \times 1/40 = 3,750,000원$$

4. 원금상환분

$$21,353,000 - 250,000,000 \times 0.6 \times 0.13 ≒ 1,853,000원 \ (매기\ 저당이자율로\ 복리상승한다.)$$

Ⅲ. 매기 ATCF(단위 : 천원)

구분	1	2	3	4	5
NOI	26,600	27,930	29,327	30,793	32,332
DS	21,353	좌동			
BTCF	5,247	6,577	7,974	9,440	10,979
TAX	838	1,230	1,648	2,091	2,563
ATCF	4,409	5,347	6,326	7,349	8,416

≫ Tax = (BTCF − 감가상각비 + 원금상환분) × 0.25

Ⅳ. 지분복귀가치

1. 매도가치

$$(32,332,000 \times 1.05) \div 0.10 ≒ 339,486,000$$

2. 저당잔금

$$150,000,000 \times (1 - \frac{1.13^5 - 1}{1.13^{20} - 1}) ≒ 137,992,000$$

3. 자본이득세

$$\{339,486,000 - (250,000,000 - 3,750,000 \times 5)\} \times 0.3 ≒ 32,471,000$$

4. 지분복귀가치

$$339,486,000 - (137,992,000 + 32,471,000) = 169,023,000$$

Ⅴ. 시장가치

1. 지분가치산정(단위 : 천)

$$\frac{4409}{1.14} + \frac{5347}{1.14^2} + \frac{6326}{1.14^3} + \frac{7349}{1.14^4} + \frac{(8416 + 169,023)}{1.14^5} ≒ 108,760천원$$

2. 시장가치

$$108,760,000 + 150,000,000(저당) = 258,760,000원$$

(매수금액인 250,000,000원보다 시장가치가 다소 높은 것으로 판단된다.)

[참고]

감정평가 시 기준이 되는 현금흐름은 순수익을 기준으로 할인하는 모델이다. 세후현금흐름에 의거하여 수익가액을 산정하는 것이 이상적인 방법이나, 우리나라의 「소득세법」 체계하에서는 소득세가 그 부동산의 소득창출능력뿐만 아니라 투자자의 한계세율에 따라 달라진다는 점 때문에 세후현금흐름을 이용하여 수익가액을 산정하는 것은 현실적으로 어렵다.

03 소득률(직접환원법)과 수익률(DCF)의 관계

1. 소득률과 수익률의 개념 및 종류

1) 소득률(Income Rate)

⑴ 개념 및 성격

소득률이란 한 해의 소득이나 여러 해의 안정적 평균소득을 대상물건의 가격과 비교한 비율로 단기에 적용되는 수익률(Rate of Return)이다. 소득률은 이론적으로 자본수익률(상각후환원이율)과 자본회수율(가격변동분)의 합으로 구성되므로 이들의 구분이 명확해지고, 부동산가격 대비 1년 또는 여러 해의 평균소득비율이므로 소득 및 경비의 안정화 과정을 거친 이율로서 안정적인 이율이 된다.

⑵ 종류

종합환원율(순영업소득/부동산가격), 지분환원율(지분수익/지분투자액), 저당환원율(저당지불액/저당투자액) 등이 있다.

2) 수익률(Yield Rate)

⑴ 개념 및 성격

수익률이란 개별적인 소득의 흐름의 현재가치를 구하기 위해서 일련의 개별적인 소득에 적용되는 비율로 복기에 적용되는 비율이다. 이는 현재시점에서의 투하자본과 미래수익의 현재가치를 같게 만드는 수익률인 내부수익률(IRR)의 성격을 가지며, 투자자본의 회수를 위한 자본회수율이 포함되어 있지 않거나 명시적으로 드러나지 않는다.

⑵ 종류

이자율, 할인율, 내부수익률, 지분수익률, 저당수익률, 종합수익률 등이 있다.

2. 차입조건이 고려된 소득률 및 수익률

부동산 매입 시 차입조건을 고려하면 아래와 같다.

구분	매각차익이 포함되지 않은 수익률(소득률)	매각차익이 포함된 수익률(수익률)
차입전	Cap Rate(환원이율)	Unlevered IRR(내부수익률)
차입후	R_E(지분환원율)	Levered IRR(지분수익률)

기 본예제

아래의 부동산을 100,000에 매입할 투자자는 해당 자산의 현금흐름을 아래와 같이 예상하고 있다. 차입 시 매입금액의 60%를 차입할 수 있으며, 연간 이자율은 3.0%이며, 보유기간 중 원금상환 없이 매각 시 원금을 일시에 상환하는 것을 가정한다. 아래의 현금흐름은 예상대로 발생된다고 가정한다. 아래 부동산에 대하여 ① Cap Rate(환원율), ② R_E(지분환원율), ③ 내부수익률(Unlevered IRR), ④ 지분수익률(Levered IRR)을 각각 산정(백분율 기준 소수점 1자리까지 반올림하여 결정)하시오.

자료 현금흐름
- 1차연도의 순수익 : 5,000
- 매년 순수익의 증가분 : 연 4.0%의 상승
- 보유기간 : 5년
- 보유기간 후 매각금액 : 110,000

예시답안

현금흐름	1차연도	2차연도	3차연도	4차연도	5차연도
매년 현금흐름	5,000	5,200	5,408	5,624	5,849
기말매각가액	–	–	–	–	110,000
현금흐름	5,000	5,200	5,408	5,624	115,849
이자 및 원금상환	1,800	1,800	1,800	1,800	61,800
차입후 현금흐름	3,200	3,400	3,608	3,824	54,049

환원율(Cap rate) : 5,000 ÷ 100,000 = 5.0%
지분환원율(R_E) : 3,200 ÷ 40,000(지분투자금액) = 8.0%

내부수익률(IRR) 및 지분수익률(Levered IRR)

수익률	0기	1기	2기	3기	4기	5기	결정
IRR	−100,000	5,000	5,200	5,408	5,624	115,849	**7.1%**
Levered IRR	−40,000	3,200	3,400	3,608	3,824	54,049	**12.8%**

제4절 **수익환원법**(개별평가의 논리 – 자본회수 및 잔여환원법)

01 개요

(1) 자본환원이율의 조정

부동산은 일반 예금이나 주식과 달리 시간이 지나면 감가상각이 발생하여 일정기간(내용연수) 후엔 자본의 회수가 어려워진다. 따라서 이러한 감가상각분을 순수익에 포함하여 미리 회수하여야 하는데 이를 자본의 회수라 한다. 다만 토지와 같이 감가상각이 되지 않는 부동산은 자본회수를 필요로 하지 않는다. 자본회수의 처리는 소득을 조정하거나 자본환원이율을 조정하는 두 가지 방법이 가능한데, 오늘날에는 자본환원이율을 조정하는 방법을 주로 활용하고 있다.

(2) 상각전 순수익/상각후 순수익, 상각전 환원이율/상각후 환원이율

상각전 순수익은 총비용에 감가상각비를 포함하지 않은 일반적인 방법의 순수익 산정방법을 의미하며, 상각후 순수익은 총비용에 감가상각비를 포함한 방법으로서 상각전 순수익보다 낮은 수치가 산출된다. 상각전 환원이율은 상각전 순수익과 부동산의 가격과의 비율이며, 상각후 환원이율은 상각후 순수익과 부동산의 가격과의 비율이다.

> - 상각전 순수익 ÷ 상각전 환원이율 = 수익가액
> - 상각후 순수익 ÷ 상각후 환원이율 = 수익가액

≫ 상각전 환원이율 = 상각후 환원이율 + 자본회수율

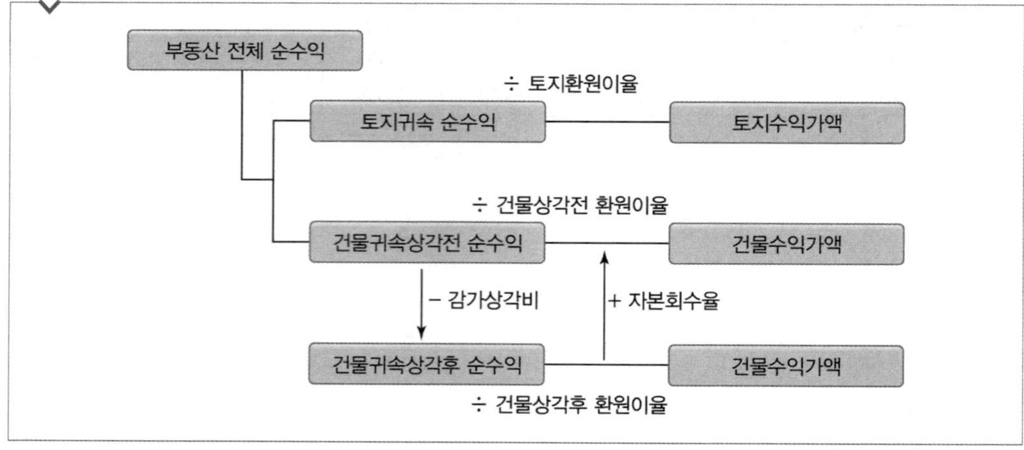

02 자본회수유형

1) 직선법

(1) 직선법의 개념

직선법은 상각전 순수익을 상각후 환원율에 상각률을 가산한 상각전 환원율로 환원하여 수익가액을 구하는 방법이다. 직선법은 순수익과 상각자산의 가치가 동일한 비율로 일정액씩 감소하고 투자자는 내용연수 말까지 자산을 보유하며, 회수자본은 재투자하지 않는다는 것을 전제한다. 따라서 직선법은 건물·구축물 등과 같이 수익을 발생시키는 물건이 상각자산이며, 내용연수가 유한하여 투하자본 회수가 고려되어야 하는 경우에 적용한다.

(2) 적용대상

매년의 NOI가 감소할 것으로 예상되는 부동산, 이미 경쟁력이 쇠퇴하고 있는 부동산, 수요에 비해 공급이 포화상태인 부동산에 적합하다.

(3) 자본환원이율

$$\text{자본환원율(R)} = r + \frac{1}{n}$$

r = 자본수익률 $\qquad \frac{1}{n}$ = 자본회수율 $\qquad n$ = (경제적)내용연수

≫ 자본수익률이라는 용어는 비상각자산에 대한 수익률의 의미로서 상각후 환원이율과 동의어로 쓰인다.

> **Check Point!**
>
> 1. 자본회수율에 들어가는 내용연수에 대하여 "경제적 내용연수"를 사용하는 것이 맞는지, "잔존내용연수"를 사용하는 것인지에 의문이 생길 수 있다. 이는 현재 환원해야 할 수익의 성격에 따라 결정될 것이다.
>   (1) 환원해야 할 순수익이 건물의 감가를 반영한 순수익이라고 판단한다면 "잔존내용연수"만큼 자본회수함이 타당하다.
>   (2) 환원해야 할 순수익이 건물의 감가를 반영하지 않고 영구적으로 지속되는 수익이라고 판단한다면 "경제적 내용연수"만큼 자본회수함이 타당하다.
> 2. 저자의 사견으로는 자본회수가 직접환원방식을 활용하고 있으며, 물건의 감가와 무관하게 순수익은 영구적으로 동일하다는 가정을 바탕으로 하고 있으므로 "경제적 내용연수"로 자본회수함이 타당할 것이다.

2) 감채기금법(상환기금법, Hoskold법)

(1) 감채기금법의 개념

상환기금법은 상각전 순수익을 상각후 환원율과 축적이율 및 내용연수를 기초로 한 감채기금계수를 더한 상각전 환원율로 환원하여 수익가액을 구하는 방법이다. 상환기금법은 자본회수분을 안전하게 회수할 수 있는 곳에 재투자하는 것을 가정하여 해당 자산에 대한 상각후 환원율보다 낮은 축적이

율에 의해 이자가 발생하는 것을 전제한다. 이러한 상환기금법은 내용연수 만료 시 재투자로서 대상 부동산의 수익을 연장시킬 수 없는 광산, 산림 등의 소모성 자산이나 건물을 고정임대료로 장기임대차에 공여하고 있을 경우에 유용하다.

⑵ 적용대상

건물을 경제적 수명이 이르기까지 고정임대료로 장기 임대차하는 경우에 적합하다.
⑩ 광산, 산림 등

⑶ 자본환원이율

$$\text{자본환원율}(R) = \underset{\text{자본수익률}}{r} + \underset{\text{자본회수율}}{\frac{i}{(1 + i)^n - 1}}$$

r : 자본수익률　　　i : 안전이율(축적이율)　　　n : 대상 부동산의 경제적 잔존내용연수

3) 평준연금환원법(연금법, Inwood법)

⑴ 연금법의 개념

연금법은 상각전 순수익을 상각후 환원율과 상각후 환원율 및 내용연수를 기초로 한 감채기금계수를 더한 상각전 환원율로 환원하여 수익가액을 구하는 방법이다. 연금법은 매년의 상각액을 해당 사업이나 유사사업에 재투자한다는 가정에 따라 상각후 환원율과 동일한 이율에 의해 이자가 발생한다는 것을 전제로 하고 있다.

연금법은 매년의 순수익의 흐름이 일정하거나 상대적으로 안정적일 것으로 예측되는 물건의 평가에 적용하는 것이 합리적이다. 임대용 부동산 중 장기임대차에 제공되고 있는 부동산이나 어업권 등이 연금법으로 평가하는 대표적인 예이다.

⑵ 적용대상

① 매기 NOI가 안정적이거나 일정할 것으로 예상되는 부동산(인플레이션이나 영업경비 상승률에 대한 임대료 가산조항이 있어야 일정할 수 있다.)
② 소득흐름이 연금성격을 가지는 장기임대차에 제공되는 경우

⑶ 자본환원이율

$$\text{자본환원율}(R) = \underset{\text{자본수익률}}{r} + \underset{\text{자본회수율}}{\frac{r}{(1 + r)^n - 1}}$$

r : 해당 사업의 수익률　　　n : 대상 부동산의 경제적 잔존내용연수

4) 적용 시 유의사항

자본회수방법 적용 시 해당 부동산의 성격과 소득의 흐름을 면밀히 분석하여 각 가정에 가장 잘 부합하는 방법을 선택·적용하여야 할 것이다. 또한 3가지 방법 중에서 가장 보수적으로 자본회수하는 방법은 직선법이다.

Check Point!

1. 자본회수의 처리는 소득을 조정하거나 자본환원율을 조정한다. 직선법, 감채기금환원법, 평준연금환원법은 자본환원율을 조정하므로 순수익 산정 시 감가상각비가 지출항목이 아니다(상각전 순수익을 산정해야 한다).

2. **과거에 대한 감가상각(Accrued Depreciation, 발생감가상각) vs 미래에 대한 감가상각(Future Depreciation, 자본회수)**
   과거에 대한 감가상각은 기 발생한 감가상각의 추계와 관련된 부분으로서 비교방식 및 원가방식에서 잔가율을 비교하거나 감가수정액을 추계하는 과정을 의미하며, 미래에 대한 감가상각은 아직 발생하지 않은 비용이나 향후를 위하여 적립 혹은 투자하는 금액과 관련된 부분으로서 수익환원법에서 자본회수가 이에 포함된다.

기 본예제

상각전 순이익 15,000,000원을 발생하고 있는 임대용 부동산이 있다. 이 부동산에 대한 가격을 직선법, 연금법, 상환기금법에 의해 각각 구하고 각각의 가격을 비교하시오(다만, 경제적 내용연수는 10년, 상각후 환원이율은 20%, 축적이율은 10%이다).

예시답안

Ⅰ. 직선법

  1. 개요

  직선법이란 수익환원하는 방법의 하나로서 상각전 순이익을 상각후 환원이율에 상각률을 가산한 환원이율로 환원하여 수익가액을 구하는 방법을 말한다.

  2. 산식

  $$p = \frac{a}{r + \frac{1}{n}}$$

  3. 산정

  $$\frac{15,000,000}{0.2 + 1/10} = 50,000,000원$$

Ⅱ. 연금법(Inwood 방식)

  1. 개요

  대상 부동산이 토지와 건물, 그 밖의 상각자산과의 결합으로 구성되어 있는 경우 상각전 순이익에 상각후 종합환원이율과 축적이율 및 잔존내용연수를 기초로 한 복리연금현가율을 곱하여 수익가액을 구하는 방법이다.

  2. 산식

  $$P = \frac{a}{r + \frac{r}{(1+r)^n - 1}}$$

3. 산정

$$15,000,000 \div \left(0.2 + \frac{0.2}{1.2^{10} - 1}\right) \fallingdotseq 62,887,000원$$

III. 상환기금법(Hoskold 방식)

1. 개요

대상물건이 토지와 건물, 그 밖의 상각자산과의 결합으로 구성되어 있는 경우 상각전 순이익에 상각후 종합환원이율과 축적이율 및 잔존내용연수를 기초로 한 수익현가율을 곱하여 수익가액을 구하는 방법이다.

2. 산식

$$P = a \times \cfrac{1}{r + \cfrac{i}{(1+i)^n - 1}}$$

3. 산정

$$15,000,000 \div \left(0.2 + \frac{0.1}{1.1^{10} - 1}\right) \fallingdotseq 57,089,000원$$

IV. 각 방법 비교

상기와 같이 환원이율이 축적이율보다 높은 경우 수익가액은 연금법에 의한 가격 62,887,000원이 제일 높고, 다음에 상환기금법에 의한 가격 57,089,000원이며, 직선법에 의한 가격 50,000,000원이 제일 낮게 나타난다. 이것은 연금법이나 상환기금법은 투자한다는 가정인 데 반해 직선법은 투자를 가정하지 않기 때문이다.

---

03 잔여환원법

1) 잔여환원법의 개요

잔여환원법은 부동산에서 발생하는 순수익을 토지와 건물로 분리하고 여기에 각각의 환원율을 적용하는 토지·건물잔여법과 토지·건물잔여법이 가지고 있는 결함을 시정한 부동산잔여법이 있다.[7] 토지·건물잔여법은 복합부동산의 총수익에서 토지 내지 건물에 귀속되는 순수익을 공제하고 잔여부분의 순수익을 환원하여 가액을 구하는 방법이다. 이러한 잔여환원법은 부동산가치는 시간이 경과함에 따라 언제나 감소한다는 것과 대상 부동산을 경제적 수명까지 보유한다는 가정을 전제로 한다.

2) 토지잔여법

토지잔여법은 복합부동산의 순수익에서 건물에 귀속되는 순수익을 공제한 후 도출된 토지에 귀속되는 순수익을 토지환원율로 환원하여 토지의 가액을 구하는 방법이다.

(1) 적용대상

토지잔여법은 건축비용을 정확히 추계할 수 있는 신규건물, 감가상각이 거의 없는 물건, 토지가치를 독립적으로 추계할 수 없는 부동산, 건물이 최유효이용상태에 있는 부동산, 건물가치가 토지가치에

---

7) 물리적 구성부분이 아닌 금융적 사고에서 접근하는 지분잔여법과 저당잔여법의 적용도 가능하다.

비해 상대적으로 적은 부동산인 주차장, 자동차 운전교습장, 작은 건물이 있는 공장부지에 적용이 가능하다.[8]

>> 토지의 가치를 평가함에 있어서 주관의 최소한의 개입을 통해 평가의 정확성을 높이기 위하여 상기의 대상 적용 시 타당성이 제고될 수 있음을 의미함.

(2) 유의사항

공지의 매매사례가 없어서 비준하려 사용할 때에도 신규 최유효이용 건물을 가정하고 추계해야 한다.

(3) 산식

$$\frac{(순영업소득 - 건물가치 \times 건물환원이율)}{토지환원이율} + 건물가치 = 부동산가치$$

3) 건물잔여법

건물잔여법은 복합부동산의 순수익에서 토지에 귀속되는 순수익을 공제한 후 도출된 건물에 귀속되는 순수익을 건물환원율로 환원하여 건물의 가액을 구하는 방법이다.

(1) 적용대상

건물잔여법은 감가의 정도가 심한 부동산, 토지가치를 정확히 추계할 수 있는 부동산, 상대적으로 토지가치 비율이 낮게 차지하는 부동산, 추가투자의 적정성 판단이 요구되는 경우에 적용할 수 있다.

>> 건물의 가치를 평가함에 있어서 주관의 최소한의 개입을 통해 평가의 정확성을 높이기 위하여 상기의 대상 적용 시 타당성이 제고될 수 있음을 의미한다.

(2) 유의사항

비최고최선의 이용인 부동산에도 적용가능하다.

(3) 산식

$$\frac{(순영업소득 - 토지가치 \times 토지환원이율)}{건물환원이율} + 토지가치 = 부동산가치$$

>> 토지잔여법 및 건물잔여법은 ⅰ) 추계하고자 하는 대상의 상대적 가치가 크고, ⅱ) 추계하지 않는 대상의 가치 추계가 상대적으로 용이한 부동산에 각각 유용하게 적용될 수 있다.

---

8) 대상토지에 대한 최고최선의 이용에 해당하는 어떤 가상적인 건물을 상정하고, 이것으로부터 대상 부동산의 건축비용을 추계하고 토지잔여법을 적용하여 가치추계치를 산출하는 가설적 평가(Hypothetical Appraisal)의 경우 토지잔여법이 활용되기도 한다.

4) 부동산잔여법

(1) 부동산잔여법의 기본가정

부동산잔여법은 토지·건물잔여법이 수익과 환원율을 분리하여 적용한다는 단점을 극복하기 위하여 개량된 방법이다. 부동산잔여법에서는 수익은 토지·건물이 복합적으로 작용하여 창출하는 것으로 보고 부동산의 가액을 구한다. 부동산잔여법은 수익이 건물의 경제적 잔존내용연수 동안 전체 부동산으로부터 나오는 것으로 간주하고 기간 말 건물가치는 없다고 보며, 토지가치는 일정하다고 전제한다. 이러한 전제하에 부동산잔여법에서는 부동산의 전체 순수익을 잔존내용연수 동안 현가화하고, 여기에 기간 말 토지가치를 현재가치로 현가하여 더한 값으로 대상 부동산의 가액을 결정한다.

(2) 적용대상

부동산잔여법은 토지가치의 추계가 상대적으로 용이한 부동산, 토지가치 비율이 높은 부동산, 적용할 순수익이 연금 성격을 강하게 가지는 부동산에 적용 가능하다.

(3) 산식

$$\text{순영업소득} \times \frac{(1+r)^n - 1}{r \times (1+r)^n} + \frac{\text{기간말복귀가치}}{(1+r)^n} = \text{부동산가치}$$

》 부동산잔여법의 경우에는 가정이 많이 들어가는 평가방법으로써 이 평가방법의 적용으로서도 정확한 가치를 반영할 수 있는 적용대상이 상기와 같이 한정된다.

(4) 부동산잔여법의 출현배경

잔여법은 수익환원법임에도 불구하고 토지와 건물의 수익을 분리하는 절차가 있어 "수익의 일체성"을 주장하는 사람들로부터 비현실적이라는 비판을 많이 받았다. 이에 토지, 건물의 수익을 분리하지 않고 사용하기 위하여 부동산잔여법이라는 평가방법이 등장하게 된 것이다.

Check Point!

● **자본회수율 처리에 대한 FAQ**

Q 잔여환원법 활용 시 상각후 순수익을 추계한 후 상각후 환원이율을 적용하는 것이 맞는지, 상각전 순수익을 추계한 후 회수율을 고려하여 상각전 환원이율을 적용하는 것이 맞는지에 대한 질문

A 감가상각비는 현실적으로 발생되지 않는 현금흐름이다. 따라서 감가상각비에 대한 가정이 없음에도 불구하고 감가상각비를 추계하는 것은 현실적이지 않다. 따라서 상각전 순수익을 추계하고 회수율을 고려하여 상각전 환원이율을 고려하는 것이 타당하다.

문제에서 자본회수방법에 대한 가정이 있다면 역시 상각전 순수익을 구하여 환원이율을 제시된 회수방법(직선법, Hoskold법, Inwood법)에 따라 상각후 환원이율을 상각전 환원이율로 변경하면 된다. 단, 문제에서 감가상각비를 별도로 계산하도록 하는 경우에는 감가상각비를 계산하여 상각후 순수익을 사용하는 것이 타당하다.

(5) 지분잔여법, 저당잔여법

일반적으로 잔여법이 토지, 건물의 물리적으로 보는 방법임에도 불구하고 이를 지분과 저당의 소유행태에 대한 귀속소득을 구하여 각각의 가치를 판정하는 방법이다.

① **지분잔여법** : $(NOI - L \times MC) / R_E + L = $ 부동산가치

신규부동산에 대한 소유권가치, 특수저당이 결부된 지분권가치추계에 유용

② **저당잔여법** : $(NOI - E \times R_E) / MC + E = $ 부동산가치

유용한 지분액수는 알려져 있지만, 저당대부액이나 저당가치는 알려져 있지 않을 경우

》 광의적인 개념으로 본다면 저당지분법의 환원논리와도 유사하다.

》 최유효에 미달되는 복합부동산에서 창출되는 수익을 통해 잔여법이나 직접환원법을 할 때에는 유의해야 한다. 수익 자체를 DCF를 통해 현가하면 감가가 반영된 상태의 가치 추계가 가능하다(단, "현상태를 반영한 종합환원이율"이 있으면 최유효에 미달되는 복합부동산에서 창출되는 수익의 직접환원이 가능하다).

기 본예제

01 연간 상각전 임대수익 50,000,000원을 발생하는 복합부동산이 있다. 다음 자료를 이용하여 토지의 순수익과 토지의 수익가액을 평가하시오(반올림하여 천원 단위까지 결정한다).

자료 1 ▶ 대상 부동산 자료

1. 대상 부동산의 건물은 2년 전에 신축한 건물로서 건축비는 100,000,000원으로 일반적이고 표준적인 건축비이다.
2. 건축비 상승률은 연간 10%이다.

자료 2 ▶ 기타자료

1. 건물의 상각전 환원이율은 20%이다.
2. 토지의 환원이율은 12%이다.
3. 감가수정은 정액법, 내용연수는 50년이며, 건물 내용연수 만료 시 잔가율은 10%이다.

예시답안

Ⅰ. 평가개요

본건은 토지에 대한 순수익과 수익가액평가로 토지잔여법으로 산정한다.

Ⅱ. 토지귀속순수익

1. 건물가격

$100,000,000 \times 1.1^2 \times (1 - 0.9 \times 2/50) ≒ 116,644,000$

2. 건물귀속순수익

$116,644,000 \times 0.2 = 23,329,000$

3. 토지귀속순수익

$50,000,000 - 23,329,000 ≒ 26,671,000$

Ⅲ. 토지의 수익가액

$26,671,000 \div 0.12 ≒ 222,258,000$원

02 연간 상각전 임대순수익이 50,000,000원인 복합부동산이 있다. 다음 자료를 활용하여 건물의 순수익과 건물의 수익가액을 산정하시오(단, 토지가격은 200,000,000원, 토지환원이율은 12%, 건물의 상각후 환원이율은 20%, 건물의 장래보존연수는 40년이다). 수익가액은 반올림하여 천원 단위까지 결정한다.

▎예시답안

Ⅰ. 평가개요

본건은 건물의 순수익과 수익가액산정으로 건물잔여법을 활용하여 산정한다.

Ⅱ. 건물귀속순수익

1. 토지귀속순수익

$200,000,000 \times 0.12 = 24,000,000$

2. 건물귀속순수익(상각전)

$50,000,000 - 24,000,000 = 26,000,000$

Ⅲ. 건물의 수익가액

$\dfrac{26,000,000}{0.2 + 1/40} \fallingdotseq 115,556,000$원

03 감정평가사인 L 씨는 다음과 같은 부동산을 부동산잔여법으로 평가하고자 한다. 제 자료를 참고하여 부동산잔여법에 의하여 부동산의 가치를 산정하되, 반올림하여 천원 단위까지 결정한다.

자료 1 ▶ 대상 부동산자료

1. 대상 부동산은 35년 전에 신축한 조적조 슬래브지붕 단층 상가이다.
2. 토지면적은 120m²이고 건물면적은 70m²이다.
3. 조적조의 경우 일반적으로 내용연수가 45년이다.

자료 2 ▶ 수익자료

1. 본건 상가는 임대면적이 건물면적의 80%이고 상가를 임대할 경우 인근의 전형적인 임대료는 연 50만원/m²이다.
2. 영업경비는 임대료의 30%이다(공실 · 대손 포함).
3. 본건 토지의 기준시점 현재 적정가격은 1,200,000원/m²이다.
4. 내용연수 말 건물의 가치는 없다.
5. 부동산의 가치산정에 적용할 할인율은 12%이다.

▎예시답안

Ⅰ. 평가개요

본건은 상가에 대한 수익가액 산정으로 부동산잔여법으로 평가한다.

Ⅱ. 평가액 산정

1. 순영업소득

$500,000 \times 70 \times 0.8 \times (1 - 0.3) = 19,600,000$

2. 잔존내용연수

$45 - 35 = 10$년

3. 부동산가치

$19,600,000 \times \dfrac{1.12^{10} - 1}{0.12 \times 1.12^{10}} + \dfrac{1,200,000 \times 120}{1.12^{10}}^{*} \fallingdotseq 157,109,000$원

＊ 부동산잔여법에서는 현 시점의 가액대로 재매각한다는 가정을 한다.

구분소유권(구분건물)의 감정평가

제1절 구분소유권의 개념 및 근거

01 구분소유건물의 개념 및 성립요건

구분소유 부동산은 「집합건물의 소유 및 관리에 관한 법률」에서 규정하고 있으므로, 감정평가의 대상이 되는 구분소유 부동산은 동법의 개념을 인용하고 있다.

(1) 구분소유권

구분소유권이란 1동의 건물에 구조상 구분되는 2개 이상의 부분이 있어서 그것들이 독립하여 주거·점포·사무실 등으로 사용되는 경우에 그 부분을 각각 다른 사람의 소유로 사용할 수 있을 때 이러한 전용부분에 대한 권리를 말한다.

(2) 집합건물

집합건물이란 일정 대지 위에 공용부분을 매개로 전용부분들이 결합되어 한 동을 이루는 건물형태를 말하며, 이러한 집합건물은 주거용, 비주거용 및 혼합형으로 구분할 수 있다. 주거용으로는 공동주택, 비주거용으로는 상가, 업무용건물, 혼합형으로는 주상복합아파트, 오피스텔 등이 있다.

(3) 구분소유 부동산

구분소유 부동산은 구조상·이용상 독립성이 있어야 한다. 그러나 오픈상가는 이용상의 독립성은 있으나, 구조상 독립성은 없는 경우가 대부분이다. 따라서 감정평가 목적에 따라 달라지며, 특히 담보평가의 경우에는 감정평가 대상이 되지 않는 경우가 있다. 「집합건물의 소유 및 관리에 관한 법률」에서의 규정에 부합하는지, 경계를 명확하게 알아볼 수 있는 표지가 바닥에 견고하게 설치되어 있는지 등에 대하여 검토해야 한다.

> **판례**
>
> **대결 2010.1.14, 2009마1449**
> 1동의 건물의 일부분이 구분소유권의 객체가 될 수 있으려면 그 부분이 이용상은 물론 구조상으로도 다른 부분과 구분되는 독립성이 있어야 하고, 그 이용 상황 내지 이용 형태에 따라 구조상의 독립성 판단의 엄격성에 차이가 있을 수 있으나, 구조상의 독립성은 주로 소유권의 목적이 되는 객체에 대한 물적 지배의 범위를 명확히 할 필요성 때문에 요구된다고 할 것이므로, 구조상의 구분에 의하여 구분소유권의 객체 범위를 확정할 수 없는 경우에는 구조상의 독립성이 있다고 할 수 없다.

02 전유부분, 공용부분, 대지사용권 등

(1) **전유부분**(전유면적)

전유부분이란 구분소유권의 목적인 건물부분으로서 건물의 구분소유자가 사용수익권을 전유적으로 행사하는 부분으로서 구분소유권의 목적인 건물부분을 말한다.

(2) **공용부분**(공용면적)

공용부분이란 전유부분 외의 건물부분, 전유부분에 속하지 아니하는 건물의 부속물로서 구분소유자가 공동으로 지배·용익하는 부분으로 전유부분을 제외한 모든 부분이다.

(3) **대지사용권**

구분건물의 경우에 구분소유자가 토지상에 전유부분을 소유하기 위하여 그 토지에 대하여 어떠한 권리를 가져야 한다. 대지사용권이란 구분소유자가 전유부분을 소유하기 위하여 건물의 대지에 대하여 가지는 권리이다.

03 집합건물 소유 및 관리에 관한 법률(약칭 : 집합건물법)

(1) **전유부분과 공용부분에 대한 지분의 일체성**(집합건물법 제13조)

① 공용부분에 대한 공유자의 지분은 그가 가지는 전유부분의 처분에 따른다.
② 공유자는 그가 가지는 전유부분과 분리하여 공용부분에 대한 지분을 처분할 수 없다.
③ 공용부분에 관한 물권의 득실변경(得失變更)은 등기가 필요하지 아니하다.

(2) **전유부분과 대지사용권의 일체성**(집합건물법 제20조)

① 구분소유자의 대지사용권은 그가 가지는 전유부분의 처분에 따른다.
② 구분소유자는 그가 가지는 전유부분과 분리하여 대지사용권을 처분할 수 없다. 다만, 규약으로써 달리 정한 경우에는 그러하지 아니하다.
③ 제2항 본문의 분리처분금지는 그 취지를 등기하지 아니하면 선의(善意)로 물권을 취득한 제3자에게 대항하지 못한다.

제2절 구분소유권의 평가방법

01 관련규정

건물(전유부분과 공유부분)과 대지사용권을 일체로 한 거래사례비교법을 적용하여야 한다.

> **감정평가에 관한 규칙 제16조**(토지와 건물의 일괄감정평가)
>
> 감정평가법인등은 「집합건물의 소유 및 관리에 관한 법률」에 따른 구분소유권의 대상이 되는 건물부분과 그 대지사용권을 일괄하여 감정평가하는 경우 등 제7조 제2항에 따라 토지와 건물을 일괄하여 감정평가할 때에는 거래사례비교법을 적용해야 한다. 이 경우 감정평가액은 합리적인 기준에 따라 토지가액과 건물가액으로 구분하여 표시할 수 있다.

참고

구분소유건물의 감정평가 명세표 양식

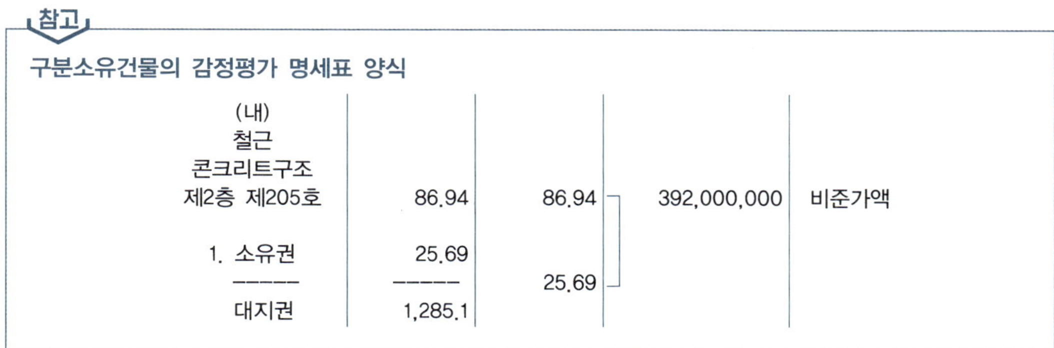

(내) 철근 콘크리트구조 제2층 제205호	86.94	86.94	392,000,000	비준가액
1. 소유권	25.69	25.69		
대지권	1,285.1			

02 거래사례비교법

(1) 산식

$$비준가액(원/m^2) = 사례가격(원/m^2) \times 사정보정 \times 시점수정 \times 지역요인비교$$
$$\times \{외부적\ 요인(토지개별요인) \times 건물개별요인(잔가율)$$
$$\times 개별적\ 요인(층별 \times 위치별\ 효용비)\}$$

(2) 거래사례의 선정

대상과 이용상황이 유사하고 비교가능성이 있는 사례를 선택한다. 토지의 감정평가와는 다르게 용도지역, 지구 등이 상이하더라도 집합건물의 측면에서 대체가능성이 있다면 사례로 선택할 수 있다. 또한, 주거용, 비주거용(상업용·업무용 등)의 가치형성요인이 다르며 거래사례의 선택기준도 다르다.

(3) 용도별 거래사례 선택 시 주안점

구분	거래사례 선택 시 주안점
주거용 집합건물	주택의 유형(아파트, 다세대주택), 건물의 연식, 주택의 형태(전유면적크기 등), 단지의 유사성 등
상업용 집합건물	층, 위치의 유사성, 건물의 연식, 전유면적의 크기 등
업무용 집합건물	단지의 유사성, 사무실 레이아웃의 유사성 등

》》 가치형성요인이 유사한 동일단지 내 사례를 선정하는 경우가 많다.

기 본예제

아래 부동산의 감정평가에 적절한 거래사례를 선택하시오.

자료 1 부동산 A

1. 본건 A

소재지	층/호수	용도	면적(m²)			신축연도
			전유	공용	합계	
○○동 17-1	제1층 제101호	근린생활시설	102.1	72.8	174.9	2017.4.30.

2. 거래사례 목록

기호	소재지	층/호수	용도	면적(m²)			신축연도	거래가격
				전유	공용	합계	거래시점	(원/전유m²)
1	○○동 17-1	제1층 제104호	근린생활시설	136	97	233	2017.4.30.	1,160,000,000원
							2027.9.18.	(8,529,411원/m²)
2	○○동 155-2	제4층 제412호	근린생활시설	60.76	65.21	125.97	2016.12.2.	295,000,000원
							2027.8.6.	(4,855,168원/m²)

자료 2 부동산 B

1. 본건 B

소재지	층/호수	용도	면적(m²)			신축연도
			전유	공용	합계	
△△동 100-1	제4층 제401호	다세대주택	40	20	60	2013.6.5.

2. 거래사례 목록

기호	소재지	층/호수	용도	면적(m²)			신축연도	거래가격
				전유	공용	합계	거래시점	(원/전유m²)
1	△△동 98-1	제4층 제402호	다세대주택	20	10	30	2026.6.30.	140,000,000원
							2027.3.20.	(7,000,000원/m²)
2	△△동 103-1	제2층 제202호	다세대주택	45	25	70	2015.6.30.	190,000,000원
							2027.1.1.	(4,222,222원/m²)

예시답안

1. 부동산 A

본건과 같은 건물 내 거래사례로서 층이 동일한 사례 1을 선택한다.

2. 부동산 B

본건과 신축연도, 주택유형(면적)이 유사한 사례 2를 선택한다.

⑷ 시점수정

① 구분소유권의 가격변동을 반영할 수 있는 지수를 활용한다. 아파트 실거래가지수, 생산자물가지수, 주택가격지수(국토교통부), 주택매매지수(국민은행), 지가변동률 등이 활용될 수 있다.

② **한국감정평가사협회 권장지수**

종류	권장지수	보조지수
주거용 (아파트, 연립, 다세대)	(한국부동산원 전국주택가격동향조사) 유형별 매매가격지수	- (KB 주택가격동향조사) 유형별 매매가격지수 - (한국부동산원) 공동주택 실거래 가격지수
오피스텔[1]	(한국부동산원 오피스텔가격동향조사) 매매가격지수	(KB 오피스텔통계) 매매가격지수
	오피스텔 통계 미발표지역의 경우 주거용오피스텔은 주거용권장지수를, 비주거용오피스텔은 비주거용권장지수를 준용	
비주거용 (구분상가, 업무시설, 지식산업센터, 특수부동산[2])	(한국부동산원 상업용 부동산임대동향조사) 상권별 자본수익률(오피스/중대형상가/소규모상가/집합상가)	–

>> 상기 지수는 물건별 유형을 고려한 권장지수로서 대상물건의 특성, 입지, 지역환경 등에 따라 필요에 따라 판단되는 경우 협회 권장 지수와 달리 적용 가능하다.

③ **주거용인 경우**

㉠ 원칙 : 주택유형(아파트, 연립다세대, 단독주택)에 따른 지역별·월별 매매가격지수 활용

㉡ 매매가격지수 열람

지역			202X.1.	202X.2.	202X.3.	202X.4.	202X.5.
서울			98.4	98.6	98.9	99.8	100.1
	강북지역		97.9	97.9	98.1	98.8	98.9
		도심권	100.1	100.5	100.9	101.5	101.9
		종로구	96.8	97.8	98.8	99.0	99.6
		중구	98.7	99.1	99.9	100.9	101.1
		용산구	102.9	103.7	105.1	105.6	106.7

---

1) 건축물대장 등 공부서류에 오피스텔(업무시설)로 기재된 구분건물로서 주거용, 비주거용을 모두 포함한다.

2) 숙박시설 등을 말한다.

ⓒ 산정방법
- 2021년 7월 이전인 경우 : 주거용 구분건물의 시점수정치는 거래시점과 기준시점의 각 직전 달의 주택가격지수를 비교하여 산정한다. 다만, 기준시점이 매월 15일이 포함된 주의 월요일 이후이고, 감정평가시점 당시에 기준시점이 속하는 달의 주택가격지수가 조사, 발표된 경우에는 기준시점이 속한 달의 지수로 비교한다.
- 2021년 7월 이후인 경우 : 주거용 건물의 시점수정치는 거래시점과 기준시점의 각 직전 달의 주택가격지수를 비교하여 산정한다.
- 세분화 지역별(서울/강북지역/도심권/용산구) 매매가격지수를 우선 적용함.

ⓔ 오피스텔 시점수정 시 참고자료
- 한국부동산원에서 2018년부터 오피스텔 가격동향조사를 실시하여 통계자료를 발표하고 있으므로, 오피스텔은 한국부동산원 R-one 통계정보시스템을 활용한다.
- 다만, 오피스텔 가격동향조사에서 규모별로 지수를 제공하고 있으나, 표본 수의 한계로 인하여 규모별이 아닌 지역별 매매가격 지수를 활용하며, 서울의 경우에는 권역별(도심권, 동남권, 동북권, 서남권, 서북권) 지수를 활용한다.

구분		해당지역
서울 생활 권역	도심권	종로구, 중구, 용산구
	동남권	서초구, 강남구, 송파구, 강동구
	동북권	강북구, 도봉구, 노원구, 성북구, 중랑구, 동대문구, 성동구, 광진구
	서남권	강서구, 양천구, 영등포구, 구로구, 금천구, 동작구, 관악구
	서북권	은평구, 서대문구, 마포구

- 현재, 오피스텔 가격동향조사 통계자료가 제공되고 있는 지역(서울, 인천, 경기, 부산, 대구, 광주, 대전, 울산, 세종 통합) 외의 지역은 물건의 실질에 따라 주거용 오피스텔은 주거용 시점수정 방법을 활용하고, 비주거용 오피스텔은 비주거용 시점수정 방법을 활용한다.

기 본예제

다음에 제시된 거래사례의 시점수정치를 산정하시오.

자료 1 아파트의 거래사례

1. 거래사례 : 서울특별시 용산구 00동 00아파트 106동 1706호
2. 거래금액 : 1,200,000,000원
3. 거래시점 : 2027.2.5.
4. 기준시점 : 2027.8.18.

자료 2 아파트 매매가격지수

1. 2027.1. 용산구 아파트매매가격지수 : 94.3
2. 2027.2. 용산구 아파트매매가격지수 : 93.9
3. 2027.7. 용산구 아파트매매가격지수 : 93.1
4. 2027.8. 용산구 아파트매매가격지수 : 93.2

예시답안

직전 달의 아파트매매가격지수를 기준한다.

2027년 7월 지수 ÷ 2027년 1월 지수

∴ 시점수정치 : 93.1/94.3 ≒ 0.98727

④ **비주거용**

㉠ 원칙 : 지역별·분기별 자본수익률 활용

㉡ 자본수익률 열람

지역			202X년 3분기		202X년 2분기		202X년 1분기	
구분			소규모 상가	집합 상가	소규모 상가	집합 상가	소규모 상가	집합 상가
시도	광역상권	하위상권						
서울			0.19	0.25	0.17	0.19	0.18	0.18
	도심		0.25	0.27	0.20	0.22	0.21	0.20
		동대문	0.19	0.12	0.14	0.10	0.16	0.14
		서울역	0.34	0.30	0.30	0.25	0.32	0.25
		종로	0.35	0.31	0.29	0.26	0.30	0.23

㉢ 산정방법 : 지가변동률 계산방식과 동일(일할계산, 감정평가 시 조사·발표되지 아니한 분기의 자본수익률은 직전분기의 자본수익률을 기준으로 추정함)

㉣ 자본수익률의 구체적 적용방법

ⓐ 지가변동률 계산방식과 동일(일할계산, 감정평가 시 조사·발표되지 아니한 분기의 자본수익률은 직전분기의 자본수익률을 기준으로 추정함)하다.

ⓑ **자본수익률 적용 원칙** : 물건 유형별 하위상권의 자본수익률 적용을 원칙으로 하고, 하위상권 확인이 불가하거나 하위상권의 자본수익률이 발표되지 않는 지역은 시도별 자본수익률을 활용한다. 종전에는 시도별 자본수익률을 원칙으로 하고 하위상권의 자본수익률을 예외로 규정하였으나, 하위상권의 특정이 가능한 경우는 하위상권의 자본수익률 적용을 원칙으로 하기 위하여 개정되었다(R-one 통계정보시스템에서는 "통계지도보기"를 통해 소재지 검색 및 하위상권 해당 여부를 확인할 수 있도록 제공하고 있다).

ⓒ **구표본과 신표본을 함께 적용해야 하는 경우의 시점수정** : 2010년 3/4분기, 2013년 1/4분기에 각각 조사지역 및 조사표본수 확대가 이루어진바, 지역선택에 있어 일관성을 유지해야 한다(**예** 충남지역의 경우 신표본에서는 발표되고 있으나 구표본에서는 미발표된 바, 신표본·구표본 모두 전체 자본수익률을 적용한다).

ⓓ **미발표지역의 시점수정** : 유사지역의 자본수익률을 원칙으로 하되, 이 방법이 사실상 불가능하거나 적절하지 아니하다고 판단되는 경우에는 전체 자본수익률을 적용한다(**예** 세종시의 경우 충남지역 자본수익률 적용, 구표본 적용 시 충남지역(미발표)은 전체 자본수익률 적용).

ⓔ 아파트형공장 등의 경우 시점수정 : 상업용 부동산 임대동향조사는 오피스빌딩과 매장용 빌딩에 한정되는바, 그 밖의 비주거용 부동산의 시점수정은 둘 중 보다 유사한 것을 선택 적용하되, 그 사유를 감정평가서에 기재한다.

ⓕ 상업용 부동산의 건물유형 세분화에 따른 시점수정방법 변경 : 2013년도까지 전국 상업용 부동산에 대한 자본수익률을 오피스와 매장용으로 구분하여 발표하였으나, 2014년 4Q부터 매장용을 매장용(일반)과 매장용(집합)으로 구분하여 발표[3]하고 있으며, 2015년 1Q부터는 매장용(일반)을 중대형 매장용과 소규모 매장용[4]으로 세분화하여 발표하고 있다.

ⓖ 상업용 부동산 조사대상 건물분류

구분	적용대상
자본수익률(오피스)	업무시설 등(토지/건물의 유형)
자본수익률 [매장용(일반, 중대형)]	• 토지/건물의 유형으로서 근린생활시설, 점포, 판매시설 등의 경우 • 3층 이상의 일반상가의 경우
자본수익률 [매장용(일반, 소규모)]	• 토지/건물의 유형으로서 근린생활시설, 점포, 판매시설 등의 경우 • 2층 이하의 일반상가(소규모 매장상가)의 경우
자본수익률 [매장용(집합)]	집합건물의 유형으로서 근린생활시설, 점포, 판매시설, 업무시설 등의 경우

기 본예제

다음에 제시된 거래사례의 시점수정치를 산정하시오(윤년의 처리는 고려하지 말 것).

자료 1 ▶ 매장용 집합건물의 거래사례

1. 거래사례 : 서울특별시 용산구 00동 00아파트 제상가동 총 2층 중 제1층 제106호
2. 건물유형 : 매장용(집합)
3. 거래금액 : 1,200,000,000원
4. 거래시점 : 2024.10.5.
5. 기준시점 : 2027.5.5.

자료 2 ▶ 자본수익률(%)

1. 2024.4Q(2024.10.1.~2024.12.31.) : 0.04
2. 2025.1Q : 0.27
3. 2025.2Q : 0.29
4. 2025.3Q : −0.09
5. 2025.4Q : 0.30
6. 2026.1Q : 0.02
7. 2026.2Q : 0.06
8. 2026.3Q : 0.17
9. 2026.4Q : 0.27
10. 2027.1Q : 0.68

예시답안

지가변동률 계산방식과 동일(일할계산, 감정평가 시 조사·발표되지 아니한 분기의 자본수익률은 직전 분기의 자본수익률을 기준으로 추정함)

∴ 시점수정치(2024.10.5.~2027.5.5.)

$$(1 + 0.0004 \times 88/92) \times 1.0027 \times 1.0029 \times (1 - 0.0009) \times 1.0030 \times 1.0002 \times 1.0006 \times 1.0017$$
$$\times 1.0027 \times 1.0068 \times (1 + 0.0068 \times 35/90) ≒ 1.02294$$

---

3) 자료는 2014년 1Q부터 소급하여 발표
4) 2015년 1Q부터 매장용 2층 이하 일반상가(이하 소규모 매장용 상가)에 대한 임대시장 동향을 조사하여 신규 발표

(5) **지역요인비교**

인근지역의 경우에는 대등하며, 유사지역의 경우에는 지역요인 비교를 필요로 한다.

(6) **가치형성요인 비교[5]**

① **주거용 구분건물**

요인구분	비교항목	세부항목
(단지) 외부요인	공공시설 및 편익시설과의 접근성 및 편의성	인근 편익시설의 거리 및 편의성
		공공시설과의 거리 및 편의성
	교통 및 도보의 편의성	인근 교통시설과의 거리 및 편의성
		차량 이용의 편의성(가로의 폭, 구조, 계통, 접면)
		획지·단지의 여건(경사지, 고저)
	교육환경	교육시설(유치원, 초등학교 등)과의 거리, 등하교의 편리성
		인근 교육시설의 종류, 학군 선호도
	자연환경	자연환경(조망, 경관, 풍치 등), 공원 및 녹지 등과의 접근성
	거주환경	거주환경 조성상태
		거주환경 저해시설(오염시설, 공해 및 소음유발시설, 위험 및 혐오시설 등)의 유무 및 거리
(단지) 내부요인	시공사의 브랜드	
	건물의 규모	총 세대수, 건물의 최고 층수
	단지의 구성 및 환경	동의 배치상태, 동간 거리, 면적별 구성비, 공간적 쾌적성(용적률, 건폐율 등)
		조경 및 녹지 등 조성상태
	건물의 구조 및 설비	건물의 구조 및 재질
		현관구조(계단식, 복도식), 외부구조(판상형, 타워형, 혼합형 등), 내진설계, 필로티 유무
		난방방식(지역난방, 개별난방 등), 각종 설비(승강기 등)의 유무 및 상태
	건물의 노후도	경과연수 및 잔존내용연수, 리모델링 또는 대수선 여부
	주차시설 및 공용시설의 상태	세대당 주차대수, 지하 주차장의 유무 및 세대 연결성, 차량 진출입의 용이성, 기계식 주차장의 유무 및 비율
		주민공동시설(커뮤니티시설, 경로당, 유치원)의 유무 및 상태
	보안 및 유지관리	보안 및 유지관리 체계 및 관리상태

---

5) 구분건물 개별요인 비교표, 한국감정평가사 협회, 2026.01.

호별 요인	층별 효용	
	위치별 효용 (동별 및 라인별)	일조, 채광, 조망 등의 정도, 통풍의 정도
		엘리베이터, 계단으로의 접근성
		소음의 영향 정도
		사생활 침해의 정도
		공용시설·교육시설·교통시설 등과의 접근성, 편익시설의 접근성
	향별 효용	
	전유면적 및 대지사용권	전유부분의 면적 크기, 대지사용권의 크기
	내부 설계 및 구조	평면방식(타입 등), 방 및 화장실의 개수, 복층 유무, 1층 전용정원 여부, 다락·테라스·베란다 등의 유무
		반지하의 상태(전면 완전 노출형 등)
기타요인	개발사업 가능성	재개발·재건축사업, 도시재생사업 등의 편입 여부
	행정적 규제	
	기타 가치에 영향을 미치는 요인	

② **상업용 구분건물**

요인구분	비교항목	세부항목
(단지) 외부요인	주요시설과의 접근성	상업지역 중심의 접근성
		공공시설(관공서 등)의 거리 및 편의성
	교통의 편의성	인근 교통시설과의 거리 및 편의성
		차량이용의 편의성(가로의 폭, 계통, 접면)
		교통규제의 정도(일방통행, 주정차 금지 등)
	상권의 특성	고객의 유동성 및 적합성
		인근 이용상황과의 관계성
		유효 수요권의 크기, 고객군의 특성
		상권의 역동성
(단지) 내부요인	건물의 규모	건물의 전체 층수(지상층수, 지하층수), 총 호수 등
	건물의 구조 및 설비	건물의 구조 및 재질, 각종 설비상태(승강기, 에스컬레이터 등)
		층간 이동경로의 편의성
	건물의 노후도 및 관리상태	
	주차의 편리성	지상·지하 주차시설의 규모 및 상태, 전용 주차공간의 유무, 기계식 주차장의 유무 및 비율
	공실률 및 입점업체 구성	건물 전체 공실률
		입점업체의 인지도·선호도 및 규모 등

	층별 효용	
호별 요인	위치별 효용	호의 배치(전면, 후면, 측면, 내부 등)
		주출입구와의 접근성
		승강기 및 에스컬레이터와의 접근성
		외부 접근성 및 가시성(외부 연결계단 유무, 지하 썬큰(Sunken) 유무 등)
	전유면적 및 대지사용권	전유부분의 면적 크기, 대지사용권의 크기
기타요인	개발사업 가능성	재개발·재건축사업, 도시재생사업 등의 편입 여부
	행정적 규제	
	기타 가치에 영향을 미치는 요인	

③ **업무용 구분건물**

요인구분	비교항목	세부항목
(단지) 외부요인	주요시설의 접근	도심과의 접근성
		공공시설(관공서 등)과의 거리 및 편의성
	교통의 편의성	인근 교통시설과의 거리 및 편의성
		차량이용의 편의성(가로의 폭, 계통, 접면)
	업무환경 등	공원, 녹지 등과의 접근성
		동종 업계의 밀집성, 상호 보완적 업무환경
		근무지원 환경(편의시설, 지원시설 등)의 수준
(단지) 내부요인	건물의 규모	건물의 전체 층수(지상층수, 지하층수), 총 호수 등
	건물의 구조 및 설비	건물의 구조 및 재질 등
		승강기의 유무 및 대수, 냉난방설비 등 각종 설비의 상태 및 관리 정도
	건물의 노후도 및 관리상태	
	주차의 편리성	지상·지하 주차시설의 규모 및 상태, 전용 주차공간의 유무, 기계식 주차장의 유무 및 비율
	공용시설 등의 편의성	공용시설(회의실 등)의 상태, 내부 지원시설의 상태, 커뮤니티 환경 제공
	공실률 및 입점업체 구성	건물 전체 공실률
		업무용도의 비율, 입점업체의 인지도·선호도 및 규모 등
호별 요인	층별 효용	
	위치별 효용	주출입구와의 접근성
		승강기 및 계단의 접근성
		향별 효용
		조망, 소음의 영향 정도 등

	전유면적 및 대지사용권	전유부분의 면적 크기, 대지사용권의 크기
	내부 설계 및 설비	평면구조, 호별 전면폭 길이, 창문의 유무 및 위치, 부속공간(테라스, 발코니, 창고 등)의 유무
기타요인	행정적 규제	
	기타 가치에 영향을 미치는 요인	

④ 산업용 구분건물

요인구분	비교항목	세부항목
(단지) 외부요인	도심 및 시장과의 접근성	도심과의 접근성
		공급망 및 시장의 접근성
		인력수급의 용이성
	교통의 편의성	인근 교통시설과의 거리 및 편의성
		차량이용의 편의성(가로의 폭, 계통, 접면)
		철도, 고속도로, 간선도로, 나들목(IC), 공항, 항만 등의 접근성
	산업환경 등	물류 및 유통 환경의 편의성
		에너지(전력 등)의 확보 용이성
		기반시설의 상태
		동종 업계의 밀집성, 상호 보완적 산업 환경
		지원시설, 공공기관, 연구기관, 편의시설 등의 접근성
(단지) 내부요인	건물의 규모	건물의 전체 층수(지상층수, 지하층수), 총 호수 등
	건물의 구조 및 설비	건물의 구조 및 재질 등, 공용시설(승강기, 계단실, 기계실, 화장실 등) 배치방식
		승강기의 용량, 물류 승강기의 유무 및 용량, 호이스트·전력 등 설비 의 상태, 층고, 냉난방설비의 유무
	건물의 노후도 및 관리상태	
	주차의 편리성	지상·지하 주차시설의 규모 및 상태, 주차장의 층고, 전용 주차공간의 유무 및 호당 주차대수
	지원시설 등의 상태	지원시설, 부대시설(상가 등), 공용시설(회의실, 휴게공간 등)의 유무 및 상태, 전용 기숙사의 유무
	공실률 및 입점업체 구성	건물 전체 공실률
		입점업체의 특성(제조업, IT업, 물류업 등), 입점업체 간의 연계성
호별 요인	층별 효용	층별 효용
	위치별 효용	주출입구와의 접근성
		승강기 및 물류 승강기와의 접근성
	전유면적 및 대지사용권	전유부분의 면적 크기, 대지사용권의 크기
	내부 설계 및 설비	개별 호의 구조(층고, 기둥위치, 내력벽 유무 등)

		내부 설계(출입구 높이, 차량진입 동선의 편리성, 평면구조의 효율성, 전용 테라스 유무 등)
		차량접안 시설, 냉동·냉장 시설, 드라이브인(Drive-in) 시설 등의 유무
기타요인	행정적 규제	개별법령에 따른 거래·용도·업종 등의 제한, 기타 개별법령에서 요구하는 인증
	기타 가치에 영향을 미치는 요인	

⑤ **적용 시 유의사항**

- 본 비교표의 비교항목 및 세부항목은 대상물건의 특성과 상황에 맞게 조정하여 적용할 수 있으며, 필요시 일부 항목을 삭제하거나 추가할 수 있다.
- 세부항목은 비교항목의 예시적 성격을 가지며, 대상물건과 비교사례물건에 대해 조사·확인 가능한 범위 내에서만 적용한다.
- 지역적 특성(대도시, 지방, 비도시 등)이나 비교사례물건과의 거리 등에 따라 적용 가능한 비교항목에 차이가 있을 수 있다.

》 예외적인 경우: 토지·건물 일체 품등비교의 적용이 적정하지 않다고 판단되는 경우 토지·건물 비교형태의 거래사례비교법을 적용할 수 있다.

$$
\text{사례} \atop \text{전체} \atop \text{가격} \times \left[\frac{\text{사례 토지가격}}{\text{사례 전체가격}} \times {\text{토지} \atop \text{요인} \atop \text{비교치}} \times \frac{\text{본건 토지면적}}{\text{사례 토지면적}} + \frac{\text{사례 건물가격}}{\text{사례 전체가격}} \times {\text{건물} \atop \text{요인} \atop \text{비교치}} \times \frac{\text{본건 건물면적}}{\text{사례 건물면적}} \right]
$$

이 경우 개발사업구역 내 노후한 공동주택 등 대지지분의 크기가 주요 가치형성요인인 경우에는 이를 반영하기 위한 적정한 세부비교항목을 적용할 수 있다.

⑥ 동일단지 내의 거래사례를 선정한 경우에는 단지외부요인 및 단지내부요인은 대등하다.

⑺ **면적비교**

구분소유권의 면적비교는 전유면적당 단가를 산정하는 것을 원칙으로 한다(원/전유m²). 단, 시장 관행상 분양(임대)면적당 단가를 기준으로 거래가격수준이 형성되는 경우도 있으므로 면적비교 시 유의해야 한다.

기 본예제

아래 구분소유건물에 대한 감정평가액을 결정하시오. 가격조사 완료일은 2027년 6월 3일이다.

자료 1 건축물관리대장 사항

대지위치	S동 100	명칭		A빌	호명칭	301
전유부분						
층별		구조		용도		면적(m²)
3층		철근콘크리트조		다세대주택		45
공용부분						
–		철근콘크리트조		주차장, 기계실		35
		철근콘크리트조		엘리베이터실		10

※ 해당 건물의 사용승인일 : 2010.05.06.

자료 2 거래사례 현황

연번	소재지	건물명	호명칭	전유면적(m²)	용도	사용승인일	거래금액	거래시점
1	S동 100	A빌	302	50	다세대주택	2010.05.06.	150,000,000	2025.07.08.
2	S동 200	B빌	301	45	다세대주택	1996.04.09.	90,000,000	2026.04.19.

자료 3 가치형성요인 비교 관련 등

1. 다세대주택 매매가격지수

2025년 6월	2025년 7월	2027년 4월	2027년 5월	2027년 6월
97.8	97.9	102.3	102.4	미고시

2. 해당 건물 내 1호라인은 남향으로서 동향인 2호라인에 비하여 5% 우세하다.

3. 전유단가는 원단위, 총액은 백만원 단위까지 반올림하여 결정한다.

예시답안

Ⅰ. 평가개요

「감정평가에 관한 규칙」 제16조에 의하여 거래사례비교법에 의하여 구분소유건물을 평가한다.

Ⅱ. 거래사례의 선택

본건과 같은 다세대주택으로서 같은 건물로서 가치형성요인과 유사한 거래사례 1을 선택함.
$(150{,}000{,}000 \div 50 = 3{,}000{,}000원/m^2)$

Ⅲ. 시점수정(다세대주택 매매가격지수)

2027년 5월 지수 ÷ 2025년 6월 지수 = 102.4 ÷ 97.8 ≒ 1.04703

Ⅳ. 가치형성요인 비교치

동일단지로서 단지외부 및 단지내부요인은 대등함.
$1.00(외부) \times 1.00(내부) \times 1.05(호별) \times 1.00(기타) = 1.050$

Ⅴ. 비준가액

$3{,}000{,}000 \times 1.000(사정) \times 1.04703 \times 1.050 ≒ 3{,}298{,}145원/m^2 (\times 45 ≒ 148{,}000{,}000원)$

03 원가법

⑴ 원가법에 의한 구분소유건물의 감정평가

구분건물을 개별호수로서 감정평가하는 경우에는 거래관행상 원가법을 거의 적용하지 않는다. 다만 1동 전체를 평가하는 경우에는 1동 전체 구분건물의 평가액합계와 토지, 건물의 감정평가액합계를 비교하여 그 합리성을 검토한다. 아래는 개별호수로서 구분건물을 감정평가하는 경우의 산정방법이다.

⑵ 구분건물을 원가법으로 감정평가하는 방법(개별호수)

① 일반적인 방법

> 원가법에 의한 구분건물의 감정평가액 = (토지 감정평가액 + 건물 감정평가액) × 층별효용비율 × 위치별효용비율

② 지가배분율에 의한 방법

지가배분율이란 토지 전체 가액 중 해당 구분건물에 귀속하는 가치의 비율을 의미한다.

> 원가법에 의한 구분건물의 감정평가액 = (토지 감정평가액(총액) × 지가배분율) + (건물감정평가액(원/m^2) × 면적(전유면적+공용면적))

③ 층·호별 효용비가 대등한 경우 간편적인 방법

> 원가법에 의한 구분건물의 감정평가액 = 토지 감정평가액(원/m^2) × 대지권면적(m^2) + (건물감정평가액(원/m^2) × 면적(전유면적+공용면적))

04 수익환원법

구분소유건물의 순영업소득을 산정하여 이를 할인이나 환원하여 수익가액을 산출한다.

> • 수익환원법에 의한 감정평가액 = 대상물건(구분소유 부동산)의 순수익 ÷ 종합환원율
> • 수익환원법에 의한 감정평가액 = 대상물건(구분소유 부동산)의 보유기간 중 순수익 현가 + 기간 말 복귀가치의 현가

제3절　층별, 위치별 효용비와 지가배분율

01　개념

구분소유부동산을 감정평가할 때에는 층별·위치별 효용요인을 반영하여야 한다. 일반적으로 건물의 효용성은 층별로 상이하다. 주거용 건물은 쾌적성, 상업용 건물은 수익성, 사무실빌딩의 경우는 능률 면에서 층별로 차이가 있는데 이러한 차이는 당연히 층별가격과 임대료에 반영된다. 층별 효용비율이란 건물의 층별로 파악되는 효용의 비율이라 할 수 있다. 또한 동일층 내에서 점하는 전유부분의 위치에 따른 차이가 있을 때 각 전유부분의 효용비율을 부분별(위치별) 효용비율이라고 한다.

02　층별, 위치별 효용비 산출방법

(1) 가격을 기준으로 구하는 방법

각 층의 단위전유면적당(원/m²) 가격을 산출하여 1층을 100으로 할 때의 각 층의 비율을 산출한다.

(2) 임대료를 기준으로 구하는 방법

각 층의 단위전유면적당 임대료(총수익)(원/m²)를 산출하여 1층을 100으로 할 때의 각 층의 비율을 산출한다.

>> 층별 효용비는 층간 효용격차의 상대적인 개념이고, 층별 효용비율은 전체건물에서 대상이 가지는 효용의 비율을 의미한다. 하지만 실무적으로 용어를 혼용하여 사용하므로 유의해야 한다.

03　층별, 위치별 효용배분율 구하는 방법

각 층별, 위치별 효용비를 전유면적에 곱하여 효용적수를 산출한 후 건물 전체를 100%로 할 때 해당 층이나 위치가 차지하는 비율을 산정한다.

▸ 산정예시

구분	① 총분양가격	② 전유면적(m²)	단가 (원/m²)	③ 층별효용비	④ 효용적수	⑤ 층별배분율
1층	6,000	30	200	100	30 × 100 = 3,000	3,000 / 5,000 = 0.6
2층	4,000	40	100	50	40 × 50 = 2,000	2,000 / 5,000 = 0.4
계	10,000	70	−	−	5,000	100%

04 통계에 의한 층별 효용비

⑴ 토지보상평가지침(별표)상 층별 효용비

층별	고층 및 중층 시가지		저층시가지				주택지
	A형	B형	A형	B형	A형	B형	
20	35	43					
19	35	43					
18	35	43					
17	35	43					
16	35	43					
15	35	43					
14	35	43					
13	35	43					
12	35	43					
11	35	43					
10	35	43					
9	35	43	42	51			
8	35	43	42	51			
7	35	43	42	51			
6	35	43	42	51			
5	35	43	42	51	36	100	
4	40	43	45	51	38	100	
3	46	43	50	51	42	100	
2	58	43	60	51	54	100	100
지상1	100	100	100	100	100	100	100
지하1	44	43	44	44	46	48	–
2	35	35	–	–	–	–	–

» 1. 이 표의 지수는 건물가격의 입체분포와 토지가격의 입체분포가 같은 것을 전제로 한 것이다.
   2. 이 표에 없는 층의 지수는 이 표의 경향과 주위환경 등을 고려하여 결정한다.
   3. 이 표의 지수는 각 용도지역별 유형의 개략적인 표준을 표시한 것이므로 여건에 따라 보정할 수 있다.
   4. A형은 상층부 일정층까지 임대료수준에 차이를 보이는 유형이며, B형은 2층 이상이 동일한 임대료수준을 나타내는 유형이다.

(2) **투자수익률 분석보고서상 층별효용비(율)(예시)**

구분			층구분(천원/m²)						
			지하 1층	1층	2층	3층	4층	5층	6~10층
서울	전체	임대료	11.2	35.6	19.4	16.8	16.4	16.1	15.8
		효용비율	0.31	1.00	0.54	0.47	0.46	0.45	0.44
	도심	임대료	11.2	33.7	22.3	18.6	17.5	16.9	16.7
		효용비율	0.33	1.00	0.66	0.55	0.52	0.50	0.50
	강남	임대료	12.6	41.4	21.6	18.9	19.0	18.4	19.1
		효용비율	0.30	1.00	0.52	0.46	0.46	0.44	0.46
	여의도 마포	임대료	10.9	35.6	18.7	15.6	14.1	14.0	13.5
		효용비율	0.31	1.00	0.53	0.44	0.40	0.39	0.38
	기타	임대료	1.03	33.3	17.3	15.2	15.1	14.8	13.9
		효용비율	0.31	1.00	0.52	0.46	0.45	0.44	0.42

》 투자수익률 분석보고서(국토교통부, 분기 1회)에서는 오피스, 매장용(중대형, 소규모, 집합)의 권역별 층별 단위면적당 임대료 및 효용비율을 산출하고 있다.

기 본예제

다음에 제시된 자료를 기준으로 층별효용비와 층별효용비율을 산정하시오.

자료 1 대상건물자료

층	B1	1	2	3	4	합계
전유면적(m²)	240	200	200	200	200	1,040

자료 2 인근 분양사례

층	전유면적(m²)	분양가격(원)	비고
4	180	131,000,000	적정함
3	200	160,000,000	적정함
2	200	183,000,000	저가분양
1	200	290,000,000	적정함
B1	240	150,000,000	적정함
합계	1,020	914,000,000	

자료 3 기타자료

1. 인근지역에서 최근 분양된 사례를 수집한바, 대상과 분양사례의 층별효용비는 동일한 것으로 판단됨.
2. 사례 2층의 분양가는 정상적인 분양가보다 10% 저가로 분양된 것으로 조사됨.

1. 층별 전유면적당 분양가격(원/m²) 산정

(1) 4층 : 131,000,000 ÷ 180 = 728,000

(2) 3층 : 160,000,000 ÷ 200 = 800,000

(3) 2층 : 183,000,000 × 100/90 ÷ 200 = 1,017,000

(4) 1층 : 290,000,000 ÷ 200 = 1,450,000

(5) 지하 : 150,000,000 ÷ 240 = 625,000

2. 층별효용비 및 층별효용비율 산정

층	사례분양단가	층별효용비[*]	대상전유면적	층별효용적수[**]	층별효용비율[***]
4	728,000	50	200	10,000	0.1531
3	800,000	55	200	11,000	0.1684
2	1,017,000	70	200	14,000	0.2143
1	1,450,000	100	200	20,000	0.3062
지하 1	625,000	43	240	10,320	0.1580
계			1,040	65,320	1.0000

[*] 층별효용비 : 대상층단가 / 기준층(1층)단가 × 100

[**] 효용적수 : 층별효용비 × 대상전유면적

[***] 층별효용비율 : 대상층효용적수 / 전체층효용적수

05 지가배분율[6)]

주거용 또는 수익용의 구분건물 및 구분지상권의 평가와 관련될 때 대지사용권의 가격이 위치적으로 상하로 구분될 경우 배분되어질 적정한 배분비율이다.

기 본예제

아래 부동산(집합건물)의 호별가액을 각 방법에 의하여 배분하시오.

1. 층별효용비에 의한 전체가액 배분

2. 지가배분율에 의한 토지가액의 배분

자료 1 물건자료

구분	전유면적(m²)	바닥면적(m²)
1층호	100	200
2층호	100	200
합계	200	400

자료 2

토지가액 : 1,200,000,000원(60%), 건물가액 : 800,000,000원(40%)

---

6) 층·호별 효용비의 개념으로 인하여 사용되지는 않으나 개념은 알고 있어야 할 것이다.

자료 3 층별효용비 정보

구분	1층	2층
층별효용비	100	50

예시답안

1. 각 층별 가액

구분	전유면적(m^2)	층별효용비	효용적수	층별가액
1층	100	100	10,000	1,333,000,000*
2층	100	50	5,000	667,000,000**
합계			15,000	2,000,000,000

* 1층 : $(1,200,000,000 + 800,000,000) \times \dfrac{10,000}{15,000}$

** 2층 : $(1,200,000,000 + 800,000,000) \times \dfrac{5,000}{15,000}$

2. 각 호별 지가배분액

구분	효용적수	건물귀속분	토지귀속분	토지배분가
1층	10,000	3,000	7,000	933,000,000**
2층	5,000	3,000	2,000	267,000,000***
소계	15,000	6,000*	9,000	1,200,000,000

* 건물가격구성비 : 15,000 × 40% = 6,000

** $1,200,000,000 \times \dfrac{7,000}{9,000}$ (1층의 지가배분율)

*** $1,200,000,000 \times \dfrac{2,000}{9,000}$ (2층의 지가배분율)

제4절 구분소유권 감정평가 시 유의사항

01 토지 및 건물가격의 배분

구분건물의 경우 거래관행상 건물과 토지의 가액을 분리하는 것이 곤란하나, 감정평가의 목적상 부득이하게 건물과 토지의 대지권에 대한 가액 배분이 필요한 경우가 있다.

토지·건물 가액을 배분하는 방법으로는 ⅰ) 적정한 비율[실무적으로 주거용, 비주거용 부동산에 대해 각각 배분비율이 존재하며 용도, 위치(서울, 대도시, 기타), 노후정도, 층 등에 따라 배분비율이 다르다]을 적용하여 배분하는 방법, ⅱ) 토지 또는 건물의 가액을 구하여 일체의 가액에서 공제하여 배분하는 방법이 있으며, 대상물건의 인근지역에 대한 조사를 통하여 합리적인 배분비율을 산출할 수 있는 경우에는 그 비율을 적용하여 배분할 수 있고, 토지 또는 건물만의 가액을 합리적으로 구할 수 있는 경우에는 이를 구하여 공제하는 방법을 적용할 수 있을 것이다.

02 대지사용권을 수반하지 않은 구분건물의 감정평가

(1) 대지사용권을 수반하지 않는 구분건물의 개요

아파트와 같은 대규모 집합건물의 경우, 대지의 분·합필 및 환지절차의 지연, 각 세대당 지분비율 결정의 지연, 토지에 대한 분쟁 등으로 인하여 전유부분에 대한 소유권이전등기만 경료되고, 대지사용권 등기는 상당기간 지체되어 대지사용권이 미등기된 구분건물이 종종 발생한다.

(2) 유형별 처리방법

대지사용권을 수반하지 않은 구분건물의 감정평가는 건물만의 가액으로 감정평가한다. 다만, 추후 토지의 적정지분이 정리될 것을 전제로 가격이 형성되는 경우에는 대지사용권을 포함한 가액으로 감정평가할 수 있다.

구분		처리방법
대지권 등기 없음	적정지분 정리 가능한 경우 및 적정지분의 토지를 공유형태로 소유	대지사용권이 적정지분으로 정리될 수 있는 경우로서 적정지분 토지와 건물부분을 일괄로 정상평가(적정 대지권 포함평가)
	토지를 공유형태로 소유 (적정지분 아님)	토지와 건물을 일괄로 평가하되, 적정지분과의 오류로 인한 가격변동을 평가액에 반영
	토지 소유 없음(제3자의 소유)	건물만의 가격을 평가

(3) 대지권이 없는 구분소유권의 평가방법(건물만의 가액평가)

대지사용권이 없는 건물만의 가액을 감정평가할 경우 인근지역에 이러한 건물만의 가격수준이 존재하면 해당 가격수준을 기준으로 평가하며, 그러한 가격수준이 존재하지 않는다면 대지사용권을 포함한 거래사례가액에서 합리적인 방법으로 건물만의 가치를 배분하여 여기에 가치형성요인을 비교하여 결정할 수 있다.

03 구분점포[일명 오픈(Open)상가]

백화점이나 대형마트와 같이 칸막이나 바닥 경계선으로만 인접 점포와 구분되나, 경계 없이 이용 중인 구분소유건물의 점포를 말한다. 이러한 점포는 구분소유권의 대상이 될 수 있는지를 확인해야 하며,[7] 현장조사 시 관련규정상의 구분소유의 요건을 충족하였는지 판단해야 하고, 구체적으로는 타일의 색이나 종류, 칸막이(파티션)의 유무 및 종류, 임대내역, 구별표지 여부, 바닥의 경계선 등을 확인해야 할 것이다.

> **집합건물의 소유 및 관리에 관한 법률 제1조의2**(상가건물의 구분소유)
>
> ① 1동의 건물이 다음 각 호에 해당하는 방식으로 여러 개의 건물부분으로 이용상 구분된 경우에 그 건물부분(이하 "구분점포"라 한다)은 이 법에서 정하는 바에 따라 각각 소유권의 목적으로 할 수 있다.
> 1. 구분점포의 용도가 「건축법」 제2조 제2항 제7호의 판매시설 및 같은 항 제8호의 운수시설일 것
> 2. 삭제
> 3. 경계를 명확하게 알아볼 수 있는 표지를 바닥에 견고하게 설치할 것
> 4. 구분점포별로 부여된 건물번호표지를 견고하게 붙일 것
> ② 제1항에 따른 경계표지 및 건물번호표지에 관하여 필요한 사항은 대통령령으로 정한다.

---

7) 집합건물의 소유 및 관리에 관한 법률 제1조의2(구분점포)는 용도(판매시설 및 운수시설), 바닥경계표시(경계를 명확하게 알아볼 수 있는 표지를 바닥에 견고하게 설치할 것), 건물번호표지(구분점포별로 부여된 건물번호표지를 견고하게 붙일 것)의 요건을 충족하면 구분소유의 대상이 되는 것으로 개정되었다.

기 본예제

다음 자료를 활용하여 K아파트 3층 301호의 매매참고용 평가금액을 비교방식 및 원가방식으로 평가하시오.

자료 1 ▶ 대상 부동산 자료

1. 토지 : 서울특별시 영등포구 영등포동8가 100번지 대 800m² 중 35m²(대지권)
2. 건물 : 위 지상 철근콘크리트조 슬래브지붕 5층 아파트 제3층 제301호,
   전유면적 : 73m², 연면적 : 1,790m²(2026.3.2. 준공)
3. 건물의 층별 전유면적(단위 : m²)

층	1	2	3	4	5
면적	282	292	292	292	292

4. 전체 부동산의 시장가치
   (1) 토지 : 8,000,000원/m²
   (2) 건물 : 1,000,000원/m²
5. 기준시점 : 2027.9.1.
6. 평가목적 : 일반거래(매매참고용)
7. 도시계획관계 : 도시계획상 제2종일반주거지역, 아파트지구에 속함.
8. 3층 호별 전유면적(단위 : m²)

301호(본건)	302호	303호	304호
73	83	73	63

자료 2 ▶ 인근지역의 거래사례 부동산 자료

1. 소재지 : 서울특별시 영등포구 영등포동8가 90번지, 대, 820m² 중 5층 아파트
2. 건물 : 위 지상 철근콘크리트조 슬래브지붕 5층 아파트, 연면적 : 2,050m²
   전유면적 : 1~5층 각 330m² 내 4층 404호 전유면적 : 82.5m²
3. 거래시점 : 2026.10.1.
4. 거래조건 : 해당 거래는 정상적인 거래인 것으로 판단됨.
5. 거래내역 : 해당 아파트를 거래하면서 아파트의 전유면적당(m²) 거래가격은 6,000,000원임.

자료 3 ▶ 요인비교자료 등

1. 본건/거래사례의 요인비교치

구분	외부요인	건물요인	개별적 요인
요인비교치	0.95	0.93	아래의 층, 호별 효용격차에 의함.

2. 시점수정 : 거래시점의 아파트 가격지수 115, 기준시점의 아파트 가격지수는 120임.

자료 4 ▶ 인근 아파트의 분양자료 등

1. 인근 유사아파트의 최근 분양사례(대상 부동산의 평가에 적용하여도 무방함)
   (1) 층별 분양가격

층별	1층	2층	3층	4층	5층
분양가격(원/m²)	1,420,000	1,580,000	1,500,000	1,460,000	1,400,000

   (2) 호별 분양가격(모든 층에 적용 가능)

호별	301호	302호	303호	304호
분양가격(원/m²)	1,480,000	1,550,000	1,520,000	1,450,000

2. 층별 및 호별효용비는 1층 및 1호를 100으로 하여 계산하고, 소수점 첫째 자리에서 반올림하여 산정함.

자료 5

평가는 전유면적당 단가(원/m²)을 기준으로 하되, 단가는 반올림하여 원단위까지, 총액은 반올림하여 백만원단위까지 표시한다.

예시답안

I. 평가개요

본건은 서울특별시 영등포구에 소재하는 아파트에 대한 감정평가로서 비교방식을 통하여 감정평가하되, 원가방식을 통하여 그 합리성을 검토한다(기준시점: 2027.9.1.).

II. 비교방식(거래사례비교법)

1. 층별, 호별 효용비(인근의 분양사례를 기준으로 판단한다.)

(1) 층별 효용비

1층	2층	3층	4층	5층
100	111	106	103	99

(2) 호별 효용비

1호	2호	3호	4호
100	105	103	98

2. 비준가액

(1) 시점수정치(아파트 매매가격지수): $120/115 ≒ 1.04348$

(2) 가치형성요인 비교치

① 외부요인: 0.95

② 건물요인: 0.93

③ 개별적 요인: $106/103 × 100/98 ≒ 1.05$

④ 가치형성요인 비교치: $0.95 × 0.93 × 1.05 ≒ 0.928$

(3) 비준가액: $6,000,000 × 1.000 × 1.04348 × 0.928 ≒ 5,810,097$원/m²$(× 73 ≒ 424,000,000$원)

III. 원가방식(원가법)

1. 전체 토지, 건물의 가격(1동 전체)

$$8,000,000 × 800 + 1,000,000 × 1,790 = 8,190,000,000원$$

2. 대상(3층, 301호)의 효용비율

(1) 3층의 층별 효용비율: $\dfrac{106 × 292}{100 × 282 + (111 + 106 + 103 + 99) × 292} ≒ 0.2056$

(2) 1호의 호별 효용비율: $\dfrac{100 × 73}{100 × 73 + 105 × 83 + 103 × 73 + 98 × 63} ≒ 0.24573$

(3) 301호의 효용비율: $0.2056 × 0.24573 ≒ 0.05052$

3. 대상 부동산의 적산가액

$$8,190,000,000 × 0.05052 ≒ 414,000,000원$$

IV. 감정평가액 결정

구분소유권의 목적이 되는 부동산은 관련 규정에 의하여 거래사례비교법으로 평가하도록 규정되어 있으며, 원가법에 의한 감정평가액으로 인한 합리성이 인정되는 것으로 판단되는바, 거래사례비교법에 의한 가격인 424,000,000원으로 결정한다.

임대료 및 임대차의 감정평가

01 임대료 감정평가의 개요

1. 개요

임대료(사용료를 포함한다)란 임대차 계약에 기초한 대상물건의 사용대가로서 지급하는 금액을 말한다. 이는 부동산에 대한 용익(사용·수익)의 대가로서 원본에 대한 과실을 의미한다. 즉, 임대료란 부동산에 대한 소유권은 이전하지 않은 채 사용권이나 수익권만을 타인에게 설정해주고 받는 반대급부를 말한다.

2. 임대료 감정평가의 기준

(1) 실질임대료 기준

실질임대료는 종류의 여하를 불문하고 임대인에게 지불되는 모든 경제적 대가를 말하며, 순임대료 및 필요제경비 등으로 구성된다. 이러한 실질임대료는 지불임대료뿐만 아니라 권리금 등 임대료의 선불적 성격을 갖는 일시금의 상각액과 운용익 및 보증금, 협력금 등 임대료의 예금적 성격을 갖는 일시금의 운용익까지 포함한다. 다만, 의뢰인이 보증금 등을 포함한 계약 내용에 따라 지급임대료를 산정하도록 요청할 때에는 해당 계약 내용을 고려한 지급임대료를 구하되, 감정평가서에 그 내용을 적어야 한다. 실무적으로는 임차인의 사용·수익에 따라 발생하는 전기료, 수도료 등 부가사용료 및 공익비, 부가가치세는 포함하지 않고 평가한다.

>> 지불임대료는 각 지불시기에 지불되는 임대료로서 대상 부동산의 순임대료의 일부 또는 전부와 대상 부동산의 사용·수익을 위한 필요제경비 등으로 구성된다. 지불임대료는 실질임대료에서 임대료의 선불적 성격을 지닌 일시금의 운용익 및 상각액과 임대료의 예금적 성격을 갖는 일시금의 운용익을 공제하여 구한다. 이러한 지불임대료를 산정해야 하는 경우에 유의할 점은 관례상 건물 및 그 부지의 일부를 임대차할 경우 수도, 광열비, 청소비, 위생비, 냉난방비 등 부가사용료와 공익비 등의 명목으로 지불되는 금액 중에는 실제비용을 초과하는 부분이 있는데, 이것도 실질적으로 임대료에 해당한다는 점이다.

(2) 시장임대료 기준

시장성이 있는 물건이 합리적인 자유시장에서 물건의 내용에 정통한 당사자 간에 자유의사로 합의될 수 있는 적정임대료로 평가 시 기준이 되는 임대료를 의미한다.

(3) 신규임대료 기준

신규임대료란 임대차계약의 개시시점에서 부동산 사용·수익에 수반되는 경제적 이익에 부응하는 적정한 임대료로서 일반적으로 시장임대료인 경우가 대부분이다. 왜냐하면 계약을 체결하여 최초로 지불된 임대료는 자유시장에서 성립하기 때문이다.

국내의 경우 임대차 기간이 비교적 짧고, 임대차 기간 만료 후 재계약 시 특별한 경우를 제외하고는 신규임대료에 상응하는 임대료수준을 요구하며, 「감정평가에 관한 규칙」상 시장가치에 상응하는 임대료를 기준하는 점 등을 고려할 때 신규임대료를 기준으로 감정평가한다.

(4) 임대료의 산정기간

임대료의 산정기간은 1년을 단위로 하는 것을 원칙으로 한다. 단, 의뢰인이 요청 시 특정기간으로 산정이 가능하다.

02 임대료의 구성 및 산정기간

1. 임대료의 구성

(1) 실질임대료

순임대료 + 필요제경비

(2) 임대료의 구성

<table>
<tr><td rowspan="2"></td><td colspan="2" align="center">실질임대료</td></tr>
<tr><td align="center">순임대료</td><td align="center">필요제경비</td></tr>
<tr><td rowspan="2" align="center">지불임대료</td><td>① 각 지불시기에 일정액씩 지불되는 임대료 중 순임대료액
② 부가사용료, 공익비 중 실비 초과액</td><td>① 감가상각비
② 유지관리비
③ 공조공과
④ 손해보험료
⑤ 대손준비비
⑥ 공실손실상당액
⑦ 정상운전자금이자</td></tr>
<tr><td>① 예금적 성격의 일시금 운용익(보증금 운용익)
② 선불적 성격의 일시금(권리금) 상각액
③ 선불적 성격의 일시금 미상각액의 운용익</td><td></td></tr>
</table>

⑶ 실질임대료와 총수익 등과의 관계

<table>
<tr><td colspan="4" align="center">실질임대료</td></tr>
<tr><td colspan="2" align="center">순임대료</td><td align="center">필요제경비</td><td align="center">임차인실비정산</td></tr>
</table>

총수익(PGI)		
유효총수익(EGI)	공실 손실
순수익(NOI)	운영 경비

|↔|
감가상각비

2. 임대료의 산정기간

기준시점	실현시점	산정기간
임대료산정기간의 초일 • 지난 1년(기준시점으로부터 1년) • 최근 1년(기준시점 현재)	임대료산정기간의 말일 기준	원칙적으로 1년 기준

03 임대료의 감정평가방법

> **감정평가에 관한 규칙 제22조**(임대료의 감정평가)
> 감정평가법인등은 임대료를 감정평가할 때에 임대사례비교법을 적용해야 한다.

1. 신규임대료의 평가방법

1) 임대사례비교법

"임대사례비교법"이란 대상물건과 가치형성요인이 같거나 비슷한 물건의 임대사례와 비교하여 대상물건의 현황에 맞게 사정보정, 시점수정, 가치형성요인 비교 등의 과정을 거쳐 대상물건의 임대료를 산정하는 감정평가방법을 말한다. 임대사례비교법을 통하여 산정된 임대료를 비준임대료라고 한다.

(1) 임대사례의 선택기준 [1]

임대사례비교법으로 감정평가할 때에는 임대사례를 수집하여 적정성 여부를 검토한 후 다음 각 호의 요건을 모두 갖춘 하나 또는 둘 이상의 적절한 임대사례를 선택하여야 한다. 임대사례의 선택기준은 거래사례의 선택기준과 동일하나 임대차 등의 계약내용의 유사성도 검토해야 한다.

① 임대차 등의 계약내용이 같거나 비슷한 사례

임대차 사례는 평가대상 부동산과 임대사례 부동산의 임대차 계약내용이나 조건이 유사하여야 하는데, 이는 임대차계약의 내용이나 조건이 임대차기간 동안 계약임대료 수준에 계속적으로 영향을 미치기 때문이다. 임대차계약의 내용이나 조건이 다른 사례는 평가대상 부동산의 임대료와 근본적으로 차이가 발생하며, 결과적으로는 신뢰성이 떨어지는 평가결과를 산출하게 된다. 임차인의 임대면적 및 해당 위치, 서비스면적, 임대료의 지급행태(전세, 보증금부 월세 및 보증금의 비율, 매출액 연동 임대차 등), 관리비 별도 납부 여부, 임대료 상승조건, 임대료 지불시기 및 방법, 계약서상 특별한 임대조건의 수반 여부 등이 유사한 사례를 선정한다.

② 임대차 사정이 정상이라고 인정되는 사례나 정상적인 것으로 보정이 가능한 사례

부동산의 임대차에서 거래의 자연성을 해치는 특수한 사정 또는 동기가 개입된 사례는 정상적이라고 인정되는 사례나 정상적인 것으로 보정이 가능한 사례로 보기 어렵다. 여기서 정상적인 것으로 보정이 가능하다는 것은 사정이 개입된 임대료가 정상적인 임대료로부터 괴리된 정도에 대한 계량적인 파악이 가능하다는 것을 의미한다.

③ 기준시점으로 시점수정이 가능한 사례

부동산의 가치는 시간에 따라 변동하므로 임대시점과 기준시점의 임대료가 차이가 나는 것이 일반적이며, 이 경우 임대사례는 임대시점의 임대료를 기준시점의 임대료로 수정이 가능한 사례를 수집한다. 여기서 시점수정이 가능한 임대사례란 임대시점과 기준시점의 임대료에 대한 임대료지수 또는 임대료상승률의 파악이 가능한 사례를 말한다.

④ 대상물건과 위치적 유사성이나 물적 유사성이 있어 지역요인·개별요인 등 가치형성요인의 비교가 가능한 사례

대상물건과 위치적 유사성은 인근지역과 동일수급권 내의 유사지역에 위치하여 비교가능성 있는 것을 의미한다. 이러한 위치적 유사성은 단순한 지리적 위치의 접근성이 아니라 용도적 관점에서 파악해야 한다. 대상물건의 물적 유사성은 부동산의 물리적·기능적 상태·용도·구조·설계 구성재료, 경과연수, 설비, 규모 등의 유사성을 의미한다. 특히 건물의 경우는 건물구조에 따라 용도가 결정되는 경우가 많으며, 효용의 창출정도가 달라지므로 사례를 선정할 때 유의하여야 한다.

>> 임대사례의 선정 시에는 용도지역 등 공법상 제한이 다르더라도 이용상황의 유사성 등 임대차관계의 대체가능성이 있으면 임대사례로서 선정할 수 있다.

---

1) 감정평가실무기준 해설서(Ⅰ) 총론편, 한국감정평가사협회 등, 2014.02, pp.151~152

(2) 사정보정

임대사례에 특수한 사정이나 개별적 동기가 반영되어 있거나 임대차 당사자가 시장에 정통하지 않은 등 수집된 임대사례의 임대료가 적절하지 못한 경우에는 사정보정을 통해 그러한 사정이 없었을 경우의 적절한 임대료 수준으로 정상화하여야 한다.

(3) 시점수정

① 임대사례의 임대시점(특별한 사정이 없는 한 임대차 계약서상 임대 개시시점을 기준하되, 개시시점을 확인할 수 없는 경우에는 해당 임대차계약이 유지되는 한 사례임대료의 조사시점 또는 임대사례 감정평가 기준시점 등을 기준하여 활용할 수 있다)과 대상물건의 기준시점이 불일치하여 임대료 수준의 변동이 있을 경우에는 임대사례의 임대료를 기준시점의 임대료 수준으로 시점수정하여야 한다.

② 시점수정은 사례물건의 임대료 변동률로 한다. 다만, 사례물건의 임대료 변동률을 구할 수 없거나 사례물건의 임대료 변동률로 시점수정하는 것이 적절하지 않은 경우에는 사례물건의 가격 변동률·임대료지수·생산자물가지수 등을 고려하여 임대료 변동률을 구할 수 있다.

③ **부동산의 임대료변동률**(시점수정) **기준**[2]

종류	권장지수	보조지수
주거용 (아파트, 연립, 다세대)	(한국부동산원 전국주택가격동향조사) 유형별 전월세통합지수	(한국부동산원 전국주택가격동향조사) 전세가격지수, 월세가격지수 등
오피스텔	(한국부동산원 오피스텔 가격동향조사) 전세가격지수, 월세 가격지수	–
비주거용 (구분상가, 업무시설, 지식산업센터, 특수부동산)	(한국부동산원 상업용 부동산 임대동향조사) 상권별 임대가격지수 (오피스/중대형상가/소규모상가/집합상가)	생산자물가지수 중 비주거용 건물 임대부문 지수 등

≫ 검토지표로서 주거용의 경우 매매가격지수, 지가변동률, 시중금리 변동률 등이 추가될 수 있으며, 비주거용의 경우 유사물건의 소득수익률, 투자수익률 등이 활용될 수 있다.

④ 주거용 부동산의 경우 한국부동산원 R-one 통계정보시스템상에서 [전국주택가격동향조사 → 월간동향 → (유형별) 지역별 전월세통합지수] 활용하되, 해당 주거용 부동산의 지역, 물건, 임대료 및 임대 특성 등에 따라 (유형별) 지역별 전월세 통합지수를 적용하는 것이 임대료 추이에 부합하지 않는 경우에는 (유형별) 지역별 전세가격지수, 월세가격지수 활용 가능하다.

⑤ 오피스텔의 경우 한국부동산원 R-one 통계정보시스템상에서 [오피스텔 가격 동향조사 → 전세가격지수 또는 월세가격지수] 활용하되, 통계자료 제공이 되지 않는 지역의 경우에는 실질에 따라 공동주택의 임대료 권장지수와 상업용 부동산의 임대료 권장지수가 활용가능하다.

---

2) 물건별 시점수정방법 권고사항 알림, 한국감정평가사협회, 2024.02.16.

⑥ 비주거용 부동산의 경우 한국부동산원 R-one 통계정보시스템상에서 [상업용 부동산 임대동향조사 → 임대정보 → 상권별 임대가격지수] 활용하되, 물건 유형별 하위상권별 임대가격지수 적용을 원칙으로 하고, 하위상권 확인이 불가하거나 하위상권의 임대가격지수가 발표되지 않는 경우에는 시도별 임대가격지수를 활용한다.

기본예제

아래 임대료 감정평가 시 시점수정치를 각각 산정하시오(기준시점 : 2027년 6월 30일)(윤년의 처리는 고려치 말 것).

자료 1 임대사례 1(아파트)

임대차기간 : 2026.07.08. ~ 2028.07.07.(2년)

자료 2 임대사례 2(집합상가)

임대차기간 : 2026.09.15. ~ 2028.09.14.(2년)

- 아파트 월세가격지수

지역	2026.05.		2026.06.		2027.05.		2027.06.	
	지수	변동률(%)	지수	변동률(%)	지수	변동률(%)	지수	변동률(%)
서울/도심권	97.8	0.01	97.9	0.05	99.6	0.08	미고시	

- 상업용 부동산 임대가격지수(집합상가)

지역	2026.3Q		2026.4Q		2027.1Q		2027.2Q	
	지수	변동률(%)	지수	변동률(%)	지수	변동률(%)	지수	변동률(%)
서울/도심	99.16	−0.84	98.56	−0.60	98.47	−0.10	미고시	

예시답안

1. **임대사례 1**

   임대사례의 임대차계약시점을 기준하며, 아파트 월세가격지수를 기준으로 한다.

   $$\frac{2027.06.30}{2026.07.08} = \frac{2027.05}{2026.06} = \frac{99.6}{97.9} \fallingdotseq 1.01736$$

2. **임대사례 2**

   임대사례의 임대차계약시점을 기준하며, 상업용 부동산 임대가격지수를 기준한다.

   $(1 - 0.0084 \times 16/92) \times (1 - 0.0060) \times (1 - 0.0010) \times (1 - 0.0010 \times 91/90) \fallingdotseq 0.99055$

---

(4) 임대료형성요인 비교

① 임대사례와 대상물건 간에 종별·유형별 특성에 따라 지역요인이나 개별요인 등 임대료의 형성에 영향을 미치는 여러 요인에 차이가 있는 경우에는 이를 각각 비교하여 대상물건의 임대료를 개별화·구체화하여야 한다.

② **임대료형성요인의 비교**

구분건물 감정평가 시 가치형성요인 비교와 유사하며, 단지외부요인, 단지내부요인, 호별요인으로 각각 나누어 비교한다.

(5) 층별·위치별 효용비교치

① 복합부동산의 1개층, 또는 구분소유건물 일부의 비준임대료 산정 시 비교가 필요하다.

② 본건에 적용할 수 있는 적절한 층별·위치별 효용비를 추출하여 활용한다(층별·위치별 효용비의 구체적 산정방법은 앞에서 설명하였다).

(6) 면적비교 등

임대료 비교 시 임대사례와 대상의 면적의 종류를 통일시켜야 한다. 임대사례가 임대면적당 임대료로 제시되어 있으면 본건의 임대료 결정 시에도 임대면적을 적용해야 하며, 전유면적당 임대료가 제시된 경우에는 본건의 임대료 결정 시에도 전유면적을 적용해야 한다.

토지 및 건물형태의 부동산 임대료 감정평가 시 한 층의 일부분인 경우가 많은바 정확한 임대면적과 위치를 도면상에서 반드시 확인하여 임대사례비교법 적용 시 반영하여야 한다.

> • 임대(분양)면적 = 전유면적 + 공용면적
> • 전유면적당 임대료 결정 × 본건의 전유면적 = 총 임대료
> • 임대면적당 임대료 결정 × 본건의 임대면적 = 총 임대료

(7) 보증금 및 월세(지불임대료)로 배분하는 경우

실질임대료 산정 시 의뢰인의 요청 등에 따라 보증금 및 월세로 보정하는 경우에는 전월세전환율을 활용하여 설정된 보증금에 대한 적정 지불임대료를 배분할 수 있다. 예를 들어 연간 실질임대료가 100,000,000원, 전월세전환율이 5%이면서 의뢰인이 보증금 80,000,000원 설정 시의 적정 월지불임대료를 평가해주기를 요청하는 경우에는 (100,000,000 − 80,000,000 × 0.05) ÷ 12월 = 8,000,000 원/월로 배분할 수 있다.

기 본예제

(주)D감정평가법인에 근무하고 있는 柳평가사는 의뢰인 金 씨로부터 신축빌딩 4층 부분에 대한 임대료평가를 의뢰받고 다음과 같은 자료를 수집하였다. 2027년 8월 1일을 기준한 시장임대료를 평가하시오.

자료 1 ▶ 대상 부동산자료

1. 소재지: 충북 제천시 M동 1번지
2. 토지: 대 2,000m² 중 정씨 지분(권리면적)은 300m²로 적정지분임.
3. 건물: 위지상 철근콘크리트조 슬래브지붕 지하 1층 지상 5층, 연면적 2,100m²(각 층 350m²) 내 4층 350m²(임대면적), 280m²(전유면적)
4. 이용상황: 업무용

자료 2 ▶ 임대사례자료

1. 소재지: 충북 제천시 Y동 1번지 내 3층 전체
2. 토지: 대 580m² 중 3층 해당 지분은 80m²으로 적정지분임.
3. 건물: 위지상 철근콘크리트조 슬래브지붕 지상 5층 지하 1층, 연면적 1,920m²

4. 이용상황 및 면적 : 사무실, 320m²(임대면적), 256m²(전유면적)
5. 임대기간 : 2026년 7월 1일~2027년 6월 30일
6. 임대보증금 : 500,000,000원
7. 월지불임대료(공익비 제외) : 6,000,000원[월차임과 관리비(필요제경비)가 포함된 금액]
8. 연간 필요제경비 : 20,000,000원
9. 임대료 등은 정상적인 것으로 판단됨.

자료 3 생산자물가지수(비주거용 건물임대지수)

시점	2026.6.	2026.7.	2027.1.	2027.7.
지수	128	129	131	135

자료 4 제천시의 업무용빌딩 층별 효용지수

층별	지하층	1층	2층	3층	4층	5층
효용지수	40	100	125	120	100	70

자료 5 지역 및 개별요인자료

1. Y동은 M동보다 지역적으로 5% 정도 우세함.
2. 대상토지는 사례토지보다 개별요인분석 결과 10% 열세하며(대지의 면적 및 공유지분면적 등은 개별요인 비교 시 고려되었음), 단, 건물의 개별요인은 대상이 5% 우세함.

자료 6 기타자료

전월세전환율은 연12%이며, 임대료는 반올림하여 십만원 단위까지 표시한다.

예시답안

I. 평가개요

본건은 2027년 8월 1일을 기준으로 한 시장임대료 평가로 임대사례비교법으로 산정한다.

II. 사례 부동산의 실질임대료 산정

$500,000,000 \times 0.12 + 6,000,000 \times 12 = 132,000,000$원($\div 256 ≒ 515,625$원/전유m²)

III. 시점수정치(비주거용 건물임대지수, 2026.7.1.~2027.8.1.)

$2027.07 / 2026.06 = 135 \div 128 ≒ 1.05469$

IV. 지역요인 비교치

$100 \div 105 ≒ 0.952$

V. 개별요인 비교치

$$\frac{90}{100} \times \frac{105}{100} \times \frac{100}{120} ≒ 0.788$$

VI. 실질임대료 결정

$515,625 \times 1.000(사정) \times 1.05469 \times 0.952 \times 0.788 ≒ 407,964$원/전유m²($\times 280 = 114,200,000$원)

2) 적산법

(1) 개념

적산법(積算法)이란 대상물건의 기초가액에 기대이율을 곱하여 산정된 기대수익에 대상물건을 계속하여 임대하는 데 필요한 경비를 더하여 대상물건의 임대료[(賃貸料), 사용료를 포함한다]를 산정하는 감정평가방법을 말한다.

적산임대료란 적산법에 따라 산정한 임대료를 말한다.

> 적산임대료 ≒ 기초가액 × 기대이율 + 필요제경비

(2) 기초가액

기초가액이란 적산법을 적용하여 적산임대료를 구할 때 기초가 되는 대상물건의 원본가치를 말한다. 교환의 대가인 협의의 가치와 용익의 대가인 임대료 사이에는 원본과 과실의 관계가 있기 때문에 적산임대료를 구하기 위해서는 원본가치로서의 기초가액을 구할 필요가 있다. 적산법은 부동산으로부터 발생하는 사용 수익의 대가를 얻기 위해 소요된 원가를 통해 간접적으로 측정할 수 있다는 논리에 따른 것으로, 그 투하된 가치인 기초가액이 중요한 의미를 갖는다.

① **토지평가** : 공시지가기준평가, 거래사례비교법에 의한다.

② **건물평가** : 원가법에 의한다.

③ **구분건물** : 거래사례비교법에 의한다.

>> 기초가액은 수익방식을 적용할 수 없는데, 이는 순환논리상 임대료 개념을 기초로 구한 가액으로 다시 임대료를 구하는 모순에 빠지게 되기 때문이다.[3]

한편, 기초가액의 성격에 대하여 여러 견해가 있다. 기초가액의 성격과 관련해서 시장가치로 보는 견해, 임대차조건 등에 부응하는 사용가치로 보는 견해, 자본이득으로 인한 가치를 공제한 가치로 보는 견해 등이 대표적이다.

(3) 기대이율

① 기대이율의 개념

기대이율이란 임대차에 제공되는 대상물건을 취득하는 데에 투입된 자본에 대하여 기대되는 임대수익의 비율을 말한다. 즉, 부동산에 대한 투자자의 입장 또는 부동산 임대공급자의 입장에서 부동산이 아닌 다른 투자대상에 투자하였을 경우의 기회비용을 포함하여 부동산으로부터 얻고자 하는 요구수익률의 성격이므로, 금융시장의 이자율과 밀접한 관계를 가지고 있다. 이는 기간이 짧은 임대차활동의 기초가 되고, 상각후 세공제 전의 순수익에 대응하는 이율이다.

---

3) 임대료는 부동산의 수익성이 어느 정도인지를 판단할 수 있는 기준을 제공하는 것으로, 이러한 임대료를 비용성의 사고에 따라 구한다고 하더라도 순수익이나 미래의 현금흐름 등을 적정한 율로 환원하는 수익방식에 의해서 기초가액을 산정한다는 것은 순환논리 등에 모순된다고 할 것이다.

② **기대이율의 산정방법의 원칙**

기대이율은 시장추출법, 요소구성법, 투자결합법, CAPM을 활용한 방법, 기타 대체경쟁 자산의 수익률 등을 고려한 방법 등으로 구할 수 있으며, 국공채이율, 은행의 장기대출금리, 일반시중금리, 정상적인 부동산거래이윤율, 국유재산법과 지방재정법이 정하는 대부료율 및 부동산의 용도별, 지역별, 실제이용상황별 격차 및 지역부동산시장의 특성 등을 종합 고려하여 결정할 수 있다.

기대이율은 기초가액과 밀접하게 연관된 개념으로, 기초가액의 성격을 무엇으로 보느냐에 따라 그 적용 형태가 달라질 수가 있다. 상기 기초가액의 성격과 관련된 논란에 따라 기대이율의 적용과 관련해서도 여러 견해가 있다.

> - 기대이율 = 임대수익(순임대료) / 기초가액, 임대수익(순임대료) = 임대료 − 필요제경비
> - 기대이율 = 순수이율 + 위험률*

* 위험률은 위험성 · 비유동성 · 관리의 난이성 · 자금의 안전성 등을 참작한 것이어야 한다.

Check Point!

● **기대이율과 환원이율의 비교** [4)]

구분	기대이율	환원이율
적용	적산법에서 기대수익 산정 시 적용	수익환원법에서 가치산정 시 적용
개념	투하자본에 대한 수익의 비율	대상물건의 가격에 대한 수익의 비율
시간	대상물건의 임대차기간에 적용되는 단기적 이율	대상물건의 내용연수 만료 시까지 적용되는 장기적 이율
전제	해당 계약조건을 전제하며, 물건의 종별에 따라 차이가 없음.	대상물건의 최유효이용을 전제하며 물건의 종별 간 차이가 있음.
산정기준	금융기관의 정기예금이율 등이 산정의 기초가 됨.	무위험에 위험할증률을 가산한 이율
상각/세공제	항상 상각후 세공제전 개념	상각전/후, 세공제 전/후의 구별이 있음
종합 이율	종합기대이율 개념 약함	2개 이상의 물건의 경우 종합환원이율이 적용

---

4) 감정평가실무매뉴얼(임대료 감정평가편), 한국감정평가사협회, 2016.09, p.36

③ 기대이율과 산정 관련 참고자료

㉠ 기대이율 적용기준표(2016년 기준) [5]

대분류		소분류		실제이용상황	
				표준적 이용	임시적 이용
I	주거용	아파트	수도권 및 광역시	1.5%~3.5%	0.5%~2.5%
			기타 시도	2.0%~5.0%	1.0%~3.0%
		연립·다세대	수도권 및 광역시	1.5%~5.0%	0.5%~3.0%
			기타 시도	2.5%~6.5%	1.0%~4.0%
		다가구	수도권 및 광역시	2.0%~6.0%	1.0%~3.0%
			기타 시도	3.0%~7.0%	1.0%~4.0%
		단독주택	수도권 및 광역시	1.0%~4.0%	0.5%~2.0%
			기타 시도	1.0%~5.0%	0.5%~3.0%
	상업용	업무용		1.5%~5.0%	0.5%~3.0%
		매장용		3.0%~6.0%	1.0%~4.0%
	공업용	산업단지		2.5%~5.5%	1.0%~3.0%
		기타 공업용		1.5%~4.5%	0.5%~2.5%
II	농지	도시근교농지		1.00% 이내	
		기타농지		1.00%~3.00%	
	임지	유실수단지 등 수익성이 있는 임지		1.50% 이내	
		자연임지		1.00% 이내	

》 1. 상기 기대이율은 부동산 유형별 및 실제이용상황에 따른 일반적인 기대이율의 범위를 정한 것이므로 실제 적용 시에는 지역여건이나 해당 토지의 상황 등을 고려하여 그 율을 증감조정할 수 있다.
2. 제시된 기대이율 기준율표는 상각후 기대이율을 제시한 것으로, 건물 등이 소재하는 경우에는 감가상각비의 처리에 유의해야 한다.
3. 표준적 이용은 인근지역 내 일반적이고 평균적인 이용을 의미하고, 임시적 이용은 인근지역 내 표준적인 이용에 비해 그 이용이 임시적인 것을 의미하며, 해당 토지에 모델하우스, 가설건축물 등 일시적 이용, 상업용지의 주차장이용, 주거용지의 텃밭이용 및 건축물이 없는 상태의 이용(주거용, 상업용, 공업용에 한정)을 포함하는 이용이다.

㉡ **CD금리를 반영한 기대이율표** [6] : 기대이율과 시중금리와 정의 상관성이 있고 상관계수가 가장 높은 CD금리를 기준으로 일정범위의 형태로 기대이율을 제시[7]하였으며, 기대이율을 산정 시 참고자료로 활용할 수 있다.

---

5) 감정평가실무매뉴얼(임대료 감정평가편), 한국감정평가사협회, 2016.09, p.47
6) 감정평가실무매뉴얼(임대료 감정평가편), 한국감정평가사협회, 2016.09, pp.48~49
7) 과거 2년 이동평균 CD금리와 기대이율과의 관계를 나타낸 것으로 CD금리의 지속적인 하락 등에 따라 그 적용범위가 달라질 수 있으므로 감정평가 시 유의해야 한다.

CD금리 기준 기대이율 표시(2016년 기준)

대분류	소분류		실제이용상황	
			표준적 이용	임시적 이용
I	주거용	아파트 / 수도권 및 광역시	CD금리 + −1.5%~0.5%	CD금리 + −2.5%~−0.5%
		아파트 / 기타	CD금리 + −1.0%~2.0%	CD금리 + −2.0%~0.0%
		연립·다세대 / 수도권 및 광역시	CD금리 + −1.5%~2.0%	CD금리 + −2.5%~0.0%
		연립·다세대 / 기타	CD금리 + −0.5%~3.5%	CD금리 + −2.0%~1.0%
		다가구 / 수도권 및 광역시	CD금리 + −1.0%~3.0%	CD금리 + −2.0%~0.0%
		다가구 / 기타	CD금리 + −0.0%~4.0%	CD금리 + −2.0%~1.0%
		단독주택 / 수도권 및 광역시	CD금리 + −2.0%~1.0%	CD금리 + −2.5%~−1.0%
		단독주택 / 기타	CD금리 + −2.0%~2.0%	CD금리 + −2.5%~0.0%
	상업용	업무용	CD금리 + −2.0%~2.0%	CD금리 + −2.5%~0.0%
		매장용	CD금리 + 0.0%~3.0%	CD금리 + −2.0%~1.0%
	공업용	산업단지	CD금리 + −0.5%~2.5%	CD금리 + −2.0%~0.0%
		기타 공업용	CD금리 + −1.0%~2.0%	CD금리 + −2.5%~−0.5%
II	농지	도시근교농지	1.00% 이내	
		기타농지	1.00%~3.00%	
	임지	유실수단지 등 수익성이 있는 임지	1.50% 이내	
		자연임지	1.00% 이내	

>> 1. 상기 기대이율은 부동산 유형별 및 실제이용상황에 따른 일반적인 기대이율의 범위를 정한 것이므로 실제 적용 시에는 지역여건이나 해당 토지의 상황 등을 고려하여 그 율을 증감조정할 수 있다.
2. CD금리 금리 적용 시 부동산시장의 임대차 관행 및 파급속도 등을 고려하여 과거 2년간 평균금리를 적용하되, 경기동향, 지역여건 등에 따라 2년 평균금리를 적용하는 것이 부적절하거나 더 적절한 방법이 있는 경우에는 객관적이고 신뢰성 있는 기간을 적용할 수 있다.
3. 제시된 기대이율 기준율표는 상각후 기대이율을 제시한 것으로, 건물 등이 소재하는 경우에는 감가상각비의 처리에 유의해야 한다.
4. 표준적 이용은 인근지역 내 일반적이고 평균적인 이용을 의미하고, 임시적 이용은 인근지역 내 표준적인 이용에 비해 그 이용이 임시적인 것을 의미하며, 해당 토지에 모델하우스, 가설건축물 등 일시적 이용, 상업용지의 주차장이용, 주거용지의 텃밭이용 및 건축물이 없는 상태의 이용(주거용, 상업용, 공업용에 한정)을 포함하는 이용이다.

ⓒ 기대이율 산정 참고자료[8]

    ⓐ **주거용의 경우** : 해당 지역별 주거용 자료 및 기타 자료 등을 기준하여 약식 검증수단으로 활용가능한 산식은 다음과 같다.

$$\text{주거용 기대이율} = \text{매매가격대비 전세가비율} \times \text{적용이율} - \text{감가상각비율}$$

    ⓑ **상업용의 경우** : 분기별, 지역별로 공표되는 소득수익률을 기준한 상각후 기대이율을 통해 검증할 수 있을 것이다.

$$\text{상각후 기대이율} = \text{소득수익률(1년간)} - \text{감가상각비율}$$

ⓓ 그 밖의 기대이율 참고자료 : CD금리, 국공채금리 등 시중금리 수준, 은행 대출금리 수준, 부동산 투자수익률, 「국유재산법」 등 관련 법령상 대부료율 등을 참작하여 결정할 수 있다.

(4) 필요제경비

필요제경비란 임차인이 사용・수익할 수 있도록 임대인이 대상물건을 적절하게 유지・관리하는 데에 필요한 비용을 말한다.

① **감가상각비**

대상물건이 상각자산인 경우 시간경과에 따라 발생하는 물리적, 기능적, 경제적 가치감소분인 감가상각액을 의미한다.

② **유지관리비**

대상물건의 유용성을 유지, 관리하기 위해 필요한 수익적 지출로 수선비, 유지비, 관리비 등을 의미한다(자본적 지출은 해당되지 않음).

③ **조세공과금**

대상물건에 직접 부과되는 세금 및 공과금으로 법인세와 소득세 등은 포함되지 않는다.

④ **손해보험료**

화재보험료, 대상물건의 손해보험료 등으로 소멸성 보험료를 의미한다.

⑤ **대손준비금**

임차인의 임대료지불 불이행에 따른 준비금으로 임대차계약 내용 및 시장관행 등을 고려하여 판단한다. 다만, 보증금 등 일시금을 받는 경우에는 계상하지 아니하여도 된다.

⑥ **공실손실상당액**

임대기간의 공백 또는 일부 미입주 등으로 인한 공실발생에 대비한 손실상당액을 의미한다. 필요제경비로서의 공실손실상당액은 임차인의 인테리어 기간 등에 대한 반영을 의미하는 것이지, 수익환원법 적용 시 반영하는 인근의 표준적인 공실정도를 반영한 금액은 아니므로 적용 시 유의해야 한다.

---

8) 감정평가실무매뉴얼(임대료 감정평가편), 한국감정평가사협회, 2016.09, pp.51~53 참조

⑦ **정상운영자금이자**

임대영업을 하기 위하여 소요되는 정상적인 운영자금에 대한 이자를 의미한다.

⑧ **기타사항**

한편, 임대차계약의 내용 및 대상물건의 종류에 따라 적산법 적용 시 포함하여야 할 필요제경비 항목의 세부적인 내용은 달라질 수 있다는 점에 유의하여야 하며, 필요제경비는 임대인이 대상물건을 임대차하는 데 필요한 비용을 의미하는 것으로 임차인의 사용으로 인해 발생하는 수도광열비 등 부가사용료 및 공익비는 제외되어야 한다.

⑸ **이론적 적산법과 실무적 적산법**

기초가액을 대상물건의 최유효이용을 전제로 한 시장가치로 본다면, 자본이득으로 인한 가치 또는 임대차계약 내용 등에 의해 대상물건을 한정적으로 사용함에 따른 가치의 제한은 기대이율에 반영하여야 하며, 기초가액을 임대차조건 등에 부응하는 사용가치로 본다면, 기대이율은 통상적인 투자수익률이 되어야 할 것이다.

① **이론적 적산법**

> 기초가액(현상태 및 계약상태를 기준한 가격) × 기대이율(정형화된 이율)

② **실무적 적산법**

> 기초가액(최유효상태를 기준) × 기대이율(개별적인 상황 반영)

판례[9]는 기대이율의 정형화를 주장하였는데, 이는 실무에서의 계약상태를 반영하여 평가함이 어려움에 대한 고려를 하지 못한 것으로써 비판받고 있다.

구분	기초가액	기대이율
이론적 적산법	용익가치 (임대차내용, 조건에 의한 사용가치)	• 대체투자수익률 등을 고려 • 지역별, 이용상황별, 품등별 미고려
실무적 적산법	시장가치 (최유효이용 기준)	지역별, 이용상황별, 품등별 및 대체투자수익률 등을 참작하여 차등적용

③ **각 사안별 정리(예 상업지대)**

상황		기초가액	기대이율
최유효 이용	실무적 적산법	토지의 시장가치(상업용)	기대이율(상업용, 최유효이용)
	이론적 적산법	토지의 사용가치 (＝ 토지의 시장가치(상업용))	기대이율(상업용)

---

9) 대판 2006.4.13, 2005다14083, 대판 2002.10.25, 2002다31483 등에 따르면 기대이율은 국공채이율, 은행의 장기대출금리, 일반 시중의 금리, 정상적인 부동산 거래이윤율, 「국유재산법」과 「지방재정법」(현 「공유재산 및 물품 관리법」)이 정하는 대부료율 등을 참작하여 결정하여야 할 사항으로 판시하고 있다.

	실무적 적산법	토지의 시장가치(상업용)	기대이율(상업용, 일시적 이용)
일시적 이용	이론적 적산법	토지의 사용가치 (일시적 이용의 계약조건 반영된 가치)	기대이율(상업용)
나지	실무적 적산법	토지의 시장가치(상업용)	기대이율(상업용, 나지)
	이론적 적산법	토지의 사용가치 (나지로서의 계약조건 반영된 가치)	기대이율(상업용)

> **판례**
>
> **이론적/실무적 적산법 관련 판례와 이에 대한 견해**
>
> **1. 관련판례(대판 2000.6.23, 2000다12020)**
>
> 해당 부동산의 기초가격에다 그 기대이율을 곱하는 이른바 적산법에 의한 방식으로 임대료를 산정함에 있어 기대이율이란 임대할 부동산을 취득함에 있어 소요되는 비용에 대한 기대되는 이익의 비율을 뜻하는 것으로서 원칙적으로 개개 토지의 소재지, 종류, 품등 등에 따라 달라지는 것이 아니고, 원심 판시와 같이 국공채이율, 은행의 장기대출금리, 일반시중금리, 정상적인 부동산거래이윤율, 국유재산법과 지방재정법이 정하는 대부료율 등을 참작하여 결정되어지는 것이며, 따라서 위와 같은 방식에 의한 임대료 산정 시 이미 기초가격이 구체적인 개개의 부동산의 실제 이용상황이 참작되어 평가·결정된 이상 그 기대이율을 산정함에 있어서 다시 위 실제 이용상황을 참작할 필요는 없는 것이다(대판 1994.6.14, 93다62515 참조). 그러나 원심이 채택한 위 감정인 작성의 감정서 기재에 의하면, 이 사건 토지의 기대이율을 그 실제이용 상황이 대지일 경우에는 7%, 도로일 경우에는 1%, 실제이용상황은 도로이나 지목이 대지일 경우에는 3%라고 하는 한편 각 경우에 따라 그 기초가격도 달리 정하고 있고, 그 기대이율 산정 시 참작하여야 할 제반 요소 등에 대한 합리적인 설명도 하지 않고 있다.
>
> **2. 판례에 대한 비판견해**
>
> 대법원의 판결에서조차도 적산법에 대한 이론적 접근방법과 실무상 적용방법의 차이점을 충분히 이해하지 못하고 혼동하여 판시하는 사례가 발생하였다. 판례의 대상이 된 평가에서는 기초가격은 기준시점으로 산정하고 기대이율은 실제 이용상황을 참작하여 산정하였는데, 이는 실무상 적용방법을 사용한 적정한 평가였음에도 불구하고 대법원 판결에서는 이론적 적산법과 혼동하여 '기대이율의 산정에 있어서는 실제 이용상황을 참작할 필요는 없다'고 하면서 해당 평가가 부적정한 것으로 판결한 것이다. 이와 같은 판례로 인해 소송과 관련한 적산임대료 평가실무에 있어서는 많은 혼란이 야기되고 있는 것이 현실이다.

기본예제

감정평가사 柳 씨는 K 씨로부터 다음 토지에 대한 실질임대료평가를 의뢰받았다. 실질임대료를 산정하시오.

자료 1 ▶ 평가의뢰물건

1. 소재지: A시 B동 100번지
2. 토지: 대, 500m², 세로(가), 가장형, 평지(토지의 시장가치 : 5,000,000원/m²)
3. 건물: 임차인이 설치한 가설건축물이 소재한다(현재 모델하우스로 이용 중임).
4. 평가목적: 시가참조
5. 기준시점: 2027.8.27.
6. 도시계획사항: 일반상업지역
7. 해당 토지의 최유효이용은 점포인 것으로 판단된다.
8. 임차인은 해당 토지상에 임대차계약상 한정된 가설건축물의 건축행위만 할 수 있으며, 임대차계약기간이 종료 시 협의에 의하여 원상복구의무가 부가되어 있다.

자료 2 ▶ 기타자료

1. 필요제경비는 순임대료의 10.0% 수준이다.
2. 기대이율 적용기준율표(적용 시 중위치를 적용할 것)

구분	표준적 이용	임시적 이용
업무용	1.5%~5.0%	0.5%~3.0%
매장용	3.0%~6.0%	1.0%~4.0%

예시답안

Ⅰ. 평가개요

본건은 토지의 임대료평가로 적산법으로 평가한다(기준시점 : 2027.8.27.).

Ⅱ. 기초가액 산정

$5,000,000 \times 500 = 2,500,000,000$원

Ⅲ. 기대이율 결정

현재의 이용상황이 임시적 이용으로서 2.5%로 결정

Ⅳ. 필요제경비 산정

$2,500,000,000 \times 0.025 \times 0.10 = 6,250,000$원

Ⅴ. 적산임대료 산정

$2,500,000,000 \times 0.025 + 6,250,000 = 68,750,000$원

3) 수익분석법

(1) 개념

수익분석법은 일반기업 경영에 의하여 산출된 총수익을 분석하여 대상물건이 일정한 기간에 산출할 것으로 기대되는 순수익에 대상물건을 계속하여 임대하는 데 필요한 경비를 더하여 대상물건의 임대료를 산정하는 감정평가방법을 말한다. 수익임대료란 수익분석법에 따라 산정된 임대료를 말

한다. 수익분석법은 해당 물건의 수익이 그 기업 수익의 대부분을 구성하고 있는 경우와 경영주체가 기업수익에 미치는 영향이 적은 경우 등 대상물건에 귀속되는 순수익액 등을 적정하게 구할 수 있는 경우에 유효하다.

(2) 산식

$$수익임대료 ≒ 순수익 + 필요제경비$$

(3) 순수익(수익순임대료) 산정방법

순수익을 산정하기 위해서는 일반기업 경영에 기초한 표준적인 연간 순수익을 기준한다. 순수익은 총수익에서 그 수익을 발생시키는데 필요한 경비(매출원가, 판매비 및 일반관리비, 정상운전자금이자 상당액, 부동산을 제외한 그 밖의 생산요소 귀속수익, 기타경비)를 차감한 금액이며, 해당항목은 해당부동산에 귀속하는 수익 및 비용을 산정하기 위한 것이어야 하며, 상각 후 세공제 전 순수익을 의미한다.

① 일반적인 순수익 산정방법

$$순수익(수익순임대료) = 매출액 - 매출원가 - 판매관리비 등 - 적정이윤$$

② 영업이익에서 부동산기여도를 판단하는 방법

$$영업이익 × 부동산 기여도(\%) = 수익순임대료$$

(4) 수익분석법의 장점 및 한계

① 수익분석법의 장점

수익배분의 원칙을 이론적 근거로 하므로 논리적이며, 총수익과 총비용에 대한 추정이 가능하다면 타 감정평가방법에 의해 산정된 임대료에 대하여 수익성에 기반한 적정성 검토 측면에서 유용하게도 활용될 수 있다.

㉠ 기업수익의 대부분이 부동산에서 발생하는 수익인 경우 등: 국·공유재산 중 수익성 부동산(공용주차장의 임대료 평가 등)을 임대함에 따른 적정 임대료를 구할 경우에도 이용되기도 한다[예로 공유재산인 공용주차장의 임대료산정을 위한 평가의 경우 예상되는 총수입에서 예상총비용(운영업자의 적정이윤 포함)을 차감하여 수익임대료를 결정하기도 한다].

㉡ 일반 기업용 부동산: 일반 기업용 부동산의 총수익 자체가 부동산 이외에 우수한 조직, 인력, 시스템, 브랜드, 자본력 등에 따라 창출되고 있다면 이를 공제한 부동산의 귀속 순수익을 기준한다. 생산구성요소 중 부동산 이외에 경영, 노동, 자본에의 귀속이익으로 부동산 이외의 요인이 수익에 기여하는 부분을 공제하여 감정평가대상인 부동산만의 순수익을 산정하게 되나, 부동산 이외의 타 생산구성요소에 귀속되는 이익을 공제하는 데 평가자의 자의성이 개입될 여지가 있으므로 유의해야 한다.

② **수익분석법을 활용하기 어려운 부동산**

㉠ **수익 추계 자체가 어려운 부동산**: 수익분석법에서의 순수익은 부동산의 총체적인 효용을 의미하는 것으로서 주거용 부동산의 경우 쾌적성에 대한 요인 고려가 어려워 수익분석법을 적용하기 어렵다.

㉡ **임대용 부동산의 경우**: 부동산의 효용이 대부분 부동산의 임대수익인 일부 주거용 부동산 및 상업용 부동산의 경우에는 순환논리 모순의 문제가 발생될 수 있다.

⑸ **필요제경비 산정방법**

필요제경비에는 대상물건에 귀속될 감가상각비, 유지관리비, 조세공과금, 손해보험료, 대손준비금 등이 포함된다.

기본예제

감정평가사인 당신은 H강 인근유역의 주차장부지에 대한 임대료 평가를 의뢰받고 아래의 자료를 수집하였다. 수익분석법을 통하여 적정한 임대료를 결정하시오.

자료

1. 주차장명: H강유역 공영주차장(150면)
2. 1면당 연간 유효총수익: 2,700,000원
3. 예상운영경비
   ⑴ 인건비: 연간 60,000,000원(주중 및 주말관리원)
   ⑵ 유지관리비: 연간 10,500,000원(임차인이 주차장과 관련된 제반시설에 대한 관리비를 모두 부담한다.)
   ⑶ 제세공과: 연간 5,000,000원
   ⑷ 운영자의 적정이윤: 유효총수익의 10%
4. 인근의 H강유역 공영주차장은 해당 관리청에서 모두 직영의 형태로 운영하고 있으며, 본건 주차장부지의 공법상 제한의 특수성으로 인하여 인근에 이와 유사한 토지의 가격자료를 구할 수 없다.
5. 주차장사업의 특성상 운영자의 적정이윤 이외의 수익이 배분될 여지는 없다.

예시답안

1. **유효총수익**

   $2,700,000 \times 150 = 405,000,000$원

2. **운영경비 등**

   $60,000,000 + 10,500,000 + 5,000,000 + 405,000,000 \times 0.1 = 116,000,000$원

3. **필요제경비**

   임차인이 제반 관리비 등을 부담하며 감가상각비가 발생하는 기초자산이 미미한바 고려하지 아니함.

4. **임대료의 결정**

   $405,000,000 - 116,000,000 = 289,000,000$원

2. 계속임대료의 평가방법

차액배분법, 이율법, 슬라이드법, 임대사례비교법이 있다.

구분	산식(계속임대료)	비고
차액배분법	실제실질임대료 + (정상실질임대료 − 실제실질임대료) × 임대인귀속비율(1/2, 1/3 …)	정상실질임대료는 임대사례비교법 및 적산법에 의함.
이율법	기준시점기초가액 × 계속임대료이율 + 필요제경비	계속임대료이율 = (실제실질임대료 − 필요제경비)/계약 시 기초가액
슬라이드법	계약 당시 순임대료 × 슬라이드지수 + 기준시점필요제경비 = 계약 당시 실제실질임대료 × 슬라이드지수	경제사정의 변화, 부동산가격 변동, 임대료 수준 변동, 필요제경비 변화 등을 종합·고려해서 파악
임대사례비교법	계속임대사례 실질임대료 × 사 × 시 × 지 × 토개 × 건개 × 층별 × 호별 × 임대면적	계속임대사례를 선택하고, 시점수정은 계속임대료지수를 적용

제2절   임대차(임대권 및 임차권)의 평가

01   개념

장기임대차에 있어서 최초의 임대조건이 전형적인 시장의 그것과 달라지는 경우에는 계약조건에 따라 지불되는 임대료와 시장임대료의 차이가 발생하게 되는데 이러한 시장임대료와 계약임대료의 차이를 기준으로 임대차평가를 한다.

02   임대차 평가의 유용성

임대차 평가는 장기간의 임대차나 권리에 대한 거래가 일반화된 경우 임대권 혹은 임차권에 대한 가치를 명확하게 하는 데 유용성이 있다. 평가 시에는 계약조건에 따라 각 권리자별로 귀속되는 수익을 추계하는 것이 중요하다. 또한 투자의사결정에 있어서 투자대상 부동산의 계약조건을 인수하는 경우 이를 반영한 투자가치의 산정에 있어서 유용하다(Investment Approach).

03   임대차 평가

1. 일반임대차의 평가방법

(1) 임대권 평가

$$\text{임대권의 가치} = \text{계약임대료} \times \frac{(1 + y_1)^n - 1}{y_1 \times (1 + y_1)^n} + \frac{V}{(1 + y_1)^n}$$

y_1 = 임대자의 할인율 V = 임대기간 말 복귀가치 n = 잔여임대기간

≫ 기초지불 시: 기말시점으로 임대료를 보정한다.

(2) **임차권 평가**

> - 임차권 가치 = (시장임대료 − 계약임대료) $\times \dfrac{(1 + y_2)^n - 1}{y_2 \times (1 + y_2)^n} + \dfrac{임차개량물의\ 잔존가치}{(1 + y_2)^n}$
>
> - 귀속소득 = 시장임대료 − 계약임대료
>
> y_2 = 임차인의 할인율 n = 임대차기간

>> **임차자 개량물**: 임차자가 설치한 건물이나 구조물로 기간 말 임차자에게 귀속되는 경우에는 임차권에 포함된다.

>> 귀속소득은 기간 말이 되어야 실현되므로 항상 기간 말을 기준으로 할인하여야 한다는 견해도 있으며, 귀속소득은 실제 현금흐름이 발생하지 않기 때문에 기말보정이 필요하지 않다는 견해도 있다.

2. 특수임대차의 평가방법

1) 다중임대차에서의 전대권, 전차권

(1) **전대권 가치**

> 전대권의 가치 = (전대차임대료 − 계약임대료) $\times \dfrac{(1 + y_3)^n - 1}{y_3 \times (1 + y_3)^n} + \dfrac{임차개량물의\ 잔존가치}{(1 + y_3)^n}$
>
> y_3 = 전대인의 할인율 n = 전대차기간

(2) **전차권 가치**

> 전차권의 가치 = (시장임대료 − 전대차임대료) $\times \dfrac{(1 + y_4)^n - 1}{y_4 \times (1 + y_4)^n}$
>
> y_4 = 전차인의 할인율

2) **비율임대차**(수수료 매장)

임대료의 전부나 일부를 임차자의 매상고나 생산성의 일정비율로 산정하는 임대차 형식을 말한다. 기본임대료에는 상대적으로 낮은 할인율을, 추징임대료[10]에는 소비자들의 구매력의 변화, 경쟁 등을 고려하여 상대적으로 높은 할인율을 적용한다.

---

10) 추징임대료란 비율임대차에서 기본임대료 이상으로 지불되는 비율임대료를 의미하며 통상 매출액 대비 몇 %로 결정된다. 다만, 추징임대료는 항상 매출이 달성되는 기말에 지불된다는 것에 유의해야 한다.

> **기 본예제**
>
> ○○커피매장에서는 보증금으로 200,000,000원을 지급하고 판매금액(부가세 제외)의 13%를 임대료로 지급하기로 하는 임대차계약을 체결하였다. 해당 매장에서는 월평균 30,000,000원의 매출을 보였으며, 영업이익률은 30% 정도인 경우 해당 임대차계약에 따른 연간 유효총수익은 얼마인가? (보증금운용이율 : 2.0%)
>
> **예시답안**
>
> 200,000,000 × 0.02 + (30,000,000 × 13%) × 12월 = 50,800,000원

3. 임대권 및 임차권 가치의 합과 관련된 이론적 논의

> 임대권가치 + 임차권가치 ≠ 완전소유권가치

임대권의 가치와 임차권의 가치의 합은 완전소유권가치(시장가치)와 다를 수 있다. 이는 임대권 및 임차권은 임대인과 임차인의 개별적인 계약조건을 반영하여 산출되기 때문에 임대인 또는 임차인의 질적 차이(전형적 임차인에 대한 가정)로 인하여 완전소유권가치(당사자의 일반성을 가정함)와 달라질 수 있다.

임대권과 임차권의 평가 시에는 개별적인 계약조건상의 이용상황이 반영된 권리의 가치가 평가되어 당사자 간 최유효이용에 따른 이용상황을 상정하지 않는 경우, 최유효이용을 가정한 이용상황에 따른 가치인 완전소유권가치와 달라질 수 있다.

임대인과 임차인에 대한 가정에 따라 적용되는 할인율이나 환원율이 바뀔 수 있다. 단, 완전소유권가치의 평가 시에는 표준적인 임대차를 기준으로 한 환원율과 할인율이 적용되어 등식이 성립하지 않을 수 있다.

4. 임차자 개량물에 대한 처리방법

1) 귀속소득을 나지만의 귀속소득으로 구하는 경우(통상적인 경우)

⑴ **귀속소득 = 나지의 시장임대료 – 나지의 계약임대료**

⑵ **임차자 개량물의 처리방법**

① **임대차기간 종료 후 임차자 개량물이 임대인에게 귀속되는 경우(통상적인 경우)**

> 임차권가치 = 귀속소득 × PVAF + (임차인 개량물의 현재시점 가치 − 기말임차인 개량물의 가치/현가)

② **임대차기간 종료 후 임차자 개량물이 임차인에게 귀속되는 경우**

> 임차권가치 = 귀속소득 × PVAF + 임차인 개량물의 현재시점 가치

2) 귀속소득을 복합부동산의 귀속소득으로 구하는 경우

(1) 귀속소득 = 복합부동산의 시장임대료 – 나지의 계약임대료

(2) 임차자개량물의 처리방법

① 임대차기간 종료 후 임차자 개량물이 임대인에게 귀속되는 경우

$$임차권가치 = 귀속소득 \times PVAF$$

② 임대차기간 종료 후 임차자 개량물이 임차인에게 귀속되는 경우

$$임차권가치 = 귀속소득 \times PVAF + 기말임차인 \ 개량물의 \ 가치 / 현가$$

기 본예제

임대인 甲은 임차인 乙과 업무시설에 대하여 아래와 같은 임대차계약을 체결하였다. 각 물음에 답하시오.

자료 1 임대차계약서(일부)

1. 임대차대상 물건: S시 A동 100 제501호
2. 용도: 업무시설
3. 임대료: 보증금 없음, 월 3,000,000원, 관리비는 임차인이 부담함.
4. 임대차기간: 현 시점으로부터 10년(임대료는 변동이 없는 것으로 한다.)
5. 임대차계약시점: 최근

자료 2 시장자료

1. 최근에 본건과 개별적으로 대등한 S시 A동 100번지 제601호가 월 6,000,000원(보증금 없음)에 임대차되었으며, 이는 해당 물건의 적정한 시장임대료인 것으로 확인되었다.
2. 해당 물건의 최근 매매금액은 15억원이며, 이는 시장가치(완전소유권가치)로 인정될 수 있다.
3. 해당 물건의 보유기간 말에는 매입한 금액의 105%에 되팔 수 있는 것으로 본다.

자료 3

1. 보증금운용이율: 연 2.0%
2. 할인율: 임대권 귀속할인율 4.0%, 귀속임대료 귀속할인율 6.0%

1-1. 해당 임대차계약에 따른 임대권 가치를 평가하시오.

1-2. 해당 임대차계약에 따른 임차권 가치를 평가하시오.

1-3. 「임대권가치 + 임차권가치 = 완전소유권」이 된다는 가정하에 임차권에 내재되어 있는 수익률을 산정하시오.

예시답안

1. $(3,000,000 \times 12) \times \dfrac{1.04^{10}-1}{0.04 \times 1.04^{10}} + \dfrac{1,500,000,000 \times 1.05}{1.04^{10}} \fallingdotseq 1,356,006,000$원

2. $(6,000,000 - 3,000,000) \times 12 \times \dfrac{1.06^{10}-1}{0.06 \times 1.06^{10}} \fallingdotseq 264,963,000$원

3. • 산식 : $(6,000,000 - 3,000,000) \times 12 \times \dfrac{(1+r)^{10}-1}{r \times (1+r)^{10}} = 1,500,000,000 - 1,356,006,000$

   • 결정치 : $r \fallingdotseq 21.41\%$

CASIO 계산기 활용방법[Compound Interest(복수의 기간 중 IRR) 활용] ▶ ▶ ▶ 

• Menu − TVM − F2(Compound Interest)로 들어간 다음, 다음과 같이 설정한다.
• n = 10(기간)
• PV = −143,944,000(현재가치, −를 넣어야 함에 유의한다)
• PMT = 36,000,000(매기 불입금액)
• FV = 0(미래가치, 본 사안에서는 없다)
• P/Y = 1(1년에 불입하는 횟수)
• C/Y = 1(연간 복리횟수)
상기와 같이 입력한 후 F2(I%)를 누르면 산출된다.

풀이영상

박문각 감정평가사

박문각 감정평가사

유도은 S+감정평가실무
2차 | 기본서 1권

제13판 인쇄 2026. 4. 15. | **제13판 발행** 2026. 4. 20. | **편저자** 유도은

발행인 박 용 | **발행처** (주)박문각출판 | **등록** 2015년 4월 29일 제2019-0000137호

주소 06654 서울시 서초구 효령로 283 서경 B/D 4층 | **팩스** (02)584-2927

전화 교재 문의 (02)6466-7202

저자와의
협의하에
인지생략

이 책의 무단 전재 또는 복제 행위를 금합니다.

정가 58,000원
ISBN 979-11-7519-902-6(1권)
      979-11-7519-901-9(세트)

MEMO

MEMO

MEMO